W9-CHP-674

FRANZ KAFKA
BESCHREIBUNG EINES KAMPFES
Novellen · Skizzen · Aphorismen

Aus dem Nachlaß

Herausgegeben von Max Brod

Fischer Taschenbuch Verlag

Die Erstausgabe dieses Bandes erschien 1954 innerhalb der ›Gesammelten Werke. Herausgegeben von Max Brod‹ im S. Fischer Verlag, Frankfurt am Main. Die beiden vorausgegangenen Ausgaben mit dem gleichen Titel, 1936 und 1946, sind mit dieser Ausgabe inhaltlich nicht identisch

34.–35. Tausend: Juli 1990

Ungekürzte Ausgabe
Veröffentlicht im Fischer Taschenbuch Verlag GmbH,
Frankfurt am Main, April 1980

Umschlagentwurf: Jan Buchholz / Reni Hinsch
Satzherstellung: Otto Gutfreund & Sohn, Darmstadt
Druck und Bindung: Clausen & Bosse, Leck
Printed in Germany
ISBN 3-596-22066-1

INHALT

ANHANG

BESCHREIBUNG EINES KAMPFES

Und die Menschen gehn in Kleidern
Schwankend auf dem Kies spazieren
Unter diesem großen Himmel,
Der von Hügeln in der Ferne
Sich zu fernen Hügeln breitet.

I

Gegen zwölf Uhr standen schon einige Leute auf, verbeugten sich, reichten einander die Hände, sagten, es wäre sehr schön gewesen, und gingen dann durch den großen Türrahmen ins Vorzimmer, sich anzukleiden. Die Hausfrau stand mitten in dem Zimmer und machte bewegliche Verbeugungen, während in ihrem Rock gezierte Falten sich schaukelten.

Ich saß an einem kleinen Tischchen – es hatte drei gespannte dünne Beine – nippte gerade an dem dritten Gläschen Benediktiner und übersah im Trinken zugleich meinen kleinen Vorrat von Backwerk, das ich selbst ausgesucht und aufgeschichtet hatte.

Da sah ich meinen neuen Bekannten ein wenig zerrauft und aus der Ordnung geraten an dem Türpfosten eines Nebenzimmers erscheinen, aber ich wollte wegsehn, denn es ging mich nichts an. Er dagegen kam auf mich zu und zerstreut über meine Beschäftigung lächelnd sagte er: »Verzeihen Sie, daß ich zu Ihnen komme. Aber ich bin bis jetzt mit meinem Mädchen allein in einem Nebenzimmer gesessen. Von halb elf an. Sie, Mensch, das war einmal ein Abend. Ich weiß schon, es ist nicht recht, daß ich Ihnen das erzähle, denn wir kennen ja einander kaum. Nicht wahr, auf der Treppe sind wir heute abend einander begegnet und haben als Gäste des gleichen Hauses ein paar Worte gesprochen. Und jetzt – aber Sie müssen mir – ich bitte – verzeihen, das Glück hält es einfach nicht in mir aus, ich konnte mir nicht helfen. Und da ich sonst keine Bekannten hier habe, denen ich vertraue –«

Ich sah ihn traurig an – das Stück Fruchtkuchen, das ich im Munde hatte, schmeckte nicht besonders – und sagte in sein hübsch gerötetes Gesicht hinauf:

»Ich bin natürlich froh darüber, daß ich Ihnen vertrauenswürdig scheine, aber unzufrieden damit, daß Sie sich mir anvertraut ha-

ben. Und Sie selbst, wären Sie nicht so verwirrt, müßten es fühlen, wie unpassend es ist, einem, der allein sitzt und Schnaps
trinkt, von einem liebenden Mädchen zu erzählen.«

Als ich dieses gesagt hatte, setzte er sich mit einem Ruck nieder,
legte sich zurück und ließ seine Arme hängen. Dann drückte er sie
mit gespitzten Ellbogen zurück und begann mit ziemlich lauter
Stimme vor sich hinzusprechen:

»Noch vor einem Weilchen dort in dem Zimmer waren wir allein,
das Annerl mit mir. Und ich habe sie geküßt, geküßt – habe – ich –
sie auf ihren Mund, ihre Ohren, ihre Schultern. Mein Gott und
Herr!«

Einige Gäste, die hier ein etwas lebhafteres Gespräch vermuteten,
rückten gähnend näher zu uns. Ich stand daher auf und sagte, daß
es alle hören konnten:

»Also gut, wenn Sie wollen, dann gehe ich mit, aber ich bleibe dabei, daß es ein Unsinn ist, jetzt im Winter und in der Nacht auf den
Laurenziberg zu gehn. Überdies ist es kalt geworden und da ein
wenig Schnee gefallen ist, sind die Wege draußen wie Schlitt-
schuhbahnen. Nun, wie Sie wollen –«

Er sah mich zuerst staunend an und öffnete seinen Mund mit den
nassen Lippen; dann aber, als er die Herren sah, die schon ganz in
der Nähe waren, lachte er, stand auf und sagte:

»O doch, die Kühle wird gut tun; unsere Kleider sind voll Hitze
und Rauch; dann bin ich auch ein wenig betrunken, ohne gerade
viel getrunken zu haben; ja, wir werden uns verabschieden und
dann werden wir gehn.« Wir gingen also zur Hausfrau und als er
ihr die Hand küßte, sagte sie:

»Nein, ich bin froh, daß Sie heute so glücklich aussehen.« Die
Güte dieser Worte rührte ihn, und er küßte noch einmal ihre
Hand; da lächelte sie. Ich mußte ihn fortziehn. Im Vorzimmer
stand ein Stubenmädchen, wir sahen sie jetzt zum erstenmal. Sie
half uns in die Überröcke und nahm dann eine kleine Handlampe,
um uns über die Treppe zu leuchten. Ihr Hals war nackt und nur
unter dem Kinn von einem schwarzen Samtband umbunden und
ihr lose bekleideter Körper war gebeugt und dehnte sich immer
wieder, als sie vor uns die Treppe hinunterstieg, die Lampe nie-
derhaltend. Ihre Wangen waren gerötet, denn sie hatte Wein getrunken und in dem schwachen, das ganze Stiegenhaus erfüllenden Lampenschein zitterten ihre Lippen.

Unten an der Treppe stellte sie die Lampe auf eine Stufe nieder, ging einen Schritt auf meinen Bekannten zu und umarmte ihn und küßte ihn und blieb in der Umarmung. Erst als ich ihr ein Geldstück in die Hand legte, löste sie schläfrig ihre Arme von ihm, öffnete langsam das kleine Haustor und ließ uns in die Nacht.

Über der leeren, gleichmäßig erhellten Straße stand ein großer Mond im leicht bewölkten und dadurch weiter ausgebreiteten Himmel. Auf dem gefrorenen Schnee durfte man nur kleine Schritte tun.

Kaum waren wir ins Freie getreten, als ich offenbar in bedeutende Munterkeit geriet. Ich hob meine Beine, ließ die Gelenke knacken, ich rief über die Gasse einen Namen hin, als sei mir ein Freund um die Ecke entwischt, ich warf den Hut im Sprunge hoch und fing ihn prahlerisch auf.

Mein Bekannter aber ging unbekümmert neben mir her. Er hielt den Kopf geneigt. Er redete auch nicht.

Das wunderte mich, denn ich hatte mir ausgerechnet, seine Freude würde ihn toll machen, wenn ich ihn aus der Gesellschaft hinausbrächte. Nun konnte auch ich stiller werden. Gerade hatte ich ihm einen aufmunternden Schlag über den Rücken gegeben, als ich seinen Zustand plötzlich nicht mehr begriff und meine Hand zurückzog. Da ich sie nicht brauchte, steckte ich sie in die Tasche meines Rockes.

Wir gingen also schweigend. Ich achtete darauf, wie unsere Schritte klangen und konnte nicht begreifen, daß es mir unmöglich war, mit meinem Bekannten im gleichen Schritt zu bleiben. Dabei war klare Luft, ich konnte seine Beine deutlich sehen. Hie und da lehnte auch jemand in einem Fenster und betrachtete uns.

Als wir in die Ferdinandstraße kamen, bemerkte ich, daß mein Bekannter eine Melodie aus der ›Dollarprinzessin‹ zu summen begann; es war leise, aber ich hörte es ganz gut. Was sollte das? Wollte er mich beleidigen? Nun ich war sofort bereit, auf diese Musik zu verzichten und auf den ganzen Spaziergang überdies. Ja, warum sprach er denn nicht mit mir? Wenn er mich aber nicht nötig hatte, warum hatte er mich dann nicht in meiner Ruhe gelassen, dort in der Wärme bei Benediktiner und süßem Zeug. Ich war es wahrhaftig nicht gewesen, der sich um diesen Spaziergang gerissen hatte. Im übrigen konnte ich auch selbständig spazierengehen.

Ich war eben in Gesellschaft gewesen, hatte einen undankbaren jungen Menschen vor Beschämung gerettet und spazierte nun im Mondlicht herum. Auch das ging. Den Tag über im Amt, abends in Gesellschaft, in der Nacht auf den Gassen und nichts übers Maß. Eine in ihrer Natürlichkeit schon grenzenlose Lebensweise!

Doch mein Bekannter ging noch hinter mir, ja er beschleunigte seinen Gang, als er merkte, daß er zurückgeblieben war. Es wurde nichts gesprochen, man konnte auch nicht sagen, daß wir liefen. Ich aber überlegte, ob es nicht gut wäre, in eine Seitengasse einzubiegen, da ich doch im Grunde zu einem gemeinsamen Spaziergang nicht verpflichtet war. Ich konnte allein nach Hause gehn und keiner durfte mich hindern. Ich würde dann sehen, wie mein Bekannter an der Öffnung meiner Gasse unwissend vorüberkommt. Adieu, mein lieber Bekannter! In meinem Zimmer wird mir bei der Ankunft warm sein, ich werde auf meinem Tisch die Stehlampe in ihrem eisernen Gestell entzünden und, bin ich dann fertig, werde ich mich in meinen Armstuhl legen, der auf dem zerrissenen morgenländischen Teppich steht. Schöne Aussichten! Warum denn nicht? Aber dann? Kein dann. Die Lampe wird im warmen Zimmer leuchten, mir im Armstuhl auf die Brust. Nun, dann werde ich auskühlen und Stunden allein zwischen den bemalten Wänden verbringen, auf dem Fußboden, welcher in dem an der Rückwand aufgehängten Goldrahmenspiegel schräg abfällt.

Meine Beine wurden müde und schon war ich entschlossen auf jeden Fall nach Hause zu gehen und mich in mein Bett zu legen, als ich in Zweifel geriet, ob ich jetzt beim Weggehen meinen Bekannten grüßen sollte oder nicht. Aber ich war zu furchtsam, um ohne Gruß wegzugehen, und zu schwach, um laut rufend zu grüßen. Ich blieb daher stehen, stützte mich an eine mondbeschienene Häusermauer und wartete.

Mein Bekannter kam über die Trottoirfläche weg auf mich zu, rasch, als sollte ich ihn auffangen. Er zwinkerte mit den Augen wegen irgendeines Einverständnisses, das ich offenbar vergessen hatte.

»Was denn, was denn?« fragte ich.

»Aber nichts«, sagte er, »ich wollte Sie nur um Ihre Meinung über jenes Stubenmädchen fragen, das mich im Flur geküßt hat. Wer ist das Mädchen? Haben Sie sie früher schon gesehen? Nein? Ich auch nicht. War es überhaupt ein Stubenmädchen? Schon wie sie die Treppe vor uns hinunterging, wollte ich Sie danach fragen.«

»Daß sie ein Stubenmädchen war und nicht einmal das erste Stubenmädchen, habe ich gleich an ihren roten Händen gesehn, und als ich ihr das Geld in die Hand gab, spürte ich die harte Haut.«

»Aber das beweist nur, daß sie schon einige Zeit im Dienst steht, das glaube ich ja auch.«

»Sie können darin recht haben. In der Beleuchtung dort konnte man ja nicht alles unterscheiden, aber auch mich erinnerte ihr Gesicht an eine ältere Offizierstochter meiner Bekanntschaft.«

»Mich nicht«, sagte er.

»Das soll mich nicht hindern, nach Hause zu gehn; es ist spät und morgen früh habe ich Amt; man schläft dort schlecht.« Dabei reichte ich ihm die Hand zum Abschied hin.

»Pfui, die kalte Hand«, rief er, »mit einer solchen Hand möchte ich nicht nach Hause gehn. Sie hätten sich, mein Lieber, auch küssen lassen sollen, das war ein Versäumnis, nun, Sie können es ja nachholen. Aber schlafen? In dieser Nacht? Was fällt Ihnen denn ein? Bedenken Sie doch, wieviel glückliche Gedanken man mit der Decke erstickt, wenn man allein in seinem Bette schläft, und wieviel unglückliche Träume man mit ihr wärmt.«

»Ich ersticke nichts und wärme nichts«, sagte ich.

»Aber lassen Sie mich, Sie sind ein Komiker«, schloß er. Gleichzeitig begann er weiterzugehn und ich folgte ihm, ohne es zu bemerken, denn mich beschäftigte sein Ausspruch.

Ich glaubte aus diesem Ausspruch zu erkennen, daß mein Bekannter in mir etwas vermutete, was zwar nicht in mir war, mich aber bei ihm in Beachtung brachte dadurch, daß er es vermutete. Gut also, daß ich nicht nach Hause gegangen war. Wer weiß, dieser Mensch, der jetzt neben mir mit in der Kälte rauchendem Mund an Stubenmädchensachen dachte, war vielleicht imstande, mir vor den Leuten Wert zu geben, ohne daß ich ihn erst erwerben mußte. Daß mir ihn nur die Mädchen nicht verderben! Mögen sie ihn küssen und drücken, das ist ja ihre Pflicht und sein Recht, aber entführen sollen sie mir ihn nicht. Wenn sie ihn küssen, küssen sie mich ja auch ein wenig, wenn man will; mit dem Mundwinkel gewissermaßen; wenn sie ihn aber entführen, dann stehlen sie mir ihn. Und er soll immer bei mir bleiben, immer, wer soll ihn beschützen, wenn nicht ich. Er ist ja so dumm. Im Februar sagt man ihm: Du komm auf den Laurenziberg, und er läuft mit. Und wie, wenn er jetzt fällt, wie, wenn er sich verkühlt, wie, wenn ein Eifersüchtiger aus der Postgasse heraus ihn überfällt? Was soll dann mit mir geschehn, soll ich dann aus der Welt herausgeworfen werden? Das möchte ich doch sehn, nein, mich wird er nicht mehr los werden.

Morgen wird er mit Fräulein Anna reden, gewöhnliche Dinge zuerst, wie es natürlich ist, aber plötzlich wird er es nicht mehr verschweigen können: Gestern, Annerl, in der Nacht, nach unserer Gesellschaft, weißt Du, war ich mit einem Menschen beisammen, wie Du ihn ganz bestimmt noch nie gesehen hast. Er sieht aus, wie soll ich ihn beschreiben, – wie eine Stange in baumelnder Bewegung sieht er aus, mit einem schwarzbehaarten Schädel oben. Sein Körper ist mit vielen kleinen mattgelben Stoffstückchen behängt, die ihn vollständig bedeckten, denn bei der gestrigen Windstille lagen sie glatt an. Wie, Annerl, Dir vergeht der Appetit? Ja, dann ist es meine Schuld, dann habe ich das Ganze schlecht erzählt. Wenn Du ihn nur gesehen hättest, wie schüchtern er neben mir ging, wie er mir meine Verliebtheit ansah, was ja kein Kunststück war, und um mich in ihr nicht zu stören, eine große Strecke allein vorausging. Ich glaube, Annerl, Du hättest ein wenig gelacht und ein wenig Dich gefürchtet, mich aber freute seine Gegenwart. Denn wo warst Du, Annerl? In Deinem Bett warst Du und Afrika war nicht entfernter als Dein Bett. Manchmal aber war mir wahrhaftig, als höbe sich mit den Atemzügen seiner platten Brust der gestirnte Himmel. Du glaubst, ich übertreibe? Nein, Annerl; bei meiner Seele, nein; bei meiner Seele, die Dir gehört, nein.

Und ich erließ meinem Bekannten – wir machten gerade die ersten Schritte auf den Franzensquai – nicht den geringsten Teil der Beschämung, die er bei solcher Rede fühlen mußte. Nur gingen damals meine Gedanken ineinander über, denn die Moldau und die Stadtviertel am andern Ufer liegen in gemeinsamem Dunkel. Einige Lichter brannten dort und spielten mit den schauenden Augen.

Wir kreuzten die Fahrbahn, um zum Flußgeländer zu kommen, dort blieben wir stehen. Ich fand einen Baum, um mich anzulehnen. Da es vom Wasser her kalt wehte, zog ich meine Handschuhe an, seufzte grundlos, wie man es in der Nacht vor einem Flusse wohl tun mag, dann aber wollte ich weiter. Doch mein Bekannter schaute ins Wasser und rührte sich nicht. Dann trat er näher an das Geländer, hatte schon die Beine an dem Eisen, stützte die Ellbogen auf und legte die Stirn in die Hände. Was denn noch? Ich fror ja und mußte den Rockkragen in die Höhe stülpen. Mein Bekannter streckte sich, den Rücken, die Schultern, den Hals und hielt den Oberkörper, der auf seinen gespannten Armen ruhte, über das Geländer vorgebeugt.

»Die Erinnerungen, nicht wahr?« sagte ich, »ja, schon das Erinnern ist traurig, wie erst sein Gegenstand! Geben Sie sich solchen Sachen nicht hin, das ist nichts für Sie und nichts für mich. Man schwächt ja dadurch – nichts ist klarer – seine gegenwärtige Position, ohne die frühere zu stärken, abgesehen davon, daß die frühere Stärkung nicht mehr nötig hat. Glauben Sie denn, ich hätte keine Erinnerungen? Oh, zehn für jede der Ihrigen. Jetzt zum Beispiel könnte ich mich erinnern, wie ich in L. auf einer Bank gesessen bin. Es war am Abend, auch am Flußufer. Natürlich im Sommer. Und es ist meine Gewohnheit, an so einem Abend die Beine zu mir heraufzuziehn und zu umschlingen. Den Kopf hatte ich gegen die hölzerne Lehne der Bank gelegt, von wo ich die wolkenhaften Berge des andern Ufers ansah. Eine Geige spielte zart im Strandhotel. Auf beiden Ufern fuhren hin und wieder schiebende Züge mit erglänzendem Rauch.«

Mein Bekannter unterbrach mich, er wandte sich plötzlich um, es sah fast aus, als sei er erstaunt, mich noch hier zu sehn. »Ach, ich könnte noch viel mehr erzählen«, sagte ich, nichts weiter.

»Denken Sie nur, und immer kommt es so«, begann er. »Als ich heute meine Treppe hinunterstieg, um vor der Abendgesellschaft noch einen kleinen Spaziergang zu machen, mußte ich mich wundern, wie meine Hände in den Manschetten hin und her schlenkerten und so lustig haben sie das gemacht. Da dachte ich mir gleich: Wart, heut kommt was. Und es ist auch gekommen.« Dieses sagte er schon im Gehen und sah mich lächelnd mit großen Augen an.

So weit hatte ich es also gebracht. Er durfte mir solche Sachen erzählen, dabei lächeln und große Augen auf mich machen. Und ich, ich mußte mich zurückhalten, daß ich meinen Arm nicht um seine Schultern legte und ihn in seine Augen küßte zur Belohnung dafür, daß er mich so gar nicht brauchen konnte. Das Schlimmste aber war, daß auch das nichts mehr schaden konnte, weil es nichts ändern konnte, denn weg mußte ich nun, weg auf jeden Fall.

Als ich noch rasch nach einem Mittel suchte, um wenigstens ein Weilchen bei meinem Bekannten bleiben zu dürfen, fiel mir ein, daß ihm vielleicht meine lange Gestalt unangenehm sein könnte, neben der er seiner Meinung nach zu klein erschien. Und dieser Umstand quälte mich – es war freilich späte Nacht und wir begegneten fast niemandem – doch so sehr, daß ich meinen Rücken gebückt machte, bis meine Hände im Gehen meine Knie berührten. Damit aber mein Bekannter die Absicht nicht bemerkte, veränderte ich meine Haltung nur ganz allmählich, suchte seine Aufmerksamkeit von mir abzulenken, drehte ihn sogar einmal zum Flusse hin und zeigte ihm mit ausgestreckter Hand die Bäume der Schützeninsel und wie die Brückenlampen im Flusse sich spiegelten.

Aber mit plötzlicher Wendung sah er mich an – ich war noch nicht ganz fertig – und sagte: »Ja, was ist denn das? Sie sind ja ganz krumm! Was treiben Sie da?« »Ganz richtig«, sagte ich, den Kopf an seiner Hosennaht, weshalb ich auch nicht ordentlich aufschauen konnte. »Sie haben ein scharfes Auge!«

»Also hoppla! Stehen Sie doch auf! Solche Dummheiten!«

»Nein«, sagte ich und schaute auf die nahe Erde, »ich bleibe, wie ich bin.«

»Das muß ich aber sagen, ärgern können Sie einen. Dieser unnütze Aufenthalt! Also machen Sie endlich Schluß!«

»Wie Sie schreien! In der ruhigen Nacht!« sagte ich.

»Übrigens, ganz nach Ihrem Belieben«, fügte er noch hinzu und nach einem Weilchen: »Es ist dreiviertel auf eins.« Er las die Zeit offenbar von der Uhr des Mühlenturmes ab.

Schon stand ich wie an den Haaren in die Höhe gerissen. Ein Weilchen lang hielt ich den Mund offen, damit mich die Aufregung durch den Mund verlasse. Ich verstand ihn, er schickte mich fort. Bei ihm sei kein Platz für mich, und wenn vielleicht doch einer hier ist, so sei er wenigstens nicht zu finden. Warum ich, nebenbei gesagt, so darauf versessen sei, bei ihm zu bleiben. Nein, ich möchte nur weggehn – und dies sofort – zu meinen Verwandten und Freunden, die schon auf mich warten. Hätte ich aber keine Verwandte und Freunde, dann müßte ich mir allerdings allein forthelfen (was hilft die Klage!), nur dürfte ich nicht weniger schnell von hier weggehen. Denn bei ihm könne mir nichts mehr helfen, nicht meine Länge, nicht mein Appetit, nicht meine kalte Hand.

Wenn es aber meine Meinung sei, daß ich bei ihm bleiben müsse, dann sei das eine gefährliche Meinung.

»Ich habe Ihre Mitteilung nicht gebraucht«, sagte ich, wie es auch der Wahrheit entsprach.

»Gott sei Dank, daß Sie endlich geradestehn. Ich habe doch nur gesagt, daß es dreiviertel eins ist.«

»Es ist schon gut«, sagte ich und steckte zwei Fingernägel in die Lücken meiner schauernden Zähne. »Wenn ich schon Ihre Mitteilung nicht brauchte, um wie viel weniger brauche ich eine Erklärung. Ich brauche nämlich nichts als Ihre Gnade. Bitte, bitte, nehmen Sie das zurück, was Sie gesagt haben!«

»Daß es dreiviertel eins ist? Aber mit Vergnügen, umsomehr, als dreiviertel längst vorüber ist.«

Er hob den rechten Arm, zuckte mit der Hand und horchte auf den Kastagnettenklang des Manschettenkettchens.

Jetzt kam offenbar der Mord. Ich werde bei ihm bleiben und er wird das Messer, dessen Griff er in der Tasche schon hält, an seinem Rock in die Höhe führen und dann gegen mich. Es ist unwahrscheinlich, daß er sich wundern wird, wie einfach die Sache ist, aber vielleicht doch, wer kann das wissen. Ich werde nicht schreien, ich werde ihn nur anschauen, solange die Augen es aushalten.

»Nun?« sagte er.

Vor einem entfernten Kaffeehaus mit schwarzen Scheiben ließ sich ein Polizeimann wie ein Eisläufer über das Pflaster gleiten. Sein Säbel behinderte ihn, er nahm ihn in die Hand, fuhr jetzt eine lange Strecke hin und beim Abschluß drehte er sich fast in einem Bogen. Endlich juchzte er noch schwach und, Melodien im Kopfe, fing er wieder zu schleifen an.

Erst dieser Polizeimann, der zweihundert Schritte von einem baldigen Mord nur sich selbst sah und hörte, machte mir eine Art von Angst. Ich stellte fest, daß es mit mir auf jeden Fall zu Ende war, ob ich mich erstechen ließ oder weglief. War es aber dann nicht besser wegzulaufen und mich damit der umständlichen, also schmerzlicheren Todesart auszusetzen. Die Gründe für die Vorzüge dieser Todesangst hatte ich nicht gleich bei der Hand, aber ich durfte den letzten Augenblick, der mir blieb, nicht mit dem Suchen von Gründen verbringen. Dazu war später Zeit, wenn ich nur den Entschluß hatte, und den Entschluß hatte ich.

Ich mußte weglaufen, es war ganz leicht. Jetzt beim Einbug zur Karlsbrücke nach links konnte ich nach rechts in die Karlsgasse springen. Sie war winklig, es gab dort dunkle Haustore und Weinstuben, die noch offen waren; ich mußte nicht verzweifeln.

Als wir unter dem Bogen am Ende des Quais auf den Kreuzherrenplatz hervortraten, rannte ich mit erhobenen Armen in jene Gasse. Doch vor einer kleinen Türe der Seminarkirche fiel ich, denn dort war eine Stufe, die ich nicht erwartet hatte. Es machte ein wenig Lärm, die nächste Laterne war entfernt genug, ich lag im Dunkel.

Aus einer Weinstube gegenüber kam ein dickes Weib mit einem Lämpchen, um nachzusehn, was auf der Gasse geschehen war. Das Klavierspiel drinnen wurde schwächer fortgesetzt, nur mit einer Hand, denn der Klavierspieler hatte sich zur Türe gewendet, die, bis jetzt halb offen, von einem Mann in hochzugeknöpftem Rocke völlig geöffnet wurde. Er spie aus und drückte dann das Weib so fest an sich, daß sie das Lämpchen heben mußte, um es zu schützen. »Es ist ja gar nichts geschehen«, rief er ins Zimmer hinein, darauf drehten sich beide um, gingen ins Innere und die Türe wurde wieder zugemacht.

Als ich aufzustehn versuchte, fiel ich wieder hin. »Es ist Glatteis«, sagte ich und verspürte einen Schmerz im Knie. Aber doch freute es mich, daß mich die Leute aus der Weinstube nicht gesehen hatten und daß ich hier ruhig bis zur Dämmerung liegen bleiben konnte.

Mein Bekannter war wohl bis zur Brücke gegangen, ohne meinen Abschied bemerkt zu haben, denn er kam erst nach einer Weile zu mir. Ich merkte nicht, daß er überrascht war, als er sich zu mir bückte – er senkte fast nur den Hals ganz wie eine Hyäne – und mich mit weicher Hand streichelte. Er fuhr an meinen Wangenknochen auf und nieder und legte dann die Handfläche an meine Stirn: »Sie haben sich wehgetan, nicht wahr? Nun es ist Glatteis und man muß vorsichtig sein – haben Sie mir das nicht selbst gesagt? Der Kopf schmerzt Sie? Nein? Ach, das Knie. So. Das ist eine böse Sache.«

Aber er dachte nicht daran, mich aufzuheben. Ich stützte den Kopf auf meine rechte Hand – der Ellbogen lag auf einem Pflasterstein – und sagte: »Da sind wir also wieder einmal beisammen.« Und da ich wieder jene Angst bekam, drückte ich beide Hände gegen seine

Schienbeine, um ihn so wegzuschieben. »Geh doch, geh doch«, sagte ich dabei.

Er hatte die Hände in den Taschen und sah über die leere Gasse hin, dann zur Seminarkirche und dann auf zum Himmel. Endlich, als in einer der umliegenden Gassen ein Wagen laut sich herumtrieb, erinnerte er sich an mich: »Ja, warum reden Sie denn nicht, mein Lieber? Ist Ihnen schlecht? Ja, warum stehen Sie denn eigentlich nicht auf? Soll ich einen Wagen suchen? Wenn Sie wollen, bringe ich Ihnen ein bißchen Wein da aus der Weinstube. Aber liegen bleiben dürfen Sie hier in der Kälte nicht. Und dann wollten wir doch auf den Laurenziberg.«

»Natürlich«, sagte ich und stand allein auf, aber mit starkem Schmerz. Ich schwankte gleich und mußte das Standbild Karl des Vierten streng ansehen, um meines Standpunktes sicher zu sein. Aber nicht einmal das hätte mir geholfen, wäre mir nicht eingefallen, daß ich von einem Mädchen mit schwarzem Samtband um den Hals geliebt würde, zwar nicht hitzig, aber treu. Und lieb war es da vom Mond, daß er auch mich beschien, und ich wollte aus Bescheidenheit mich unter die Wölbung des Brückenturmes stellen, als ich einsah, daß es bloß natürlich sei, daß der Mond alles bescheine. Daher breitete ich mit Freude meine Arme aus, um den Mond ganz zu genießen. Und es wurde mir leicht, als ich, Schwimmbewegungen mit den lässigen Armen machend, ohne Schmerz und Mühe vorwärts kam. Daß ich das früher nie versucht hatte! Mein Kopf lag in der kühlen Luft und gerade mein rechtes Knie flog am besten, ich lobte es durch Beklopfen. Und ich erinnerte mich, daß ich einmal einen Bekannten, der wahrscheinlich noch immer unter mir ging, nicht recht hatte leiden können, und an der ganzen Sache freute mich nur, daß mein Gedächtnis so gut war, daß es selbst solche Dinge bewahrte. Doch ich durfte nicht viel denken, denn ich mußte weiterschwimmen, wollte ich nicht zu sehr untertauchen. Aber damit man mir später nicht sagen dürfe, über dem Pflaster könne jeder schwimmen und es sei nicht des Erzählens wert, erhob ich mich durch ein Tempo über das Geländer und umkreiste schwimmend jede Heiligenstatue, der ich begegnete.

Bei der fünften – gerade hielt ich mich mit unmerklichen Schlägen über dem Trottoir – faßte mein Bekannter meine Hand. Da stand ich wieder auf dem Pflaster und fühlte einen Schmerz im Knie.

»Immer«, sagte mein Bekannter, mit einer Hand mich festhaltend, mit der andern auf die Statue der heiligen Ludmila zeigend, »immer habe ich die Hände dieses Engels links bewundert. Schauen Sie nur, wie zart sie sind! Wirkliche Engelshände! Haben Sie schon etwas Ähnliches gesehen? Sie nicht, aber ich ja, denn ich habe heute abend Hände geküßt –.«

Für mich aber gab es jetzt eine dritte Möglichkeit, zugrunde zu gehen. Ich mußte mich nicht erstechen lassen, ich mußte nicht weglaufen, ich konnte mich einfach in die Luft werfen. Er soll nur auf seinen Laurenziberg gehn, ich werde ihn nicht stören, nicht einmal durch Weglaufen werde ich ihn stören.

Und nun schrie ich: »Los mit den Geschichten! Ich will nichts mehr in Brocken hören. Erzählen Sie mir alles, von Anfang bis zu Ende. Weniger höre ich nicht an, das sage ich Ihnen. Aber auf das Ganze brenne ich.« Als er mich ansah, schrie ich nicht mehr so. »Und auf meine Verschwiegenheit können Sie bauen! Erzählen Sie mir alles, was Sie auf dem Herzen haben. Einen so verschwiegenen Zuhörer wie mich haben Sie noch nicht gehabt.«

Und ziemlich leise, nah an seinem Ohr, sagte ich: »Und fürchten müssen Sie sich vor mir nicht, das ist wirklich überflüssig.«

Ich hörte ihn noch lachen.

Ich sagte: »Ja, ja. Ich glaube das. Ich zweifle nicht«, und dabei zwickte ich ihn mit meinen Fingern, soweit er sie freiließ, in seine Waden. Aber er spürte es nicht. Da sagte ich zu mir: »Warum gehst du mit diesem Menschen? Du liebst ihn nicht und du hassest ihn auch nicht, denn sein Glück besteht nur in einem Mädchen und es ist nicht einmal sicher, daß sie ein weißes Kleid trägt. Also ist dir dieser Mensch gleichgültig – wiederhole es – gleichgültig. Er ist aber auch ungefährlich, wie es sich erwiesen hat. Also geh mit ihm zwar weiter auf den Laurenziberg, denn du bist schon auf dem Wege in schöner Nacht, aber laß ihn reden und vergnüge dich auf deine Weise, dadurch – sage es leise – schützt du dich auch am besten.«

Belustigungen
oder
Beweis dessen, daß es unmöglich ist zu leben

I

Ritt

Schon sprang ich – in Schwung, als sei es nicht das erste Mal –
meinem Bekannten auf die Schultern und brachte ihn dadurch,
daß ich meine Fäuste in seinen Rücken stieß, in einen leichten
Trab. Als er aber noch ein wenig widerwillig stampfte und
manchmal sogar stehen blieb, hackte ich mehrmals mit meinen
Stiefeln in seinen Bauch, um ihn munterer zu machen. Es gelang
und wir kamen schnell genug in das Innere einer großen, aber
noch unfertigen Gegend.
Die Landstraße, auf der ich ritt, war steinig und stieg bedeutend,
aber gerade das gefiel mir und ich ließ sie noch steiniger und steiler
werden. Sobald mein Bekannter stolperte, riß ich ihn an seinem
Kragen in die Höhe und sobald er seufzte, boxte ich ihn in den
Kopf. Dabei fühlte ich, wie gesund mir der Ausritt in dieser guten
Luft war und um ihn noch wilder zu machen, ließ ich einen starken
Gegenwind in langen Stößen in uns blasen.
Jetzt übertrieb ich auch noch auf den breiten Schultern meines Bekannten die springende Bewegung, und während ich mich mit
beiden Händen fest an seinem Halse hielt, beugte ich weit meinen
Kopf zurück und betrachtete die mannigfaltigen Wolken, die,
schwächer als ich, schwerfällig mit dem Winde flogen. Ich lachte
und zitterte vor Mut. Mein Rock breitete sich aus und gab mir
Kraft. Dabei preßte ich meine Hände kräftig ineinander, wodurch
ich allerdings meinen Bekannten würgte. Erst als mir der Himmel
allmählich durch die Äste der Bäume, die ich an der Straße wachsen ließ, verdeckt wurde, besann ich mich.
»Ich weiß nicht«, rief ich ohne Klang, »ich weiß ja nicht. Wenn
niemand kommt, dann kommt eben niemand. Ich habe niemandem etwas Böses getan, niemand hat mir etwas Böses getan, niemand aber will mir helfen, lauter niemand. Aber so ist es doch
nicht. Nur daß mir niemand hilft, sonst wäre lauter niemand

hübsch, ich würde ganz gerne (was sagen Sie dazu?) einen Ausflug mit einer Gesellschaft von lauter niemand machen. Natürlich ins Gebirge, wohin denn sonst? Wie sich diese Niemand aneinander drängen, diese vielen quergestreckten oder eingehängten Arme, diese vielen Füße durch winzige Schritte getrennt! Versteht sich, daß alle im Frack sind. Wir gehen so lala, ein vorzüglicher Wind fährt durch die Lücken, die wir und unsere Gliedmaßen offen lassen. Die Hälse werden im Gebirge frei. Es ist ein Wunder, daß wir nicht singen.«

Da fiel mein Bekannter und als ich ihn untersuchte, fand ich, daß er am Knie schwer verwundet war. Da er mir nicht mehr nützlich sein konnte, ließ ich ihn nicht ungern auf den Steinen und pfiff mir einige Geier aus der Höhe herab, die sich gehorsam mit ernstem Schnabel auf ihn setzten, um ihn zu bewachen.

2

Spaziergang

Unbesorgt ging ich weiter. Weil ich aber als Fußgänger die Anstrengung der bergigen Straße fürchtete, ließ ich den Weg immer flacher werden und sich in der Entfernung endlich zu einem Tale senken. Die Steine verschwanden nach meinem Willen und der Wind verlor sich.

Ich ging in gutem Marsch, und da ich bergab ging, hatte ich den Kopf erhoben, den Körper gesteift und hinter dem Kopf die Arme verschränkt. Da ich Fichtenwälder liebe, ging ich durch solche Wälder, und da ich gerne stumm zu den Sternen schaue, so gingen mir auf dem Himmel die Sterne langsam auf, wie es ihre Art ist. Nur wenige gestreckte Wolken sah ich, die ein Wind, der nur in ihrer Höhe wehte, zur Überraschung des Spaziergängers durch die Luft zog.

Ziemlich weit meiner Straße gegenüber, wahrscheinlich auch noch durch einen Fluß von mir getrennt, ließ ich einen massig hohen Berg aufstehn, dessen Plateau mit Buschwerk bewachsen an den Himmel grenzte. Noch die kleinen Verzweigungen der höchsten Äste und ihre Bewegungen konnte ich deutlich sehn. Dieser Anblick, wie gewöhnlich er auch sein mag, freute mich so, daß ich als ein kleiner Vogel auf den Ruten dieser fernen struppigen Sträucher daran vergaß, den Mond aufgehen zu lassen, der schon

hinter dem Berge lag, wahrscheinlich zürnend wegen der Verzögerung.

Jetzt aber breitete sich der kühle Schein, der dem Mondaufgang
vorhergeht, auf dem Berge aus und plötzlich hob der Mond selbst
sich hinter einem der unruhigen Sträucher. Ich jedoch hatte indessen in einer anderen Richtung geschaut und als ich jetzt vor mich
hin blickte und ihn mit einem Male sah, wie er schon fast mit seiner ganzen Rundung leuchtete, blieb ich mit trüben Augen stehen,
denn meine abschüssige Straße schien gerade in diesen erschrek-
kenden Mond zu führen.

Aber nach einem Weilchen gewöhnte ich mich an ihn und betrachtete mit Besonnenheit, wie schwer ihm der Aufstieg wurde,
bis ich endlich, nachdem wir einander ein großes Stück entgegen-
gegangen waren, eine starke Schläfrigkeit verspürte, die, wie ich
glaubte, eine Folge der Ermüdung durch den ungewohnten Spaziergang war. Ich ging eine kleine Zeit mit geschlossenen Augen,
indem ich mich nur dadurch wachend erhielt, daß ich laut und regelmäßig die Hände aneinanderschlug.

Dann aber, als der Weg mir unter den Füßen zu entgleiten drohte
und alles müde wie ich zu entschwinden begann, beeilte ich mich,
den Abhang an der rechten Straßenseite mit allen Kräften zu er-
klettern, um noch rechtzeitig in den hohen verwirrten Fichten-
wald zu kommen, in dem ich die Nacht, die uns wahrscheinlich
bevorstand, verschlafen wollte.

Die Eile war nötig. Die Sterne dunkelten schon unbewölkt und
ich sah den Mond schwächlich im Himmel, wie in einem bewegten Gewässer, versinken. Der Berg gehörte schon der Finsternis,
die Landstraße endete zerbröckelnd dort, wo ich zum Abhang
mich gewendet hatte, und aus dem Innern des Waldes hörte ich
das sich nähernde Krachen stürzender Bäume. Nun hätte ich mich
gleich auf das Moos zum Schlafe werfen können, aber da ich mich
fürchte, auf Waldboden zu schlafen, kroch ich – rasch glitt der
Stamm zwischen den Ringen der Arme und Beine hinab – auf einen Baum, der auch schon taumelte ohne Wind, legte mich auf einen Ast, den Kopf an den Stamm gelehnt und schlief hastig ein,
indes ein Eichhörnchen meiner Laune mit steilem Schwanz auf
dem bebenden Ende des Astes saß und sich wiegte.

Ich schlief traumlos und versunken. Mich weckte weder der Untergang des Mondes noch der Aufgang der Sonne. Und selbst

wenn ich schon am Erwachen war, beruhigte ich mich wieder, indem ich sagte: »Du hast dich am gestrigen Tage sehr bemüht, darum schone deinen Schlaf« und schlief wieder ein.

Aber obwohl ich nicht träumte, war mein Schlaf doch nicht ohne fortwährende leise Störung. Die ganze Nacht durch hörte ich jemanden neben mir reden. Ich hörte kaum die Worte selbst, außer einzelne wie »Bank am Flußufer«, »wolkenhafte Berge«, »Züge mit erglänzendem Rauch«, sondern nur die Art ihrer Betonung; und ich erinnere mich, daß ich mir im Schlafe noch die Hände rieb, vor Freude darüber, daß ich die einzelnen Worte nicht erkennen mußte, da ich eben schlafend war.

»Dein Leben war einförmig«, so redete ich laut, um mich davon zu überzeugen, »es war wirklich nötig, daß du anders wohin geführt wurdest. Du kannst zufrieden sein, es ist lustig hier. Die Sonne scheint.«

Da schien die Sonne und die Regenwolken wurden weiß und leicht und klein im blauen Himmel. Sie glänzten und bäumten sich. Ich sah einen Fluß im Tale.

»Ja, es war einförmig, du verdienst diese Belustigung«, sagte ich weiter, wie gezwungen, »aber war es nicht auch gefährdet?« Da hörte ich jemanden entsetzlich nahe seufzen.

Ich wollte rasch hinunterklettern, aber da der Ast so zitterte wie meine Hand, so fiel ich erstarrt von der Höhe. Ich schlug kaum auf und hatte auch keine Schmerzen, aber ich fühlte mich so schwach und unglücklich, daß ich das Gesicht in den Waldboden legte, da ich die Anstrengung, die Dinge der Erde um mich zu sehn, nicht ertragen konnte. Ich war überzeugt, daß jede Bewegung und jeder Gedanke erzwungen seien, daß man sich daher vor ihnen hüten solle. Dagegen sei es das Natürlichste, hier im Grase zu liegen, die Arme am Körper und das Gesicht verborgen. Und ich redete mir zu, mich eigentlich zu freuen, daß ich in dieser selbstverständlichen Lage mich schon befinde, denn sonst würde ich vieler mühseliger Krämpfe, wie Schritte oder Worte bedürfen, um in sie zu kommen.

Der Fluß war breit und seine kleinen lauten Wellen waren beschienen. Auch am anderen Ufer waren Wiesen, die dann in Gesträuch übergingen, hinter dem man in großer Fernsicht helle Obstalleen sah, die zu grünen Hügeln führten.

Erfreut über diesen Anblick legte ich mich nieder und dachte, während ich mir die Ohren gegen gefürchtetes Weinen zuhielt, hier könnte ich zufrieden werden. Denn hier ist es einsam und schön. Es braucht nicht viel Mut, hier zu leben. Man wird sich hier quälen wie anderswo auch, aber man wird sich dabei nicht schön bewegen müssen. Das wird nicht nötig sein. Denn es sind nur Berge da und ein großer Fluß und ich bin noch klug genug, sie für leblos zu halten. Ja, wenn ich am Abend allein auf den steigenden Wiesenwegen stolpern werde, so werde ich nicht verlassener sein, als der Berg, nur daß ich es fühlen werde. Aber ich glaube, auch das wird noch vergehn.

So spielte ich mit meinem künftigen Leben und versuchte hartnäckig zu vergessen. Ich sah dabei blinzelnd in jenen Himmel, der in einer ungewöhnlich glücklichen Färbung war. Ich hatte ihn schon lange nicht so gesehn, ich wurde gerührt und an einzelne Tage erinnert, an denen ich auch geglaubt hatte, ihn so zu sehn. Ich gab die Hände von meinen Ohren, breitete meine Arme aus und ließ sie in die Gräser fallen.

Ich hörte jemand weit und schwach schluchzen. Es wurde windig und große Mengen trockener Blätter, die ich früher nicht gesehen hatte, flogen rauschend auf. Von den Obstbäumen schlugen unreife Früchte irrsinnig auf den Boden. Hinter einem Berg kamen häßliche Wolken herauf. Die Flußwellen knarrten und wichen vor dem Wind zurück.

Ich stand rasch auf. Mich schmerzte mein Herz, denn jetzt schien es unmöglich, aus meinem Leiden hinauszukommen. Schon wollte ich umkehren, um diese Gegend zu verlassen und in meine frühere Lebensart zurückzukehren, als ich diesen Einfall bekam: »Wie merkwürdig ist es, daß noch in unserer Zeit vornehme Personen in dieser schwierigen Weise über einen Fluß befördert werden. Es gibt keine andere Erklärung dafür, als daß es ein alter Brauch ist.« Ich schüttelte den Kopf, denn ich war verwundert.

3

Der Dicke

a

Ansprache an die Landschaft

Aus den Gebüschen des andern Ufers traten gewaltig vier nackte Männer, die auf ihren Schultern eine hölzerne Tragbahre hielten. Auf dieser Tragbahre saß in orientalischer Haltung ein ungeheuerlich dicker Mann. Obwohl er durch Gebüsche auf ungebahntem Weg getragen wurde, schob er die dornigen Zweige doch nicht auseinander, sondern durchstieß sie ruhig mit seinem unbeweglichen Körper. Seine faltigen Fettmassen waren so sorgfältig ausgebreitet, daß sie zwar die ganze Tragbahre bedeckten und noch an den Seiten gleich dem Saume eines gelblichen Teppichs hinunterhingen, und ihn dennoch nicht störten. Sein haarloser Schädel war klein und glänzte gelb. Sein Gesicht trug den einfältigen Ausdruck eines Menschen, der nachdenkt und sich nicht bemüht, es zu verbergen. Bisweilen schloß er seine Augen: öffnete er sie wieder, verzerrte sich sein Kinn.

»Die Landschaft stört mich in meinem Denken«, sagte er leise, »sie läßt meine Überlegungen schwanken, wie Kettenbrücken bei zorniger Strömung. Sie ist schön und will deshalb betrachtet sein.

Ich schließe meine Augen und sage: du grüner Berg am Flusse, der du gegen das Wasser rollendes Gestein hast, du bist schön.

Aber er ist nicht zufrieden, er will, daß ich die Augen zu ihm öffne.

Wenn ich aber mit geschlossenem Auge sage: Berg, ich liebe dich nicht, denn du erinnerst mich an die Wolken, an die Abendröte und an den steigenden Himmel und das sind Dinge, die mich fast weinen machen, denn man kann sie niemals erreichen, wenn man sich auf einer kleinen Sänfte tragen läßt. Während du mir aber dieses zeigst, hinterlistiger Berg, verdeckst du mir die Fernsicht, die mich erheitert, denn sie zeigt Erreichbares in schönem Überblick. Darum liebe ich dich nicht, Berg am Wasser, nein, ich liebe dich nicht.

Aber diese Rede wäre ihm so gleichgültig, wie meine frühere, wenn ich nicht mit geöffneten Augen redete. Sonst ist er nicht zufrieden.

Und müssen wir nicht ihn uns freundlich erhalten, damit wir überhaupt ihn nur aufrecht erhalten, ihn, der eine so launische Vorliebe für den Brei unserer Gehirne hat. Er würde seine gezackten Schatten auf mich niederschlagen, er würde stumm schrecklich kahle Wände mir vorschieben und meine Träger würden über die kleinen Steinchen am Wege stolpern.

Aber nicht nur der Berg ist so eitel, so zudringlich und so rachsüchtig dann, alles andere ist es auch. So muß ich mit kreisrunden Augen – oh, sie schmerzen – immer wiederholen:

Ja, Berg, du bist schön und die Wälder auf deinem westlichen Abhang freuen mich. – Auch mit dir, Blume, bin ich zufrieden und dein Rosa macht meine Seele fröhlich. – Du, Gras, auf den Wiesen bist schon hoch und stark und kühlst. – Und du fremdartiges Buschwerk stichst so unerwartet, daß unsere Gedanken in Sprünge kommen. – An dir aber, Fluß, habe ich so großes Gefallen, daß ich mich durch dein biegsames Wasser werde tragen lassen.«

Nachdem er diese Lobpreisung zehnmal laut ausgerufen hatte unter einigem demütigen Rücken seines Körpers, ließ er seinen Kopf sinken und sagte mit geschlossenen Augen:

»Jetzt aber – ich bitte euch – Berg, Blume, Gras, Buschwerk und Fluß, gebt mir ein wenig Raum, damit ich atmen kann.«

Da entstand ein eilfertiges Verschieben in den umliegenden Bergen, die sich hinter hängende Nebel stießen. Die Alleen standen zwar fest und hüteten ziemlich die Straßenbreite, aber frühzeitig verschwammen sie. Am Himmel lag vor der Sonne eine feuchte Wolke mit leise durchleuchtetem Rand, in deren Beschattung das Land sich tiefer senkte, während alle Dinge ihre schöne Begrenzung verloren.

Die Tritte der Träger wurden bis zu meinem Ufer hörbar und doch konnte ich in dem dunklen Viereck ihrer Gesichter nichts genauer unterscheiden. Ich sah nur, wie sie ihre Köpfe zur Seite neigten und wie sie ihren Rücken krümmten, denn die Last war ungewöhnlich. Ich hatte Sorge ihretwegen, denn ich bemerkte, daß sie müde waren. Daher sah ich mit Spannung zu, als sie in das Ufergras traten, dann in noch ebenmäßigem Tritt durch den nassen Sand gingen, bis sie endlich in das schlammige Schilf sanken, wo die beiden rückwärtigen Träger sich noch tiefer bückten, um die Sänfte in ihrer waagrechten Lage zu erhalten. Ich preßte

die Hände ineinander. Jetzt mußten sie bei jedem Schritt ihre
Füße hochheben, so daß ihr Körper in der kühlen Luft dieses ver-
änderlichen Nachmittags vor Schweiß glänzte.

Der Dicke saß ruhig, die Hände auf seinen Schenkeln; die langen
Spitzen des Schilfsrohres streiften ihn, wenn sie hinter den vordern Trägern aufschnellten.

Die Bewegungen der Träger wurden unregelmäßiger, je näher sie
zum Wasser kamen. Bisweilen schwankte die Sänfte, als sei sie
schon auf den Wellen. Kleine Pfützen im Schilf mußten über-
sprungen oder umgangen werden, denn vielleicht waren sie tief.

Einmal erhoben sich Wildenten schreiend und stiegen steil in die
Regenwolke. Da sah ich in einer kurzen Bewegung das Gesicht
des Dicken; es war ganz unruhig. Ich stand auf und eilte in eckigen
Sprüngen über den steinigen Abhang, der mich vom Wasser
trennte. Ich achtete nicht darauf, daß es gefährlich war, sondern
ich dachte nur daran, dem Dicken zu helfen, wenn seine Diener
ihn nicht mehr tragen könnten. Ich lief so unbesonnen, daß ich
mich unten beim Wasser nicht einhalten konnte, sondern ein
Stück in das aufspritzende Wasser laufen mußte und erst stehen
blieb, bis das Wasser mir bis an die Knie reichte.

Drüben aber hatten die Diener unter Verrenkungen die Sänfte ins
Wasser gebracht, und während sie mit der einen Hand sich über
dem unruhigen Wasser hielten, stemmten sie mit vier behaarten
Armen die Sänfte in die Höhe, so daß man die ungewöhnlich erhobenen Muskeln sah.

Das Wasser schlug zuerst ans Kinn, stieg dann zum Mund, der
Kopf der Träger beugte sich zurück und die Traghölzer fielen auf
die Schultern. Das Wasser umspielte schon den Nasenrücken und
noch immer gaben sie die Mühe nicht auf, obwohl sie kaum in der
Mitte des Flusses waren. Da schlug eine niedrige Welle auf die
Köpfe der Vordern nieder und die vier Männer ertranken schweigend, indem sie mit ihren wilden Händen die Sänfte mit sich hin-
unterzogen. Wasser schoß im Sturze nach.

Da brach aus den Rändern der großen Wolke der flache Schein der
abendlichen Sonne und verklärte die Hügel und Berge an der
Grenze des Gesichtskreises, während der Fluß und die Gegend unter der Wolke in undeutlichem Lichte war.

Der Dicke drehte sich langsam in der Richtung des strömenden
Wassers und wurde flußabwärts getragen, wie ein Götterbild aus

hellem Holz, das überflüssig geworden war und das man daher in den Fluß geworfen hatte. Er fuhr auf der Spiegelung der Regenwolke hin. Längliche Wolken zogen ihn und kleine gebückte schoben, so daß es bedeutenden Aufruhr gab, den man noch am Anschlagen des Wassers an meinen Knien und an den Ufersteinen merken konnte.

Ich kroch rasch die Böschung wieder hinauf, um auf dem Weg den Dicken begleiten zu können, denn wahrhaftig ich liebte ihn. Und vielleicht konnte ich etwas erfahren über die Gefährlichkeit dieses scheinbar sichern Landes. So ging ich auf einem Sandstreifen, an dessen Schmalheit man sich erst gewöhnen mußte, die Hände in den Taschen und das Gesicht im rechten Winkel zum Fluß gewendet, so daß das Kinn fast auf der Schulter lag.

Auf den Ufersteinen saßen die Schwalben.

Der Dicke sagte: »Lieber Herr am Ufer, versuchen Sie es nicht, mich zu retten. Das ist die Rache des Wassers und des Windes; nun bin ich verloren. Ja, Rache ist es, denn wie oft haben wir diese Dinge angegriffen, ich und mein Freund der Beter, beim Singen unserer Klinge, unter dem Aufglanz der Cymbeln, der weiten Pracht der Posaunen und dem springenden Leuchten der Pauken.«

Eine kleine Mücke mit gestreckten Flügeln flog durch seinen Bauch, ohne daß ihre Schnelligkeit vermindert wurde.

Der Dicke erzählte weiter:

b

Begonnenes Gespräch mit dem Beter

»Es gab eine Zeit, in der ich Tag um Tag in eine Kirche ging, denn ein Mädchen, in das ich mich verliebt hatte, betete dort knieend eine halbe Stunde am Abend, unterdessen ich sie in Ruhe betrachten konnte.

Als einmal das Mädchen nicht gekommen war und ich unwillig auf die Betenden blickte, fiel mir ein junger Mensch auf, der sich mit seiner ganzen mageren Gestalt auf den Boden geworfen hatte. Von Zeit zu Zeit packte er mit der ganzen Kraft des Körpers seinen Schädel und schmetterte ihn seufzend in die Handflächen, die auf den Steinen auflagen.

In der Kirche waren nur einige alte Weiber, die hie und da ihr eingewickeltes Köpfchen mit seitlicher Neigung drehten, um nach

dem Betenden hinzusehen. Diese Aufmerksamkeit schien ihn
glücklich zu machen, denn vor jedem seiner frommen Ausbrüche
ließ er seine Augen umgehn, ob die zuschauenden Leute zahlreich
wären.

Das nun fand ich ungebührlich und beschloß, ihn anzureden,
wenn er aus der Kirche ginge, und einfach auszufragen, warum er
in dieser Weise bete. Denn seit meiner Ankunft in dieser Stadt ging
mir Klarheit über alles, wenn ich auch jetzt mich eigentlich nur
darüber ärgerte, daß mein Mädchen nicht gekommen war.

Aber erst nach einer Stunde stand er auf, putzte seine Hosen so
lange ab, daß ich schon rufen wollte: »Genug, genug, wir alle sehen, daß Sie Hosen haben«, schlug ein ganz sorgfältiges Kreuz und
ging zum Weihwasserbecken schwer wie ein Matrose.

Ich stellte mich auf dem Wege zwischen Becken und Türe auf und
wußte genau, daß ich ihn nicht ohne Erklärung durchlassen würde. Ich verzerrte meinen Mund, weil das die beste Vorbereitung
für bestimmte Reden ist, und stützte mich auf das vorgestreckte
rechte Bein, während ich das linke auf der Fußspitze hielt, weil mir
das Festigkeit gibt, wie ich oft erfahren habe.

Nun ist es möglich, daß dieser Mensch schon auf mich schielte, als
er sich das Weihwasser ins Gesicht spritzte, vielleicht hatte ihn
mein Blick schon früher besorgt gemacht, denn jetzt unerwartet
rannte er zur Türe und hinaus. Unwillkürlich machte ich noch einen Sprung, um ihn zu halten. Die Glastüre schlug zu. Und als ich
gleich nachher aus der Türe trat, konnte ich ihn nicht mehr finden,
denn dort gab es einige schmale Gassen und der Verkehr war
mannigfaltig.

In den nächsten Tagen blieb er aus, aber das Mädchen kam und betete wieder in dem Winkel einer Seitenkapelle. Sie trug ein
schwarzes Kleid, welches auf Schultern und Nacken aus durch-
sichtigen Spitzen bestand – der Halbmond des Hemdrandes lag
unter ihnen – von deren unterem Rande die Seide in einem wohl-
geschnittenen Kragen niederhing. Und da das Mädchen kam,
vergaß ich gern an jenen Menschen und kümmerte mich anfangs
selbst dann nicht mehr um ihn, als er später wieder regelmäßig
kam und nach seiner Gewohnheit betete.

Aber immer ging er mit plötzlicher Eile an mir vorüber, mit ab-
gewandtem Gesicht. Dagegen schaute er beim Beten viel auf
mich. Es sah fast aus, als sei er böse auf mich, weil ich ihn damals

nicht angesprochen hatte, und als meine er, durch jenen Versuch, ihn anzureden, hätte ich die Pflicht auf mich genommen, es endlich auch wirklich zu tun. Und als ich nach einer Predigt immer jenem Mädchen folgend im Halbdunkel mit ihm zusammenstieß, glaubte ich, ihn lächeln zu sehn.

Eine solche Pflicht ihn anzureden, bestand natürlich nicht, aber ich hatte kaum mehr ein Verlangen danach, ihn anzureden. Selbst als ich einmal auf dem Kirchplatz laufend ankam, während die Uhr schon sieben schlug, das Mädchen also längst nicht mehr in der Kirche war und nur jener Mensch vor dem Geländer des Altars sich abarbeitete, zögerte ich noch.

Endlich glitt ich auf den Fußspitzen zum Türgang, gab dem blinden Bettler, der dort saß, eine Münze und drückte mich neben ihn hinter den geöffneten Türflügel. Dort freute ich mich etwa eine halbe Stunde lang auf die Überraschung, die ich dem Beter bereiten wollte. Das hielt aber nicht an. Bald ließ ich nur noch sehr verdrießlich die Spinnen über meine Kleider kriechen und es war lästig, daß ich mich jedesmal vorbeugen mußte, wenn immer noch einer lautatmend aus dem Dunkel der Kirche trat.

Da kam er auch. Das Läuten der großen Glocken, das vor einem Weilchen eingesetzt hatte, tat ihm nicht gut, wie ich merkte. Er mußte mit den Fußspitzen zuerst leichthin den Boden betasten, ehe er eigentlich auftrat.

Ich stand auf, machte einen großen Schritt und hielt ihn schon. »Guten Abend«, sagte ich und stieß ihn, meine Hand an seinem Kragen, die Stufen hinunter auf den beleuchteten Platz.

Als wir unten waren, drehte er sich zu mir um, während ich ihn immer noch hinten hielt, so daß wir jetzt Brust an Brust standen. »Wenn Sie mich nur hinten loslassen würden!« sagte er. »Ich weiß ja nicht, in welchem Verdachte Sie mich haben, aber unschuldig bin ich.« Dann wiederholte er noch einmal: »Ich weiß natürlich nicht, in welchem Verdachte Sie mich haben.«

»Hier kann ja weder von Verdacht noch von Unschuld die Rede sein. Ich bitte Sie, davon nicht mehr zu reden. Wir sind einander fremd, unsere Bekanntschaft ist nicht älter als die Kirchentreppe hoch ist. Wohin kämen wir, wenn wir gleich von unserer Unschuld zu reden anfingen.«

»Ganz meine Meinung«, sagte er. »Im übrigen sagten Sie ›unsere Unschuld‹, meinten Sie damit, daß Sie, wenn ich meine Unschuld nachgewiesen hätte, ebenso die Ihrige nachweisen müßten? Meinten Sie das?«

»Entweder das oder etwas anderes«, sagte ich. »Angesprochen aber habe ich Sie nur deshalb, weil ich Sie etwas fragen wollte, merken Sie sich das!«

»Ich möchte gern nach Hause gehen«, sagte er und machte eine schwache Wendung.

»Das glaube ich. Hätte ich Sie denn sonst angesprochen? Sie dürfen nicht glauben, daß ich Sie um Ihrer schönen Augen willen angesprochen habe.«

»Ob Sie nicht zu aufrichtig sind? Wie?«

»Muß ich Ihnen noch einmal sagen, daß hier von solchen Dingen nicht die Rede ist? Was soll hier Aufrichtigkeit oder Nichtaufrichtigkeit? Ich frage, Sie antworten und dann adieu. Dann können Sie meinetwegen auch nach Hause und so schnell Sie wollen.«

»Wäre es nicht besser, wir kämen ein nächstes Mal zusammen? Zu gelegener Zeit? In einem Kaffeehaus vielleicht? Überdies ist Ihr Fräulein Braut erst vor ein paar Minuten weggegangen, Sie könnten Sie noch gut einholen, sie hat so lange gewartet.«

»Nein«, schrie ich in den Lärm der vorüberfahrenden Straßenbahn. »Sie entkommen mir nicht. Sie gefallen mir immer besser. Sie sind ein Glücksfang. Ich beglückwünsche mich.«

Da sagte er: »Ach Gott, Sie haben, wie man sagt, ein gesundes Herz und einen Kopf aus einem Block. Sie nennen mich einen Glücksfang, wie glücklich müssen Sie sein! Denn mein Unglück ist ein schwankendes Unglück und berührt man es, so fällt es auf den Frager. Und deshalb: Gute Nacht.«

»Schön«, sagte ich, überraschte ihn und faßte seine rechte Hand. »Antworten Sie nicht freiwillig, werde ich Sie zwingen. Ich werde Ihnen folgen, rechts und links, wohin Sie gehen, auch die Treppe zu Ihrem Zimmer hinauf und in Ihrem Zimmer werde ich mich setzen, wo Platz sein wird. Ganz gewiß, schauen Sie mich nur an, ich halte es schon aus. Wie aber werden Sie –«, ich trat ganz zu ihm und weil er um einen Kopf größer war als ich, redete ich in seinen Hals hinein, »– wie aber werden Sie den Mut aufbringen, mich daran zu hindern?«

Da küßte er zurücktretend abwechselnd meine beiden Hände und machte sie mit Tränen naß. »Ihnen kann man nichts verweigern. Ebenso wie Sie wußten, daß ich gern nach Hause ginge, wußte ich schon früher, daß ich Ihnen nichts verweigern kann. Nur bitte ich, gehen wir lieber in die Seitengasse drüben.« Ich nickte und wir gingen hin. Als uns ein Wagen trennte und ich zurückblieb, winkte er mir mit beiden Händen, damit ich mich beeile.

Dort aber begnügte er sich nicht mit dem Dunkel der Gasse, in der Laternen nur weit voneinander und fast bis in der Höhe der ersten Stockwerke angebracht waren, sondern er führte mich in den niedrigen Flurgang eines alten Hauses unter ein Lämpchen, das vor der Holztreppe tropfend hing.

Über die Mulde einer eingetretenen Stufe breitete er sein Taschentuch und lud mich zum Sitzen ein: »Sitzend können Sie besser fragen, ich bleibe stehen, da kann ich besser antworten. Aber nicht quälen!«

Ich setzte mich, weil er die Sache so ernst nahm, mußte aber doch sagen: »Sie führen mich in dieses Loch, als wären wir Verschwörer, während ich mit Ihnen nur durch Neugier, Sie mit mir nur durch Angst verbunden sind. Im Grunde will ich Sie ja nur fragen, warum Sie in der Kirche so beten. Wie benehmen Sie sich dort! Wie ein vollkommener Narr! Wie lächerlich ist das, wie unangenehm den Zuschauern und den Frommen unerträglich!«

Er hatte seinen Körper an die Mauer gepreßt, nur den Kopf bewegte er frei in der Luft. »Nichts als Irrtum, denn die Frommen halten mein Benehmen für natürlich und die übrigen halten es für fromm.«

»Mein Ärger ist eine Widerlegung dessen.«

»Ihr Ärger – angenommen, daß es ein wirklicher Ärger ist – beweist nur, daß Sie weder zu den Frommen, noch zu den Übrigen gehören.«

»Sie haben recht, es war ein wenig übertrieben, wenn ich sagte, Ihr Benehmen habe mich geärgert; nein, etwas neugierig hat es mich gemacht, wie ich anfangs richtig gesagt habe. Aber Sie, zu wem gehören Sie?«

»Ach, mir macht es nur Spaß, von den Leuten angeschaut zu werden, sozusagen von Zeit zu Zeit einen Schatten auf den Altar zu werfen.«

»Spaß?« fragte ich und mein Gesicht zog sich zusammen. »Nein, wenn Sie es wissen wollen. Seien Sie mir nicht böse, daß ich es falsch ausgedrückt habe. Nicht Spaß, Bedürfnis ist es für mich; Bedürfnis, von diesen Blicken mich für eine kleine Stunde festhämmern zu lassen, während die ganze Stadt um mich herum –.«

»Was sagt Ihr da«, rief ich viel zu laut für die kleine Bemerkung und den niedrigen Gang, aber ich fürchtete mich dann zu verstummen oder die Stimme zu schwächen, »wirklich, was sagt Ihr da. Jetzt merke ich bei Gott, daß ich von allem Anfang an ahnte, in welchem Zustande Ihr seid. Ist es nicht dieses Fieber, diese Seekrankheit auf festem Lande, eine Art Aussatz? Ist Euch nicht so, daß Ihr vor lauter Hitze mit den wahrhaftigen Namen der Dinge Euch nicht begnügen könnt, davon nicht satt werdet und über sie jetzt in einer einzigen Eile zufällige Namen schüttet. Nur schnell, nur schnell! Aber kaum seid Ihr von ihnen weggelaufen, habt Ihr wieder ihre Namen vergessen. Die Pappel in den Feldern, die Ihr den ›Turm von Babel‹ genannt habt, denn Ihr wolltet nicht wissen, daß es eine Pappel war, schaukelt wieder namenlos und Ihr müßt sie nennen: ›Noah, wie er betrunken war‹.«

Er unterbrach mich: »Ich bin froh, daß ich das, was Ihr sagtet, nicht verstanden habe.«

Aufgeregt sagte ich rasch: »Dadurch, daß Ihr darüber froh seid, zeigt Ihr, daß Ihr es verstanden habt.«

»Sagte ich es nicht schon? Euch kann man nichts verweigern.«

Ich legte meine Hände auf eine obere Stufe, lehnte mich zurück und fragte in dieser fast unangreifbaren Haltung, welche die letzte Rettung der Ringkämpfer ist: »Verzeiht, aber das ist Unaufrichtigkeit, wenn Ihr eine Erklärung, die ich Euch gebe, auf mich zurückwerfet.«

Daraufhin wurde er mutig. Er legte die Hände ineinander, um seinem Körper eine Einheit zu geben, und sagte unter leichtem Widerstreben: »Streitigkeiten über Aufrichtigkeit habet Ihr gleich anfangs ausgeschlossen. Und wirklich, mich kümmert nichts anderes mehr, als Euch meine Art zu beten ganz verständlich zu machen. Wisset Ihr also, warum ich so bete?«

Er prüfte mich. Nein, ich wußte es nicht und ich wollte es auch nicht wissen. Ich hatte ja auch nicht hierher kommen wollen, sagte ich mir damals, aber dieser Mensch hatte mich geradezu gezwungen, ihm zuzuhören. Ich brauchte also bloß meinen Kopf zu schütteln und alles war gut, aber gerade das konnte ich im Augenblick nicht.

Der Mensch mir gegenüber lächelte. Dann duckte er sich auf seine

Knie nieder und erzählte mit schläfriger Grimasse: »Jetzt endlich kann ich es Ihnen auch verraten, warum ich mich von Ihnen habe ansprechen lassen. Aus Neugierde, aus Hoffnung. Ihr Blick tröstet mich schon eine lange Zeit. Und ich hoffe von Ihnen zu erfahren, wie es sich mit den Dingen eigentlich verhält, die um mich wie ein Schneefall versinken, während vor andern schon ein kleines Schnapsglas auf dem Tisch fest wie ein Denkmal steht.«

Da ich schwieg und nur eine unwillkürliche Zuckung mein Gesicht durchfuhr, fragte er: »Sie glauben nicht daran, daß es andern Leuten so geht? Wirklich nicht? Ach hören Sie doch! Als ich, ein kleines Kind, nach einem kurzen Mittagsschlaf die Augen öffnete, hörte ich, meines Lebens noch nicht ganz sicher, meine Mutter in natürlichem Ton vom Balkon hinunterfragen: ›Was machen Sie meine Liebe? Ist das aber eine Hitze!‹ Eine Frau antwortete aus dem Garten: ›Ich jause so im Grünen.‹ Sie sagten es ohne Nachdenken und nicht besonders deutlich, als hätte jene Frau die Frage, meine Mutter die Antwort erwartet.«

Ich glaubte, ich sei gefragt, daher griff ich in die hintere Hosentasche und tat, als suchte ich dort etwas. Aber ich suchte nichts, sondern ich wollte nur meinen Anblick verändern, um meine Teilnahme am Gespräch zu zeigen. Dabei sagte ich, daß dieser Vorfall überaus merkwürdig sei und daß ich ihn keineswegs begreife. Ich fügte auch hinzu, daß ich an dessen Wahrheit nicht glaube und daß er zu einem bestimmten Zweck, den ich gerade nicht durchschaue, erfunden sein müsse. Dann schloß ich die Augen, um das schlechte Licht los zu werden.

»Seht doch nur, faßt Mut, da seid Ihr zum Beispiel einmal meiner Meinung und aus Uneigennützigkeit habt Ihr mich angehalten, mir das zu sagen. Ich verliere eine Hoffnung und bekomme eine andere.

Nicht wahr, warum sollte ich mich schämen, daß ich nicht aufrecht und in Schritten gehe, nicht mit dem Stock auf das Pflaster schlage und nicht die Kleider der Leute streife, welche laut vorübergehen. Sollte ich nicht vielmehr mit Recht trotzig klagen dürfen, daß ich als Schatten ohne rechte Grenzen die Häuser entlang hüpfe, manchmal in den Scheiben der Auslagefenster verschwindend.

Was sind das für Tage, die ich verbringe! Warum ist alles so schlecht gebaut, so daß bisweilen hohe Häuser einstürzen, ohne daß man einen äußern Grund finden könnte. Ich klettere dann über die Schutthaufen und frage jeden, dem ich begegne: ›Wie konnte das nur geschehen! In unserer Stadt – ein neues Haus – das wievielte ist es heute schon! – bedenken Sie doch‹. Dann kann mir keiner antworten.

Oft fallen Menschen auf der Gasse und bleiben tot liegen. Da öffnen alle Geschäftsleute ihre mit Waren verhangenen Türen, kommen gelenkig herbei, schaffen den Toten in ein Haus, kehren zurück, Lächeln um Mund und Augen, und das Gerede fängt an: ›Guten Tag – der Himmel ist blaß – ich verkaufe viele Kopftücher – ja, der Krieg.‹ Ich eile ins Haus, und nachdem ich mehrere Male die Hand mit dem gebogenen Finger furchtsam gehoben habe, klopfe ich endlich an das Fensterchen des Hausmeisters: ›Guten Morgen‹, sage ich, ›mir ist, als wäre vor kurzem ein toter Mensch zu Ihnen gebracht worden. Wären Sie nicht so freundlich, mir ihn zu zeigen?‹ Und da er den Kopf schüttelt, als könne er sich nicht entschließen, füge ich hinzu: ›Nehmen Sie sich in acht! Ich bin Geheimpolizist und will sofort den Toten sehn.‹ Jetzt ist er nicht mehr unentschlossen: ›Hinaus!‹ schreit er. ›Gewöhnt sich dieses Gesindel schon daran, hier jeden Tag herumzukriechen! Hier ist kein Toter, vielleicht im Nebenhaus.‹ Ich grüße und gehe.

Dann aber, wenn ich einen großen Platz zu durchqueren habe, vergesse ich alles. Wenn man schon so große Plätze aus Übermut baut, warum baut man nicht auch ein Geländer quer über den Platz? Heute bläst einmal ein Südwestwind. Die Spitze des Rathausturmes macht kleine Kreise. Alle Fensterscheiben lärmen und die Laternenpfähle biegen sich wie Bambus. Der Mantel der heiligen Maria auf der Säule windet sich und die Luft reißt an ihm. Sieht es denn niemand? Die Herren und Damen, die auf den Steinen gehen sollten, schweben. Wenn der Wind einhält, bleiben sie stehen, sagen einige Worte zueinander und verneigen sich grüßend, stößt er aber wieder, können sie ihm nicht widerstehen und alle heben gleichzeitig ihre Füße. Zwar müssen sie fest ihre Hüte halten, aber sie machen lustige Augen und haben an der Witterung nicht das geringste auszusetzen. Nur ich fürchte mich.«

Daraufhin konnte ich sagen: »Die Geschichte, die Sie früher erzählt haben von Ihrer Frau Mutter und der Frau im Garten, finde ich eigentlich gar nicht merkwürdig. Nicht nur, daß ich viele derartige Geschichten gehört und erlebt habe, ich habe sogar selbst bei manchen mitgewirkt. Diese Sache ist doch ganz natürlich. Meinen Sie denn wirklich, ich hätte, wenn ich im Sommer auf jenem Balkon gewesen wäre, nicht dasselbe fragen und aus dem Garten dasselbe antworten können? Ein so gewöhnlicher Vorfall!«

Als ich das gesagt hatte, schien er endlich beruhigt. Er sagte, daß ich hübsch gekleidet sei und daß ihm meine Halsbinde sehr gefalle. Und was für eine feine Haut ich hätte. Und Geständnisse würden am klarsten, wenn man sie widerriefe.

c

Geschichte des Beters

Dann setzte er sich neben mich, denn ich war schüchtern geworden, ich hatte ihm Platz gemacht mit seitwärts geneigtem Kopfe. Trotzdem aber entging es mir nicht, daß auch er mit einer gewissen Verlegenheit dasaß, immer eine kleine Entfernung von mir zu bewahren suchte und mit Mühe sprach:

»Was sind das für Tage, die ich verbringe!

Am gestrigen Abend war ich in einer Gesellschaft. Gerade verbeugte ich mich im Gaslicht vor einem Fräulein mit den Worten: ›Ich freue mich tatsächlich, daß wir uns schon dem Winter nähern‹ – gerade verbeugte ich mich mit diesen Worten, als ich mit Unwillen bemerkte, daß sich mir der rechte Oberschenkel aus dem Gelenk gekugelt hatte. Auch die Kniescheibe hatte sich ein wenig gelockert.

Daher setzte ich mich und sagte, da ich immer einen Überblick über meine Sätze zu bewahren suche: ›denn der Winter ist viel müheloser; man kann sich leichter benehmen, man braucht sich mit seinen Worten nicht so anstrengen. Nicht wahr, liebes Fräulein? Ich habe hoffentlich recht in dieser Sache.‹ Dabei machte mir mein rechtes Bein viel Ärger. Denn anfangs schien es ganz auseinandergefallen zu sein und erst allmählich brachte ich es durch Quetschen und sinngemäßes Verschieben halbwegs in Ordnung.

Da hörte ich das Mädchen, das sich aus Mitgefühl auch gesetzt hatte, leise sagen: ›Nein, Sie imponieren mir gar nicht, denn –.‹

›Warten Sie‹, sagte ich zufrieden und erwartungsvoll, ›Sie sollen, liebes Fräulein, auch nicht fünf Minuten bloß dazu aufwenden, mit mir zu reden. Essen Sie doch zwischen den Worten, ich bitte Sie.‹

Da streckte ich meine Arme aus, nahm eine dickhängende Weintraube von der durch einen bronzenen Flügelknaben erhöhten Schüssel, hielt sie ein wenig in der Luft und legte sie dann auf einen kleinen, blaurandigen Teller, den ich dem Mädchen vielleicht nicht ohne Zierlichkeit reichte.

›Sie imponieren mir gar nicht‹, sagte sie, ›alles was Sie sagen ist langweilig und unverständlich, aber deshalb noch nicht wahr. Ich glaube nämlich, mein Herr – warum nennen Sie mich immer liebes Fräulein –, ich glaube, Sie geben sich nur deshalb nicht mit der Wahrheit ab, weil sie zu anstrengend ist.‹

Gott, da kam ich in gute Lust! ›Ja, Fräulein, Fräulein‹, so rief ich fast, ›wie recht haben Sie! Liebes Fräulein, verstehen Sie das, es ist eine aufgerissene Freude, wenn man so begriffen wird, ohne es darauf abgezielt zu haben.‹

›Die Wahrheit ist nämlich für Sie zu anstrengend, mein Herr, denn wie sehen Sie doch aus! Sie sind Ihrer ganzen Länge nach aus Seidenpapier herausgeschnitten, aus gelbem Seidenpapier, so silhouettenartig, und wenn Sie gehen, so muß man Sie knittern hören. Daher ist es auch unrecht, sich über Ihre Haltung oder Meinung zu ereifern, denn Sie müssen sich nach dem Luftzug biegen, der gerade im Zimmer ist.‹

›Ich verstehe das nicht. Es stehen ja einige Leute hier im Zimmer herum. Sie legen ihre Arme um die Rückenlehnen der Stühle oder sie lehnen sich ans Klavier oder sie heben ein Glas zögernd zum Munde oder sie gehen furchtsam ins Nebenzimmer, und nachdem sie ihre rechte Schulter im Dunkel an einem Kasten verletzt haben, denken sie atmend bei dem geöffneten Fenster: Dort ist Venus der Abendstern. Ich aber bin in dieser Gesellschaft. Wenn das einen Zusammenhang hat, so verstehe ich ihn nicht. Aber ich weiß nicht einmal, ob das einen Zusammenhang hat. – Und sehen Sie, liebes Fräulein, von allen diesen Leuten, die ihrer Unklarheit gemäß sich so unentschieden, ja lächerlich benehmen, scheine ich allein würdig, ganz Klares über mich zu hören. Und damit auch das noch mit Angenehmem gefüllt sei, sagen Sie es spöttisch, so daß merklich noch etwas übrig bleibt, wie es auch durch die wichtigen Mauern eines im Innern ausgebrannten Hauses geschieht. Der Blick wird jetzt kaum gehindert, man sieht bei Tag durch die großen Fensterlöcher die Wolken des Himmels und bei Nacht die Sterne. Aber noch sind die Wolken oft von grauen Steinen abgehauen und die Sterne bilden unnatürliche Bilder. – Wie wäre es, wenn ich Ihnen zum Dank dafür anvertraute, daß einmal alle Menschen, die leben wollen, so aussehen werden wie ich; aus gelbem Seidenpapier, so silhouettenartig, herausgeschnitten – wie Sie bemerkten –, und wenn sie gehen, so wird man sie knittern hören. Sie werden nicht anders sein, als jetzt, aber sie werden so aussehen. Selbst Sie, liebes Fräulein –.‹

Da bemerkte ich, daß das Mädchen nicht mehr neben mir saß. Sie mußte bald nach ihren letzten Worten weggegangen sein, denn sie stand jetzt weit von mir an einem Fenster, umstellt von drei jungen Leuten, die aus hohen weißen Krägen lachend redeten.

Ich trank darauf froh ein Glas Wein und ging zu dem Klavierspieler, der ganz abgesondert gerade ein trauriges Stück nickend spielte. Ich beugte mich vorsichtig zu seinem Ohr, damit er nur nicht erschrecke und sagte leise in der Melodie des Stückes: ›Haben Sie die Güte, geehrter Herr, und lassen Sie jetzt mich spielen, denn ich bin im Begriffe, glücklich zu sein.‹ Da er auf mich nicht hörte, stand ich eine Zeitlang verlegen, ging dann aber, meine Schüchternheit unterdrückend, von einem der Gäste zum andern und sagte beiläufig: ›Heute werde ich Klavier spielen. Ja.‹

Alle schienen zu wissen, daß ich es nicht konnte, lachten aber freundlich wegen der angenehmen Unterbrechung ihrer Gespräche. Aber völlig aufmerksam wurden sie erst, als ich ganz laut zum Klavierspieler sagte: ›Haben Sie die Güte, geehrter Herr, und lassen Sie jetzt mich spielen. Ich bin nämlich im Begriffe, glücklich zu sein. Es handelt sich um einen Triumph.‹

Der Klavierspieler hörte zwar auf, aber er verließ seine braune Bank nicht und schien mich auch nicht zu verstehn. Er seufzte und verdeckte mit seinen langen Fingern sein Gesicht.

Schon war ich ein wenig mitleidig und wollte ihn wieder zum Spiel aufmuntern, als die Hausfrau mit einer Gruppe herbeikam.

›Das ist ein komischer Zufall‹, sagten sie und lachten laut, als ob ich etwas Unnatürliches unternehmen wolle.

Das Mädchen kam auch hinzu, sah mich verächtlich an und sagte: ›Bitte, gnädige Frau, lassen Sie ihn doch spielen. Er will vielleicht irgendwie zur Unterhaltung beitragen. Das ist zu loben. Bitte, gnädige Frau.‹

Alle freuten sich laut, denn sie glaubten offenbar, ebenso wie ich, das sei ironisch gemeint. Nur der Klavierspieler war stumm. Er hielt den Kopf gesenkt und strich mit dem Zeigefinger seiner linken Hand über das Holz der Bank, als zeichne er im Sande. Ich zitterte und steckte, um es zu verbergen, meine Hände in die Hosentaschen. Auch konnte ich nicht mehr deutlich reden, denn mein ganzes Gesicht wollte weinen. Daher mußte ich die Worte so wählen, daß den Zuhörern der Gedanke, ich wolle weinen, lächerlich vorkommen mußte.

›Gnädige Frau‹, sagte ich, ›ich muß jetzt spielen, denn –‹, da ich die Begründung vergessen hatte, setzte ich mich unvermutet zum Klavier. Da verstand ich wieder meine Lage. Der Klavierspieler stand auf und stieg zartfühlend über die Bank, denn ich versperrte ihm den Weg. ›Löschen Sie das Licht, bitte, ich kann nur im Dunkeln spielen.‹ Ich richtete mich auf.

Da faßten zwei Herren die Bank und trugen mich sehr weit vom Piano weg zum Speisetisch hin, ein Lied pfeifend und mich ein wenig schaukelnd.

Alle sahen beifällig aus und das Fräulein sagte: ›Sehen Sie, gnädige Frau, er hat ganz hübsch gespielt. Ich wußte es. Und Sie haben sich so gefürchtet.‹

Ich begriff und bedankte mich durch eine Verbeugung, die ich gut ausführte.

Man goß mir Zitronenlimonade ein und ein Fräulein mit roten Lippen hielt mir das Glas beim Trinken. Die Hausfrau reichte mir Schaumgebäck auf einem silbernen Teller und ein Mädchen in ganz weißem Kleid steckte es mir in den Mund. Ein üppiges Fräulein mit viel blondem Haar hielt eine Weintraube über mir und ich brauchte nur abzuzupfen, während sie mir dabei in meine zurückweichenden Augen sah.

Da mich alle so gut behandelten, wunderte ich mich freilich darüber, daß sie mich einmütig zurückhielten, als ich wieder zum Piano wollte.

›Nun ist es genug‹, sagte der Hausherr, den ich bisher nicht bemerkt hatte. Er ging hinaus und kam gleich zurück mit einem ungeheuern Zylinderhut und einem geblumten kupferbraunen Überzieher. ›Da sind Ihre Sachen.‹

Es waren zwar nicht meine Sachen, aber ich wollte ihm nicht die Mühe bereiten, noch einmal nachzusehen. Der Hausherr selbst zog mir den Überzieher an, der genau paßte, indem er sich knapp an meinen dünnen Körper anpreßte. Eine Dame mit gütigem Gesicht knöpfte, sich allmählich bückend, den Rock der ganzen Länge nach zu.

›Also leben Sie wohl‹, sagte die Hausfrau, ›und kommen Sie bald wieder. Sie sind immer gern gesehen, das wissen Sie.‹ Da verbeugte sich die ganze Gesellschaft, als ob das so nötig wäre. Ich versuchte es auch, aber mein Rock war zu anliegend. So nahm ich meinen Hut und ging wohl zu linkisch aus der Türe.

Aber als ich aus dem Haustore mit kleinen Schritten trat, wurde ich von dem Himmel mit Mond und Sternen und großer Wölbung und von dem Ringplatz mit Rathaus, Mariensäule und Kirche überfallen.

Ich ging ruhig aus dem Schatten ins Mondlicht, knöpfte den Überzieher auf und wärmte mich, dann ließ ich durch Erheben der Hände das Sausen der Nacht schweigen und fing zu überlegen an:

›Was ist es doch, daß ihr tut, als wenn ihr wirklich wäret. Wollt ihr mich glauben machen, daß ich unwirklich bin, komisch auf dem grünen Pflaster stehend. Aber doch ist es schon lange her, daß du wirklich warst, du Himmel, und du Ringplatz bist niemals wirklich gewesen.‹

›Es ist ja wahr, noch immer seid ihr mir überlegen, aber doch nur dann, wenn ich euch in Ruhe lasse.‹

›Gott sei Dank, Mond, du bist nicht mehr Mond, aber vielleicht ist es nachlässig von mir, daß ich dich Mondbenannten noch immer Mond nenne. Warum bist du nicht mehr so übermütig, wenn ich dich nenne ›vergessene Papierlaterne in merkwürdiger Farbe.‹ Und warum ziehst du dich fast zurück, wenn ich dich ›Mariensäule‹ nenne, und ich erkenne deine drohende Haltung nicht mehr, Mariensäule, wenn ich dich nenne ›Mond, der gelbes Licht wirft.‹

›Es scheint mir wirklich, daß es euch nicht gut tut, wenn man über euch nachdenkt; ihr nehmt ab an Mut und Gesundheit.‹

›Gott, wie zuträglich muß es erst sein, wenn Nachdenkender vom Betrunkenen lernt!‹

›Warum ist alles still geworden. Ich glaube, es ist kein Wind mehr. Und die Häuschen, die oft wie auf kleinen Rädern über den Platz rollen, sind ganz festgestampft – still – still – man sieht gar nicht den dünnen, schwarzen Strich, der sie sonst vom Boden trennt.‹

Und ich setzte mich in Lauf. Ich lief ohne Hindernis dreimal um den großen Platz herum und da ich keinen Betrunkenen traf, lief ich ohne die Schnelligkeit zu unterbrechen und ohne Anstrengung zu verspüren, gegen die Karlsgasse. Mein Schatten lief oft kleiner als ich neben mir an der Wand, wie in einem Hohlweg zwischen Mauer und Straßengrund.

Als ich bei dem Haus der Feuerwehr vorüberkam, hörte ich vom kleinen Ring her Lärm, und als ich dort einbog, sah ich einen Betrunkenen am Gitterwerk des Brunnens stehen, die Arme waagrecht haltend und mit den Füßen, die in Holzpantoffeln staken, auf die Erde stampfend.

Ich blieb zuerst stehen, um meine Atmung ruhiger werden zu lassen, dann ging ich zu ihm, nahm meinen Zylinder vom Kopfe und stellte mich vor:

›Guten Abend, zarter Edelmann, ich bin dreiundzwanzig Jahre alt, aber ich habe noch keinen Namen. Sie aber kommen sicher mit erstaunlichen, ja mit singbaren Namen aus dieser großen Stadt Paris. Der ganz unnatürliche Geruch des ausgleitenden Hofes von Frankreich umgibt Sie.‹

›Sicher haben Sie mit ihren gefärbten Augen jene großen Damen gesehen, die schon auf der hohen und lichten Terrasse stehen, sich in schmaler Taille ironisch umwendend, während das Ende ihrer auch auf der Treppe ausgebreiteten bemalten Schleppe noch über dem Sand des Gartens liegt. – Nicht wahr, auf lange Stangen, überall verteilt, steigen Diener in grauen, frech geschnittenen Fräcken und weißen Hosen, die Beine um die Stange gelegt, den Oberkörper aber oft nach hinten und zur Seite gebogen, denn sie müssen an dicken Stricken riesige graue Leinwandtücher von der Erde heben und in der Höhe spannen, weil die große Dame einen nebligen Morgen wünscht.‹

Da er sich rülpste, sagte ich fast erschrocken: ›Wirklich, ist es wahr, Sie kommen Herr aus unserem Paris, aus dem stürmischen Paris, ach, aus diesem schwärmerischen Hagelwetter?‹

Als er sich wieder rülpste, sagte ich verlegen: ›Ich weiß, es widerfährt mir eine große Ehre.‹

Und ich knöpfte mit raschen Fingern meinen Überzieher zu, dann redete ich inbrünstig und schüchtern:

›Ich weiß, Sie halten mich einer Antwort nicht für würdig, aber ich müßte ein verweintes Leben führen, wenn ich Sie heute nicht fragte.‹

›Ich bitte Sie, so geschmückter Herr, ist das wahr, was man mir erzählt hat. Gibt es in Paris Menschen, die nur aus verzierten Kleidern bestehen, und gibt es dort Häuser, die bloß Portale haben, und ist es wahr, daß an Sommertagen der Himmel über der Stadt fliehend blau ist, nur verschönt durch angepreßte weiße Wölkchen, die alle die Form von Herzen haben? Und gibt es dort ein Panoptikum mit großem Zulauf, in dem bloß Bäume stehen, mit den Namen der berühmtesten Helden, Verbrecher und Verliebten auf kleinen angehängten Tafeln.‹

›Und dann noch diese Nachricht! Diese offenbar lügnerische Nachricht! Nicht wahr, diese Straßen von Paris sind plötzlich verzweigt, sie sind unruhig, nicht wahr? Es ist nicht immer alles in Ordnung, wie könnte das auch sein! es geschieht einmal ein Unfall, Leute sammeln sich, aus den Nebenstraßen kommend mit dem großstädtischen Schritt, der das Pflaster nur wenig berührt; alle sind zwar in Neugierde, aber auch in Furcht vor Enttäuschung; sie atmen schnell und strecken ihre kleinen Köpfe vor. Wenn sie aber einander berühren, so verbeugen sie sich tief und bitten um Verzeihung: ›Es tut mir sehr leid – es geschah ohne Absicht – das Gedränge ist groß, verzeihen Sie, ich bitte – es war sehr ungeschickt von mir – ich gebe das zu. Mein Name ist – mein Name ist Jerome Faroche, Gewürzkrämer bin ich in der Rue de Cabotin – gestatten Sie, daß ich Sie für morgen zum Mittagessen einlade – auch meine Frau würde so große Freude haben.‹ So reden sie, während doch die Gasse betäubt ist und der Rauch der Schornsteine zwischen die Häuser fällt. So ist es doch. Und wäre es möglich, daß da auf einem belebten Boulevard eines vornehmen Viertels zwei Wagen halten. Diener öffnen ernst die Türen. Acht edle sibirische Wolfshunde tänzeln hinunter und jagen bellend über die Fahrbahn in Sprüngen. Und da sagt man, daß es verkleidete, junge Pariser Stutzer sind.‹

Er hatte die Augen fast geschlossen. Als ich schwieg, steckte er beide Hände in den Mund und riß am Unterkiefer. Sein Kleid war ganz beschmutzt. Man hatte ihn vielleicht aus einer Weinstube hinausgeworfen und er war darüber noch nicht im klaren.

Es war vielleicht diese kleine, ganz ruhige Pause zwischen Tag und Nacht, wo uns der Kopf, ohne daß wir es erwarten, im Genicke hängt und wo alles, ohne daß wir es merken, still steht, da wir es nicht betrachten, und dann verschwindet. Während wir mit gebo-

genem Leib allein bleiben, uns dann umschauen, aber nichts mehr
sehen, auch keinen Widerstand der Luft mehr fühlen, aber innerlich uns an der Erinnerung halten, daß in gewissem Abstand von
uns Häuser stehen mit Dächern und glücklicherweise eckigen
Schornsteinen, durch die das Dunkel in die Häuser fließt, durch die
Dachkammern in die verschiedenartigen Zimmer. Und es ist ein
Glück, daß morgen ein Tag sein wird, an dem, so unglaublich es
ist, man alles wird sehen können.

Da riß der Betrunkene seine Augenbrauen hoch, so daß zwischen
ihnen und den Augen ein Glanz entstand, und erklärte in Absätzen: ›Das ist nämlich so – ich bin nämlich schläfrig, daher werde
ich schlafen gehen –. Ich habe nämlich einen Schwager auf dem
Wenzelsplatz – dorthin gehe ich, denn dort wohne ich, denn dort
habe ich mein Bett – so geh jetzt –. Ich weiß nämlich nur nicht, wie
er heißt und wo er wohnt – mir scheint, das habe ich vergessen –
aber das macht nichts, denn ich weiß ja nicht einmal, ob ich überhaupt einen Schwager habe –. Jetzt gehe ich nämlich –. Glauben
Sie, daß ich ihn finden werde?‹

Darauf sagte ich ohne Bedenken: ›Das ist sicher. Aber Sie kommen aus der Fremde und Ihre Dienerschaft ist zufällig nicht bei Ihnen. Gestatten Sie, daß ich Sie führe.‹ Er antwortete nicht. Da
reichte ich ihm meinen Arm, damit er sich einhänge.«

d

Fortgesetztes Gespräch
zwischen dem Dicken und dem Beter

Ich aber versuchte schon eine Zeitlang mich aufzumuntern. Ich
rieb meinen Körper und sagte zu mir: »Es ist Zeit, daß du sprichst.
Du bist ja schon verlegen. Fühlst du dich bedrängt? Warte doch!
Du kennst ja diese Lagen. Überlege es ohne Eile! Auch die Umgebung wird warten.«

»Es ist so wie in der Gesellschaft der vorigen Woche. Jemand liest
aus einer Abschrift etwas vor. Eine Seite habe ich auf seine Bitte
selbst abgeschrieben. Wie ich die Schrift unter den von ihm ge-
schriebenen Seiten lese, erschrecke ich. Es ist haltlos. Die Leute
beugen sich darüber von den drei Seiten des Tisches her. Ich
schwöre weinend, es sei nicht meine Schrift.«

»Aber warum sollte das dem Heutigen ähnlich sein. Es liegt doch
nur an dir, daß ein eingezäuntes Gespräch entsteht. Alles ist fried-

lich. Strenge dich doch an, mein Lieber! – Du wirst doch einen
Einwand finden. – Du kannst sagen: ›Ich bin schläfrig. Ich habe
Kopfschmerzen. Adieu.‹ Rasch, also rasch. Mach dich bemerkbar!
– Was ist das? Wieder Hindernisse und Hindernisse? Woran erin-
nerst du dich? – Ich erinnere mich an eine Hochebene, die sich ge-
gen den großen Himmel als ein Schild der Erde hob. Ich sah sie
von einem Berge und machte mich bereit, sie zu durchwandern.
Ich fing zu singen an.«

Meine Lippen waren trocken und ungehorsam, als ich sagte:
»Sollte man nicht anders leben können!«

»Nein«, sagte er fragend, lächelnd.

»Aber warum beten Sie am Abend in der Kirche«, fragte ich dann,
indem alles zwischen mir und ihm zusammenfiel, was ich bis dahin wie schlafend gestützt hatte.

»Nein, warum sollten wir darüber reden. Am Abend trägt niemand, der allein lebt, Verantwortung. Man fürchtet manches.
Daß vielleicht die Körperlichkeit entschwindet, daß die Menschen
wirklich so sind wie sie in der Dämmerung scheinen, daß man
ohne Stock nicht gehen dürfe, daß es vielleicht gut wäre, in die
Kirche zu gehen und schreiend zu beten, um angeschaut zu werden und Körper zu bekommen.«

Da er so redete und dann schwieg, zog ich mein rotes Taschentuch
aus der Tasche und weinte gebückt.

Er stand auf, küßte mich und sagte:

»Warum weinst du? Du bist groß, das liebe ich, du hast lange
Hände, die sich fast nach deinem Willen aufführen; warum freust
du dich nicht darüber. Trage immer dunkelfarbige Ärmelränder,
das rate ich dir. – Nein, – ich schmeichle dir und dennoch weinst
du? Diese Schwierigkeit des Lebens trägst du doch ganz vernünftig.«

»Wir bauen eigentlich unbrauchbare Kriegsmaschinen, Türme,
Mauern, Vorhänge aus Seide und wir könnten uns viel darüber
wundern, wenn wir Zeit dazu hätten. Und erhalten uns in Schwebe, wir fallen nicht, wir flattern, wenn wir auch häßlicher als Fle-
dermäuse sind. Und schon kann uns kaum jemand an einem schönen Tage hindern zu sagen: ›Ach Gott, heute ist ein schöner Tag‹,
denn schon sind wir auf unserer Erde eingerichtet und leben auf
Grund unseres Einverständnisses.«

»Wir sind nämlich so wie Baumstämme im Schnee. Sie liegen

doch scheinbar nur glatt auf und man sollte sie mit einem kleinen
Anstoß wegschieben können. Aber nein, das kann man nicht,
denn sie sind fest mit dem Boden verbunden. Aber sieh, sogar das
ist bloß scheinbar.«

Nachdenken hinderte mich am Weinen: »Es ist Nacht und niemand wird mir morgen vorhalten, was ich jetzt sagen könnte,
denn es kann ja im Schlaf gesprochen sein.«

Dann sagte ich: »Ja, das ist es, aber wovon redeten wir doch. Wir
konnten doch nicht von der Beleuchtung des Himmels reden, da
wir doch in der Tiefe einer Hausflur stehen. Nein –, doch wir hätten davon reden können, denn sind wir in unserem Gespräch nicht
ganz unabhängig? Da wir nicht Zweck noch Wahrheit erreichen
wollen, sondern nur Scherz und Unterhaltung. Aber könnten Sie
mir nicht dennoch die Geschichte von der Frau im Garten noch
einmal erzählen. Wie bewunderungswürdig, wie klug ist diese
Frau! Wir müssen uns nach ihrem Beispiel benehmen. Wie gern
habe ich sie! Und dann ist es auch gut, daß ich Sie getroffen und so
abgefangen habe. Es war für mich ein großes Vergnügen, mit Ihnen gesprochen zu haben. Ich habe einiges, mir bisher vielleicht
absichtlich Unbekannte gehört – ich freue mich.«

Er sah zufrieden aus. Obwohl mir die Berührung mit einem
menschlichen Körper immer peinlich ist, mußte ich ihn umar-
men.

Dann traten wir aus dem Gang unter den Himmel. Einige zersto-
ßene Wölkchen blies mein Freund weg, so daß sich jetzt die ununt-
terbrochene Fläche der Sterne uns darbot. Mein Freund ging mühsam.

4

Untergang des Dicken

Da wurde alles von Schnelligkeit ergriffen und fiel in die Ferne.
Das Wasser des Flusses wurde an einem Absturz hinabgezogen,
wollte sich zurückhalten, schwankte auch noch an der zerbröckel-
ten Kante, aber dann fiel es in Klumpen und Rauch.

Der Dicke konnte nicht weiterreden, sondern er mußte sich drehen und in dem lauten, raschen Wasserfall verschwinden.

Ich, der so viele Belustigungen erfahren hatte, stand am Ufer und
sah es. »Was sollen unsere Lungen tun«, schrie ich, schrie, »atmen

sie rasch, ersticken sie an sich, an innern Giften; atmen sie langsam, ersticken sie an nicht atembarer Luft, an den empörten Dingen. Wenn sie aber ihr Tempo suchen wollen, gehen sie schon am Suchen zugrunde.«

Dabei dehnten sich die Ufer dieses Flusses ohne Maß und doch berührte ich das Eisen eines in der Entfernung winzigen Wegzeigers mit der Fläche meiner Hand. Das war mir nun nicht ganz begreiflich. Ich war doch klein, fast kleiner als gewöhnlich und ein Strauch mit weißen Hagebutten, der sich ganz schnell schüttelte, überragte mich. Ich sah das, denn er war vor einem Augenblick nahe bei mir.

Aber trotzdem hatte ich mich geirrt, denn meine Arme waren so groß, wie die Wolken eines Landregens, nur waren sie hastiger. Ich weiß nicht, warum sie meinen armen Kopf zerdrücken wollten.

Der war doch so klein, wie ein Ameisenei, nur war er ein wenig beschädigt, daher nicht mehr vollkommen rund. Ich führte mit ihm bittende Drehungen aus, denn der Ausdruck meiner Augen hätte nicht bemerkt werden können, so klein waren sie.

Aber meine Beine, doch meine unmöglichen Beine lagen über den bewaldeten Bergen und beschatteten die dörflichen Täler. Sie wuchsen, sie wuchsen! Schon ragten sie in den Raum, der keine Landschaft mehr besaß, längst schon reichte ihre Länge aus der Sehschärfe meiner Augen.

Aber nein, das ist es nicht – ich bin doch klein, vorläufig klein –, ich rolle – ich rolle – ich bin eine Lawine im Gebirge! Bitte, vorübergehende Leute, seid so gut, sagt mir, wie groß ich bin, messet nur diese Arme, diese Beine.

III

»Wie ist das doch«, sagte mein Bekannter, der mit mir aus der Gesellschaft gekommen war und ruhig neben mir auf einem Wege des Laurenziberges ging. »Bleiben Sie endlich ein wenig stehen, damit ich mir darüber klar werde. – Wissen Sie, ich habe eine Sache zu erledigen. Das ist so anstrengend – diese wohl kalte und auch bestrahlte Nacht, aber dieser unzufriedene Wind, der sogar bisweilen die Stellung jener Akazien zu verändern scheint.«

Der Mondschatten des Gärtnerhauses war über den ein wenig
gewölbten Weg gespannt und mit dem geringen Schnee verziert.
Als ich die Bank erblickte, die neben der Türe stand, zeigte ich mit
erhobener Hand auf sie, denn ich war nicht mutig und erwartete
Vorwürfe, legte daher meine linke Hand auf meine Brust.

Er setzte sich überdrüssig, ohne Rücksicht gegen seine schönen
Kleider und brachte mich in Staunen, als er seine Ellbogen gegen
seine Hüften drückte und seine Stirn in die durchgebogenen Fin-
gerspitzen legte.

»Ja, jetzt will ich dieses sagen. Wissen Sie, ich lebe regelmäßig, es
ist nichts auszusetzen, alles was notwendig und anerkannt ist, geschieht. Das Unglück, an das man in der Gesellschaft, in der ich
verkehre, gewöhnt ist, hat mich nicht verschont, wie meine Umgebung und ich befriedigt sahen, und auch dieses allgemeine
Glück hielt sich nicht zurück und ich selbst durfte in kleinem
Kreise von ihm reden. Gut, ich war noch niemals wirklich verliebt
gewesen. Ich bedauerte das bisweilen, aber benutzte jene Redensart, wenn ich sie nötig hatte. Jetzt nun muß ich sagen: Ja ich bin
verliebt und wohl aufgeregt vor Verliebtheit. Ich bin ein Liebhaber von Glut, wie ihn die Mädchen sich wünschen. Aber hätte ich
nicht bedenken sollen, daß gerade dieser frühere Mangel eine ausnahmsweise und lustige, besonders lustige Drehung meinen Verhältnissen gab?«

»Nur Ruhe, Ruhe«, sagte ich teilnahmslos, und nur an mich den-
kend, »Ihre Geliebte ist doch schön, wie ich hören mußte.«

»Ja, sie ist schön. Als ich neben ihr saß, dachte ich immer nur: Dieses Wagnis – und ich bin so kühn – da unternehme ich eine See-
fahrt – trinke Wein in Gallonen. Aber wenn sie lacht, zeigt sie ihre
Zähne nicht, wie man doch erwarten sollte, sondern man kann
bloß die dunkle, schmale gebogene Mundöffnung sehen. Das nun
schaut listig und greisenhaft aus, wenn sie auch beim Lachen den
Kopf nach rückwärts beugt.«

»Ich kann das nicht leugnen«, sagte ich mit Seufzern, »wahrscheinlich habe ich das auch gesehen, denn es muß auffallend sein.
Aber es ist nicht nur das. Mädchenschönheit überhaupt! Oft wenn
ich Kleider mit vielfachen Falten, Rüschen und Behängen sehe, die
über schöne Körper schön sich legen, so denke ich, daß sie nicht
lange so erhalten bleiben, sondern Falten bekommen, nicht mehr
gerade zu glätten, Staub bekommen, der dick in der Verzierung

nicht mehr zu entfernen ist, und daß niemand so traurig und so lächerlich sich wird machen wollen, täglich dasselbe kostbare Kleid früh anzulegen und abends auszuziehn. Doch sehe ich Mädchen, die wohl schön sind und vielfache reizende Muskeln und Knöchelchen und gespannte Haut und Massen dünner Haare zeigen und doch täglich in diesem einen natürlichen Maskenanzug erscheinen, immer dasselbe Gesicht in ihre gleiche Handfläche legen und von ihrem Spiegel wiedererscheinen lassen. Nur manchmal am Abend, wenn sie spät von einem Feste kommen, scheint es ihnen im Spiegel abgenützt, gedunsen, von allen schon gesehen und kaum mehr tragbar.«

»Doch habe ich Sie öfters während des Weges danach gefragt, ob Sie das Mädchen schön finden, aber Sie haben immer nach der andern Seite sich gedreht, ohne mir zu antworten. Sagen Sie, haben Sie etwas Böses vor? Warum trösten Sie mich nicht?«

Ich bohrte meine Füße in den Schatten und sagte aufmerksam: »Sie müssen nicht getröstet werden. Sie werden doch geliebt.« Dabei hielt ich mein mit blauen Weintrauben gemustertes Taschentuch vor den Mund, um mich nicht zu erkälten.

Jetzt wendete er sich zu mir und lehnte sein dickes Gesicht an die niedrige Lehne der Bank: »Wissen Sie, im allgemeinen habe ich noch Zeit, ich kann noch immer diese beginnende Liebe gleich beenden durch eine Schandtat oder durch Untreue oder durch Abreise in ein entferntes Land. Denn wirklich, ich bin sehr im Zweifel, ob ich mich in diese Aufregung begeben soll. Da ist nichts Sicheres, niemand kann Richtung und Dauer bestimmt angeben. Gehe ich in eine Weinstube mit der Absicht mich zu betrinken, so weiß ich, ich werde diesen einen Abend betrunken sein, aber in meinem Fall! In einer Woche wollen wir einen Ausflug mit einer befreundeten Familie machen, gibt das nicht im Herzen Gewitter für vierzehn Tage. Die Küsse dieses Abends machen mich schläfrig, um Raum für ungezähmte Träume zu bekommen. Ich trotze dem und mache einen Nachtspaziergang, da geschieht es, daß ich unaufhörlich bewegt bin, mein Gesicht kalt und warm ist wie nach Windstößen, daß ich immer ein rosa Band in meiner Tasche berühren muß, höchste Befürchtungen für mich habe, ihnen aber nicht nachgehen kann und sogar Sie, mein Herr, vertrage, während ich sonst sicher nie so lange mit Ihnen reden würde.«

Mir war sehr kalt und schon neigte sich der Himmel ein wenig in weißlicher Farbe: »Da wird keine Schandtat helfen, keine Untreue oder Abreise in ein entferntes Land. Sie werden sich morden müssen«, sagte ich und lächelte außerdem.

Uns gegenüber am andern Rande der Alle standen zwei Büsche und hinter diesen Büschen unten war die Stadt. Sie war noch ein wenig beleuchtet.

»Gut«, rief er und schlug die Bank mit seiner kleinen festen Faust, die er aber gleich liegen ließ. »Sie leben aber. Sie töten sich nicht. Niemand liebt Sie. Sie erreichen nichts. Den nächsten Augenblick können Sie nicht beherrschen. Da reden Sie so zu mir, Sie gemeiner Mensch. Lieben können Sie nicht, nichts erregt Sie außer Angst. Schauen Sie doch, meine Brust.«

Da öffnete er rasch seinen Rock und seine Weste und sein Hemd. Seine Brust war wirklich breit und schön.

Ich begann zu erzählen: »Ja, solche trotzige Zustände überkommen uns bisweilen. So war ich diesen Sommer in einem Dorfe, das lag an einem Flusse. Ich erinnere mich ganz genau. Oft saß ich in verrenkter Haltung auf einer Bank am Ufer. Es war ein Strandhotel auch dort. Da hörte man oft Geigenspiel. Junge kräftige Leute redeten im Garten an Tischen vor Bier von Jagd und Abenteuern. Und dann waren am andern Ufer so wolkenhafte Berge.«

Ich stand da auf mit matt verzogenem Munde, trat in den Rasen hinter der Bank, zerbrach auch einige beschneite Äste und sagte dann meinem Bekannten ins Ohr: »Ich bin verlobt, ich gestehe es.«

Mein Bekannter wunderte sich nicht darüber, daß ich aufgestanden war: »Sie sind verlobt?« Er saß wirklich ganz schwach da, nur durch die Lehne gestützt. Dann nahm er den Hut ab und ich sah sein Haar, das wohlriechend und schön gekämmt den runden Kopf auf dem Fleisch des Halses in einer scharf gerundeten Linie abschloß, wie man es in diesem Winter liebte.

Ich freute mich, daß ich ihm so klug geantwortet hatte. »Ja«, sagte ich zu mir, »wie er doch in der Gesellschaft umhergeht mit gelenkigem Hals und freien Armen. Er kann eine Dame mit gutem Gespräch mitten durch einen Saal führen und es macht ihn gar nicht unruhig, daß vor dem Hause Regen fällt oder daß dort ein Schüchterner steht oder sonst etwas Jämmerliches geschieht. Nein, er neigt sich gleichartig hübsch vor den Damen. Aber da sitzt er nun.«

Mein Bekannter strich mit einem Tuche aus Batist über die Stirn. »Bitte«, sagte er, »legen Sie mir Ihre Hand ein wenig auf die Stirn. Ich bitte Sie.« Als ich es nicht gleich tat, faltete er seine Hände.

Als ob unsere Sorge alles verdunkelt hätte, saßen wir oben auf dem Berg, wie in einem kleinen Zimmer, obwohl wir doch schon früher Licht und Wind des Morgens bemerkt hatten. Wir waren nahe beisammen, obwohl wir einander gar nicht gern hatten, aber wir konnten uns nicht weit von einander entfernen, denn die Wände waren förmlich und fest gezogen. Aber wir durften uns lächerlich und ohne menschliche Würde benehmen, denn wir mußten uns nicht schämen vor den Zweigen über uns und vor den Bäumen, die uns gegenüber standen.

Da zog mein Bekannter ohne Umstände aus seiner Tasche ein Messer, öffnete es nachdenklich und stieß es dann wie im Spiele in seinen linken Oberarm und entfernte es nicht. Gleich rann Blut. Seine runden Wangen waren blaß. Ich zog das Messer heraus, zerschnitt den Ärmel des Winterrocks und des Fracks, riß den Hemdärmel auf. Lief dann eine kurze Strecke des Wegs hinunter und aufwärts, um zu sehen, ob niemand da sei, der mir helfen könnte. Alles Gezweige war fast grell sichtbar und unbewegt. Dann saugte ich ein wenig an der tiefen Wunde. Da erinnerte ich mich an das Gärtnerhäuschen. Ich lief die Stiegen aufwärts, die zu dem erhöhten Rasen an der linken Seite des Hauses führten, ich untersuchte die Fenster und Türen in Eile, ich läutete wütend und stampfend, obwohl ich gleich gesehen hatte, daß das Haus unbewohnt war. Dann sah ich nach der Wunde, die in dünnem Strom blutete. Ich näßte sein Tuch im Schnee und umband ungeschickt seinen Arm.

»Du Lieber, Lieber«, sagte ich, »meinetwegen hast du dich verletzt. Du bist so schön gestellt, von Freundlichen umgeben, am hellen Tage kannst du spazierengehen, wenn viele Menschen sorgfältig gekleidet weit und nah zwischen Tischen oder auf Hügelwegen zu sehen sind. Denke nur, im Frühjahr, da werden wir in den Baumgarten fahren, nein, nicht wir werden fahren, das ist schon leider wahr, aber du mit dem Annerl wirst fahren in Freude und Trab. O ja, glaube mir, ich bitte dich, und die Sonne wird euch schönstens allen Leuten zeigen. Oh, da ist Musik, man hört die Pferde weit, es ist keine Sorge nötig, da ist Geschrei und Leierkästen spielen in den Alleen.«

»Ach Gott«, sagte er, stand auf, lehnte sich an mich und wir gingen, »da ist ja keine Hilfe. Das könnte mich nicht freuen. Verzeihen Sie. Ist es schon spät? Vielleicht sollte ich morgen früh etwas tun. Ach Gott.«

Eine Laterne nahe an der Mauer oben brannte und legte den Schatten der Stämme über Weg und weißen Schnee, während der Schatten des vielfältigen Astwerkes umgebogen, wie zerbrochen, auf dem Abhang lag.

BEIM BAU DER CHINESISCHEN MAUER

Die Chinesische Mauer ist an ihrer nördlichsten Stelle beendet worden. Von Südosten und Südwesten wurde der Bau herangeführt und hier vereinigt. Dieses System des Teilbaues wurde auch im Kleinen innerhalb der zwei großen Arbeitsheere, des Ost- und des Westheeres, befolgt. Es geschah das so, daß Gruppen von etwa zwanzig Arbeitern gebildet wurden, welche eine Teilmauer von etwa fünfhundert Metern Länge aufzuführen hatten, eine Nachbargruppe baute ihnen dann eine Mauer von gleicher Länge entgegen. Nachdem dann aber die Vereinigung vollzogen war, wurde nicht etwa der Bau am Ende dieser tausend Meter wieder fortgesetzt, vielmehr wurden die Arbeitergruppen wieder in ganz andere Gegenden zum Mauerbau verschickt. Natürlich entstanden auf diese Weise viele große Lücken, die erst nach und nach langsam ausgefüllt wurden, manche sogar erst, nachdem der Mauerbau schon als vollendet verkündigt worden war. Ja, es soll Lücken geben, die überhaupt nicht verbaut worden sind, eine Behauptung allerdings, die möglicherweise nur zu den vielen Legenden gehört, die um den Bau entstanden sind, und die, für den einzelnen Menschen wenigstens, mit eigenen Augen und eigenem Maßstab infolge der Ausdehnung des Baues unnachprüfbar sind.

Nun würde man von vornherein glauben, es wäre in jedem Sinne vorteilhafter gewesen, zusammenhängend zu bauen oder wenigstens zusammenhängend innerhalb der zwei Hauptteile. Die Mauer war doch, wie allgemein verbreitet wird und bekannt ist, zum Schutze gegen die Nordvölker gedacht. Wie kann aber eine Mauer schützen, die nicht zusammenhängend gebaut ist. Ja, eine solche Mauer kann nicht nur nicht schützen, der Bau selbst ist in fortwährender Gefahr. Diese in öder Gegend verlassen stehenden Mauerteile können immer wieder leicht von den Nomaden zerstört werden, zumal diese damals, geängstigt durch den Mauerbau, mit unbegreiflicher Schnelligkeit wie Heuschrecken ihre Wohnsitze wechselten und deshalb vielleicht einen besseren Überblick über die Baufortschritte hatten als selbst wir, die Erbauer. Trotzdem konnte der Bau wohl nicht anders ausgeführt werden, als es geschehen ist. Um das zu verstehen, muß man folgendes bedenken: Die Mauer sollte zum Schutz für die Jahrhunderte werden; sorgfältigster Bau, Benützung der Bauweisheit aller bekannten Zeiten und Völker, dauerndes Gefühl der persönlichen Verantwortung der Bauenden waren deshalb unumgängliche Voraussetzung für die Arbeit. Zu den niederen Arbeiten konnten zwar unwissende Taglöhner aus dem Volke, Männer, Frauen, Kinder, wer sich für gutes Geld anbot, verwendet werden; aber schon zur Leitung von vier Taglöhnern war ein verständiger, im Baufach gebildeter Mann nötig; ein Mann, der imstande war, bis in die Tiefe des Herzens mitzufühlen, worum es hier ging. Und je höher die Leistung, desto größer die Anforderungen. Und solche Männer standen tatsächlich zur Verfügung, wenn auch nicht in jener Menge, wie sie dieser Bau hätte verbrauchen können, so doch in großer Zahl.

Man war nicht leichtsinnig an das Werk herangegangen. Fünfzig Jahre vor Beginn des Baues hatte man im ganzen China, das ummauert werden sollte, die Baukunst, insbesondere das Maurerhandwerk, zur wichtigsten Wissenschaft erklärt und alles andere nur anerkannt, soweit es damit in Beziehung stand. Ich erinnere mich noch sehr wohl, wie wir als kleine Kinder, kaum unserer Beine sicher, im Gärtchen unseres Lehrers standen, aus Kieselsteinen eine Art Mauer bauen mußten, wie der Lehrer den Rock schürzte, gegen die Mauer rannte, natürlich alles zusammenwarf, und uns wegen der Schwäche unseres Baues solche Vorwürfe machte, daß wir heulend uns nach allen Seiten zu unseren Eltern verliefen. Ein winziger Vorfall, aber bezeichnend für den Geist der Zeit.

Ich hatte das Glück, daß, als ich mit zwanzig Jahren die oberste Prüfung der untersten Schule abgelegt hatte, der Bau der Mauer gerade begann. Ich sage Glück, denn viele, die früher die oberste Höhe der ihnen zugänglichen Ausbildung erreicht hatten, wußten jahrelang mit ihrem Wissen nichts anzufangen, trieben sich, im Kopf die großartigsten Baupläne, nutzlos herum und verlotterten in Mengen. Aber diejenigen, die endlich als Bauführer, sei es auch untersten Ranges, zum Bau kamen, waren dessen tatsächlich würdig. Es waren Maurer, die viel über den Bau nachgedacht hatten und nicht aufhörten, darüber nachzudenken, die sich mit dem ersten Stein, den sie in den Boden einsenken ließen, dem Bau verwachsen fühlten. Solche Maurer trieb aber natürlich, neben der Begierde, gründlichste Arbeit zu leisten, auch die Ungeduld, den Bau in seiner Vollkommenheit endlich erstehen zu sehen. Der Taglöhner kennt diese Ungeduld nicht, den treibt nur der Lohn, auch die oberen Führer, ja selbst die mittleren Führer sehen von dem vielseitigen Wachsen des Baues genug, um sich im Geiste dadurch kräftig zu halten. Aber für die unteren, geistig weit über ihrer äußerlich kleinen Aufgabe stehenden Männer, mußte anders vorgesorgt werden. Man konnte sie nicht zum Beispiel in einer unbewohnten Gebirgsgegend, hunderte Meilen von ihrer Heimat, Monate oder gar Jahre lang Mauerstein an Mauerstein fügen lassen; die Hoffnungslosigkeit solcher fleißigen, aber selbst in einem langen Menschenleben nicht zum Ziel führenden Arbeit hätte sie verzweifelt und vor allem wertloser für die Arbeit gemacht. Deshalb wählte man das System des Teilbaues. Fünfhundert Meter konnten etwa in fünf Jahren fertiggestellt werden, dann waren freilich die Führer in der Regel zu erschöpft, hatten alles Vertrauen zu sich, zum Bau, zur Welt verloren. Drum wurden sie dann, während sie noch im Hochgefühl des Vereinigungsfestes der tausend Meter Mauer standen, weit, weit verschickt, sahen auf der Reise hier und da fertige Mauerteile ragen, kamen an Quartieren höherer Führer vorüber, die sie mit Ehrenzeichen beschenkten, hörten den Jubel neuer Arbeitsheere, die aus der Tiefe der Länder herbeiströmten, sahen Wälder niederlegen, die zum Mauergerüst bestimmt waren, sahen Berge in Mauersteine zerhämmern, hörten auf den heiligen Stätten Gesänge der Frommen Vollendung des Baues erflehen. Alles dieses besänftigte ihre Ungeduld. Das ruhige Leben der Heimat, in der sie einige Zeit verbrachten, kräftigte sie, das Ansehen, in dem alle Bauenden standen, die gläubige Demut, mit der ihre Berichte angehört wurden, das Vertrauen, das der einfache, stille Bürger in die einstige Vollendung der Mauer setzte, alles dies spannte die Saiten der Seele. Wie ewig hoffende Kinder nahmen sie dann von der Heimat Abschied, die Lust, wieder am Volkswerk zu arbeiten, wurde unbezwinglich. Sie reisten früher von Hause fort, als es nötig gewesen wäre, das halbe Dorf begleitete sie lange Strecken weit. Auf allen Wegen Gruppen, Wimpel, Fahnen, niemals hatten sie gesehen, wie groß und reich und schön und liebenswert ihr Land war. Jeder Landmann war ein Bruder, für den man eine Schutzmauer baute, und der mit allem, was er hatte und war, sein Leben lang dafür dankte. Einheit! Einheit! Brust an Brust, ein Reigen des Volkes, Blut, nicht mehr eingesperrt im kärglichen Kreislauf des Körpers, sondern süß rollend und doch wiederkehrend durch das unendliche China.

Dadurch also wird das System des Teilbaues verständlich; aber es hatte doch wohl noch andere Gründe. Es ist auch keine Sonderbarkeit, daß ich mich bei dieser Frage so lange aufhalte, es ist eine Kernfrage des ganzen Mauerbaues, so unwesentlich sie zunächst scheint. Will ich den Gedanken und die Erlebnisse jener Zeit vermitteln und begreiflich machen, kann ich gerade dieser Frage nicht tief genug nachbohren.

Zunächst muß man sich doch wohl sagen, daß damals Leistungen vollbracht worden sind, die wenig hinter dem Turmbau von Babel zurückstehen, an Gottgefälligkeit allerdings, wenigstens nach menschlicher Rechnung, geradezu das Gegenteil jenes Baues darstellen. Ich erwähne dies, weil in den Anfangszeiten des Baues ein Gelehrter ein Buch geschrieben hat, in welchem er diese Vergleiche sehr genau zog. Er suchte darin zu beweisen, daß der Turmbau zu Babel keineswegs aus den allgemein behaupteten Ursachen nicht zum Ziele geführt hat, oder daß wenigstens unter diesen bekannten Ursachen sich nicht die allerersten befinden. Seine Beweise bestanden nicht nur aus Schriften und Berichten, sondern er wollte auch am Orte selbst Untersuchungen angestellt und dabei gefunden haben, daß der Bau an der Schwäche des Fundamentes scheiterte und scheitern mußte. In dieser Hinsicht allerdings war unsere Zeit jener längst vergangenen weit überlegen. Fast jeder gebildete Zeitgenosse war Maurer vom Fach und in der Frage der Fundamentierung untrüglich. Dahin zielte aber der Gelehrte gar nicht, sondern er behauptete, erst die große Mauer werde zum erstenmal in der Menschenzeit ein sicheres Fundament für einen neuen Babelturm schaffen. Also zuerst die Mauer und dann der Turm. Das Buch war damals in aller Hände, aber ich gestehe ein, daß ich noch heute nicht genau begreife, wie er sich diesen Turmbau dachte. Die Mauer, die doch nicht einmal einen Kreis, sondern nur eine Art Viertel- oder Halbkreis bildete, sollte das Fundament eines Turmes abgeben? Das konnte doch nur in geistiger Hinsicht gemeint sein. Aber wozu dann die Mauer, die doch etwas Tatsächliches war, Ergebnis der Mühe und des Lebens von Hunderttausenden? Und wozu waren in dem Werk Pläne, allerdings nebelhafte Pläne, des Turmes gezeichnet und Vorschläge bis ins einzelne gemacht, wie man die Volkskraft in dem kräftigen neuen Werk zusammenfassen solle?

Es gab – dieses Buch ist nur ein Beispiel – viel Verwirrung der Köpfe damals, vielleicht gerade deshalb, weil sich so viele möglichst auf einen Zweck hin zu sammeln suchten. Das menschliche Wesen, leichtfertig in seinem Grund, von der Natur des auffliegenden Staubes, verträgt keine Fesselung; fesselt es sich selbst, wird es bald wahnsinnig an den Fesseln zu rütteln anfangen und Mauer, Kette und sich selbst in alle Himmelsrichtungen zerreißen.

Es ist möglich, daß auch diese, dem Mauerbau sogar gegensätzlichen Erwägungen von der Führung bei der Festsetzung des Teilbaues nicht unberücksichtigt geblieben sind. Wir – ich rede hier wohl im Namen vieler – haben eigentlich erst im Nachbuchstabieren der Anordnungen der obersten Führerschaft uns selbst kennengelernt und gefunden, daß ohne die Führerschaft weder unsere Schulweisheit noch unser Menschenverstand für das kleine Amt, das wir innerhalb des großen Ganzen hatten, ausgereicht hätte. In der Stube der Führerschaft – wo sie war und wer dort saß, weiß und wußte niemand, den ich fragte – in dieser Stube kreisten wohl alle menschlichen Gedanken und Wünsche und in Gegenkreisen alle menschlichen Ziele und Erfüllungen. Durch das Fenster aber fiel der Abglanz der göttlichen Welten auf die Pläne zeichnenden Hände der Führerschaft.

Und deshalb will es dem unbestechlichen Betrachter nicht eingehen, daß die Führerschaft, wenn sie es ernstlich gewollt hätte, nicht auch jene Schwierigkeiten hätte überwinden können, die einem zusammenhängenden Mauerbau entgegenstanden. Bleibt also nur die Folgerung, daß die Führerschaft den Teilbau beabsichtigte. Aber der Teilbau war nur ein Notbehelf und unzweckmäßig. Bleibt die Folgerung, daß die Führerschaft etwas Unzweckmäßiges wollte. – Sonderbare Folgerung! – Gewiß, und doch hat sie auch von anderer Seite manche Berechtigung für sich. Heute kann davon vielleicht ohne Gefahr gesprochen werden. Damals war es geheimer Grundsatz Vieler, und sogar der Besten: Suche mit allen deinen Kräften die Anordnungen der Führerschaft zu verstehen, aber nur bis zu einer bestimmten Grenze, dann höre mit dem

Nachdenken auf. Ein sehr vernünftiger Grundsatz, der übrigens noch eine weitere Auslegung in einem später oft wiederholten Vergleich fand: Nicht weil es dir schaden könnte, höre mit dem weiteren Nachdenken auf, es ist auch gar nicht sicher, daß es dir schaden wird. Man kann hier überhaupt weder von Schaden noch Nichtschaden sprechen. Es wird dir geschehen wie dem Fluß im Frühjahr. Er steigt, wird mächtiger, nährt kräftiger das Land an seinen langen Ufern, behält sein eignes Wesen weiter ins Meer hinein und wird dem Meere ebenbürtiger und willkommener. – So weit denke den Anordnungen der Führerschaft nach. – Dann aber übersteigt der Fluß seine Ufer, verliert Umrisse und Gestalt, verlangsamt seinen Abwärtslauf, versucht gegen seine Bestimmung kleine Meere ins Binnenland zu bilden, schädigt die Fluren, und kann sich doch für die Dauer in dieser Ausbreitung nicht halten, sondern rinnt wieder in seine Ufer zusammen, ja trocknet sogar in der folgenden heißen Jahreszeit kläglich aus. – So weit denke den Anordnungen der Führerschaft nicht nach.

Nun mag dieser Vergleich während des Mauerbaues außerordentlich treffend gewesen sein, für meinen jetzigen Bericht hat er doch zum mindesten nur beschränkte Geltung. Meine Untersuchung ist doch nur eine historische; aus den längst verflogenen Gewitterwolken zuckt kein Blitz mehr, und ich darf deshalb nach einer Erklärung des Teilbaues suchen, die weitergeht als das, womit man sich damals begnügte. Die Grenzen, die meine Denkfähigkeit mir setzt, sind ja eng genug, das Gebiet aber, das hier zu durchlaufen wäre, ist das Endlose.

Gegen wen sollte die große Mauer schützen? Gegen die Nordvölker. Ich stamme aus dem südöstlichen China. Kein Nordvolk kann uns dort bedrohen. Wir lesen von ihnen in den Büchern der Alten, die Grausamkeiten, die sie ihrer Natur gemäß begehen, machen uns aufseufzen in unserer friedlichen Laube. Auf den wahrheitsgetreuen Bildern der Künstler sehen wie diese Gesichter der Verdammnis, die aufgerissenen Mäuler, die mit hoch zugespitzten Zähnen bestecken Kiefer, die verkniffenen Augen, die schon nach dem Raub zu schielen scheinen, den das Maul zermalmen und zerreißen wird. Sind die Kinder böse, halten wir ihnen diese Bilder hin und schon fliegen sie weinend an unsern Hals. Aber mehr wissen wir von diesen Nordländern nicht. Gesehen haben wir sie nicht, und bleiben wir in unserem Dorf, werden wir sie niemals sehen, selbst wenn sie auf ihren wilden Pferden geradeaus zu uns hetzen und jagen, – zu groß ist das Land und läßt sie nicht zu uns, in die leere Luft werden sie sich verrennen.

Warum also, da es sich so verhält, verlassen wir die Heimat, den Fluß und die Brücken, die Mutter und den Vater, das weinende Weib, die lehrbedürftigen Kinder und ziehen weg zur Schule nach der fernen Stadt und unsere Gedanken sind noch weiter bei der Mauer im Norden? Warum? Frage die Führerschaft. Sie kennt uns. Sie, die ungeheure Sorgen wälzt, weiß von uns, kennt unser kleines Gewerbe, sieht uns alle zusammensitzen in der niedrigen Hütte und das Gebet, das der Hausvater am Abend im Kreise der Seinigen sagt, ist ihr wohlgefällig oder mißfällt ihr. Und wenn ich mir einen solchen Gedanken über die Führerschaft erlauben darf, so muß ich sagen, meiner Meinung nach bestand die Führerschaft schon früher, kam nicht zusammen, wie etwa hohe Mandarinen, durch einen schönen Morgentraum angeregt, eiligst eine Sitzung einberufen, eiligst beschließen, und schon am Abend die Bevölkerung aus den Betten trommeln lassen, um die Beschlüsse auszuführen, sei es auch nur um eine Illumination zu Ehren eines Gottes zu veranstalten, der sich gestern den Herren günstig gezeigt hat, um sie morgen, kaum sind die Lampions verlöscht, in einem dunklen Winkel zu verprügeln. Vielmehr bestand die Führerschaft wohl seit jeher und der Beschluß des Mauerbaues gleichfalls. Unschuldige Nordvölker, die glaubten, ihn verursacht zu haben, verehrungswürdiger, unschuldiger Kaiser, der glaubte, er hätte ihn angeordnet. Wir vom Mauerbau wissen es anders und schweigen.

Ich habe mich, schon damals während des Mauerbaues und nachher bis heute, fast ausschließlich mit vergleichender Völkergeschichte beschäftigt – es gibt bestimmte Fragen, denen man nur mit diesem Mittel gewissermaßen an den Nerv herankommt – und ich habe dabei gefunden, daß wir Chinesen gewisse volkliche und staatliche Einrichtungen in einzigartiger Klarheit, andere wieder in einzigartiger Unklarheit besitzen. Den Gründen, insbesondere der letzten Erscheinung, nachzuspüren, hat mich immer gereizt, reizt mich noch immer, und auch der Mauerbau ist von diesen Fragen wesentlich betroffen.

Nun gehört zu unseren allerundeutlichsten Einrichtungen jedenfalls das Kaisertum. In Peking natürlich, gar in der Hofgesellschaft, besteht darüber einige Klarheit, wiewohl auch diese eher scheinbar als wirklich ist. Auch die Lehrer des Staatsrechtes und der Geschichte an den hohen Schulen geben vor, über diese Dinge genau unterrichtet zu sein und diese Kenntnis den Studenten weitervermitteln zu können. Je tiefer man zu den unteren Schulen herabsteigt, desto mehr schwinden begreiflicherweise die Zweifel am eigenen Wissen, und Halbbildung wogt bergehoch um wenige seit Jahrhunderten eingerammte Lehrsätze, die zwar nichts an ewiger Wahrheit verloren haben, aber in diesem Dunst und Nebel auch ewig unerkannt bleiben.

Gerade über das Kaisertum aber sollte man meiner Meinung nach das Volk befragen, da doch das Kaisertum seine letzten Stützen dort hat. Hier kann ich allerdings wieder nur von meiner Heimat sprechen. Außer den Feldgottheiten und ihrem das ganze Jahr so abwechslungsreich und schön erfüllenden Dienst gilt unser Denken nur dem Kaiser. Aber nicht dem gegenwärtigen; oder vielmehr es hätte dem gegenwärtigen gegolten, wenn wir ihn gekannt, oder Bestimmtes von ihm gewußt hätten. Wir waren freilich – die einzige Neugierde, die uns erfüllte – immer bestrebt, irgend etwas von der Art zu erfahren, aber so merkwürdig es klingt, es war kaum möglich, etwas zu erfahren, nicht vom Pilger, der doch viel Land durchzieht, nicht in den nahen, nicht in den fernen Dörfern, nicht von den Schiffern, die doch nicht nur unsere Flüßchen, sondern auch die heiligen Ströme befahren. Man hörte zwar viel, konnte aber dem Vielen nichts entnehmen.

So groß ist unser Land, kein Märchen reicht an seine Größe, kaum der Himmel umspannt es – und Peking ist nur ein Punkt und das kaiserliche Schloß nur ein Pünktchen. Der Kaiser als solcher allerdings wiederum groß durch alle Stockwerke der Welt. Der lebendige Kaiser aber, ein Mensch wie wir, liegt ähnlich wie wir auf einem Ruhebett, das zwar reichlich bemessen, aber doch möglicherweise nur schmal und kurz ist. Wie wir streckt er manchmal die Glieder, und ist er sehr müde, gähnt er mit seinem zartgezeichneten Mund. Wie aber sollten wir davon erfahren – tausende Meilen im Süden –, grenzen wir doch schon fast ans tibetanische Hochland. Außerdem aber käme jede Nachricht, selbst wenn sie uns erreichte, viel zu spät, wäre längst veraltet. Um den Kaiser drängt sich die glänzende und doch dunkle Menge des Hofstaates – Bosheit und Feindschaft im Kleid der Diener und Freunde –, das

Gegengewicht des Kaisertums, immer bemüht, mit vergifteten Pfeilen den Kaiser von seiner Wagschale abzuschießen. Das Kaisertum ist unsterblich, aber der einzelne Kaiser fällt und stürzt ab, selbst ganze Dynastien sinken endlich nieder und veratmen durch ein einziges Röcheln. Von diesen Kämpfen und Leiden wird das Volk nie erfahren, wie Zu-spät-gekommene, wie Stadtfremde stehen sie am Ende der dichtgedrängten Seitengassen, ruhig zehrend vom mitgebrachten Vorrat, während auf dem Marktplatz in der Mitte weit vorn die Hinrichtung ihres Herrn vor sich geht.

Es gibt eine Sage, die dieses Verhältnis gut ausdrückt. Der Kaiser, so heißt es, hat Dir, dem Einzelnen, dem jämmerlichen Untertanen, dem winzig vor der kaiserlichen Sonne in die fernste Ferne geflüchteten Schatten, gerade Dir hat der Kaiser von seinem Sterbebett aus eine Botschaft gesendet. Den Boten hat er beim Bett niederknien lassen und ihm die Botschaft zugeflüstert; so sehr war ihm an ihr gelegen, daß er sich sie noch ins Ohr wiedersagen ließ. Durch Kopfnicken hat er die Richtigkeit des Gesagten bestätigt. Und vor der ganzen Zuschauerschaft seines Todes – alle hindernden Wände werden niedergebrochen und auf den weit und hoch sich schwingenden Freitreppen stehen im Ring die Großen des Reiches – vor allen diesen hat er den Boten abgefertigt. Der Bote hat sich gleich auf den Weg gemacht; ein kräftiger, ein unermüdlicher Mann; einmal diesen, einmal den andern Arm vorstreckend, schafft er sich Bahn durch die Menge; findet er Widerstand, zeigt er auf die Brust, wo das Zeichen der Sonne ist; er kommt auch leicht vorwärts wie kein anderer. Aber die Menge ist so groß; ihre Wohnstätten nehmen kein Ende. Öffnete sich freies Feld, wie würde er fliegen und bald wohl hörtest Du das herrliche Schlagen seiner Fäuste an Deiner Tür. Aber statt dessen, wie nutzlos müht er sich ab; immer noch zwängt er sich durch die Gemächer des innersten Palastes; niemals wird er sie überwinden; und gelänge ihm dies, nichts wäre gewonnen; die Treppen hinab müßte er sich kämpfen; und gelänge ihm dies, nichts wäre gewonnen; die Höfe wären zu durchmessen; und nach den Höfen der zweite umschließende Palast; und wieder Treppen und Höfe; und wieder ein Palast; und so weiter durch Jahrtausende; und stürzte er endlich aus dem äußersten Tor – aber niemals, niemals kann es geschehen –, liegt erst die Residenzstadt vor ihm, die Mitte der Welt, hochgeschüttet voll ihres Bodensatzes. Niemand dringt hier durch und gar mit der Botschaft eines Toten. – Du aber sitzt an Deinem Fenster und erträumst sie Dir, wenn der Abend kommt.

Genau so, so hoffnungslos und hoffnungsvoll, sieht unser Volk den Kaiser. Es weiß nicht, welcher Kaiser regiert, und selbst über den Namen der Dynastie bestehen Zweifel. In der Schule wird vieles dergleichen der Reihe nach gelernt, aber die allgemeine Unsicherheit in dieser Hinsicht ist so groß, daß auch der beste Schüler mit in sie gezogen wird. Längst verstorbene Kaiser werden in unseren Dörfern auf den Thron gesetzt, und der nur noch im Liede lebt, hat vor kurzem eine Bekanntmachung erlassen, die der Priester vor dem Altare verliest. Schlachten unserer ältesten Geschichte werden jetzt erst geschlagen und mit glühendem Gesicht fällt der Nachbar mit der Nachricht dir ins Haus. Die kaiserlichen Frauen, überfüttert in den seidenen Kissen, von schlauen Höflingen der edlen Sitten entfremdet, anschwellend in Herrschsucht, auffahrend in Gier, ausgebreitet in Wollust, verüben ihre Untaten immer wieder von neuem. Je mehr Zeit schon vergangen ist, desto schrecklicher leuchten alle Farben, und mit lautem Wehgeschrei erfährt einmal das Dorf, wie eine Kaiserin vor Jahrtausenden in langen Zügen ihres Mannes Blut trank.

So verfährt also das Volk mit den vergangenen, die gegenwärtigen Herrscher aber mischt es unter die Toten. Kommt einmal, einmal in einem Menschenalter, ein kaiserlicher Beamter, der die Provinz bereist, zufällig in unser Dorf, stellt im Namen der Regierenden irgendwelche Forderungen, prüft die Steuerlisten, wohnt dem Schulunterricht bei, befragt den Priester über unser Tun und Treiben, und faßt dann alles, ehe er in seine Sänfte steigt, in langen Ermahnungen an die herbeigetriebene Gemeinde zusammen, dann geht ein Lächeln über alle Gesichter, einer blickt verstohlen zum andern und beugt sich zu den Kindern hinab, um sich vom Beamten nicht beobachten zu lassen. Wie, denkt man, er spricht von einem Toten wie von einem Lebendigen, dieser Kaiser ist doch schon längst gestorben, die Dynastie ausgelöscht, der Herr Beamte macht sich über uns lustig, aber wir tun so, als ob wir es nicht merkten, um ihn nicht zu kränken. Ernstlich gehorchen aber werden wir nur unserem gegenwärtigen Herrn, denn alles andere wäre Versündigung. Und hinter der davoneilenden Sänfte des Beamten steigt irgendein willkürlich aus schon zerfallener Urne Gehobener aufstampfend als Herr des Dorfes auf.

Ähnlich werden die Leute bei uns von staatlichen Umwälzungen, von zeitgenössischen Kriegen in der Regel wenig betroffen. Ich erinnere mich hier an einen Vorfall aus meiner Jugend. In einer benachbarten, aber immerhin sehr weit entfernten Provinz war ein Aufstand ausgebrochen. Die Ursachen sind mir nicht mehr erinnerlich, sie sind hier auch nicht wichtig, Ursachen für Aufstände ergeben sich dort mit jedem neuen Morgen, es ist ein aufgeregtes Volk. Und nun wurde einmal ein Flugblatt der Aufständischen durch einen Bettler, der jene Provinz durchreist hatte, in das Haus meines Vaters gebracht. Es war gerade ein Feiertag, Gäste füllten unsere Stuben, in der Mitte saß der Priester und studierte das Blatt. Plötzlich fing alles zu lachen an, das Blatt wurde im Gedränge zerrissen, der Bettler, der allerdings schon reichlich beschenkt worden war, wurde mit Stößen aus dem Zimmer gejagt, alles zerstreute sich und lief in den schönen Tag. Warum? Der Dialekt der Nachbarprovinz ist von dem unseren wesentlich verschieden, und dies drückt sich auch in gewissen Formen der Schriftsprache aus, die für uns einen altertümlichen Charakter haben. Kaum hatte nun der Priester zwei derartige Seiten gelesen, war man schon entschieden. Alte Dinge, längst gehört, längst verschmerzt. Und obwohl – so scheint es mir in der Erinnerung – aus dem Bettler das grauenhafte Leben unwiderleglich sprach, schüttelte man lachend den Kopf und wollte nichts mehr hören. So bereit ist man bei uns, die Gegenwart auszulöschen.

Wenn man aus solchen Erscheinungen folgern wollte, daß wir im Grunde gar keinen Kaiser haben, wäre man von der Wahrheit nicht weit entfernt. Immer wieder muß ich sagen: Es gibt vielleicht kein kaisertreueres Volk als das unsrige im Süden, aber die Treue kommt dem Kaiser nicht zugute. Zwar steht auf der kleinen Säule am Dorfausgang der heilige Drache und bläst huldigend seit Menschengedenken den feurigen Atem genau in die Richtung von Peking – aber Peking selbst ist den Leuten im Dorf viel fremder als das jenseitige Leben. Sollte es wirklich ein Dorf geben, wo Haus an Haus steht, Felder bedeckend, weiter als der Blick von unserem Hügel reicht und zwischen diesen Häusern stünden bei Tag und bei Nacht Menschen Kopf an Kopf? Leichter als eine solche Stadt sich vorzustellen ist es uns, zu glauben, Peking und sein Kaiser wäre eines, etwa eine Wolke, ruhig unter der Sonne sich wandelnd im Laufe der Zeiten.

Die Folge solcher Meinungen ist nun ein gewissermaßen freies, unbeherrschtes Leben. Keineswegs sittenlos, ich habe solche Sittenreinheit, wie in meiner Heimat, kaum jemals angetroffen auf meinen Reisen. – Aber doch ein Leben, das unter keinem gegenwärtigen Gesetze steht und nur der Weisung und Warnung gehorcht, die aus alten Zeiten zu uns herüberreicht.

Ich hüte mich vor Verallgemeinerungen und behaupte nicht, daß es sich in allen zehntausend Dörfern unserer Provinz so verhält oder gar in allen fünfhundert Provinzen Chinas. Wohl aber darf ich vielleicht auf Grund der vielen Schriften, die ich über diesen Gegenstand gelesen habe, sowie auf Grund meiner eigenen Beobachtungen – besonders bei dem Mauerbau gab das Menschenmaterial dem Fühlenden Gelegenheit, durch die Seelen fast aller Provinzen zu reisen – auf Grund alles dessen darf ich vielleicht sagen, daß die Auffassung, die hinsichtlich des Kaisers herrscht, immer wieder und überall einen gewissen und gemeinsamen Grundzug mit der Auffassung in meiner Heimat zeigt. Die Auffassung will ich nun durchaus nicht als eine Tugend gelten lassen, im Gegenteil. Zwar ist sie in der Hauptsache von der Regierung verschuldet, die im ältesten Reich der Erde bis heute nicht imstande war oder dies über anderem vernachlässigte, die Institution des Kaisertums zu solcher Klarheit auszubilden, daß sie bis an die fernsten Grenzen des Reiches unmittelbar und unablässig wirke. Anderseits aber liegt doch auch darin eine Schwäche der Vorstellungs- oder Glaubenskraft beim Volke, welches nicht dazu gelangt, das Kaisertum aus der Pekinger Versunkenheit in aller Lebendigkeit und Gegenwärtigkeit an seine Untertanenbrust zu ziehen, die doch nichts besseres will, als einmal diese Berührung zu fühlen und an ihr zu vergehen.

Eine Tugend ist also diese Auffassung wohl nicht. Um so auffälliger ist es, daß gerade diese Schwäche eines der wichtigsten Einigungsmittel unseres Volkes zu sein scheint; ja, wenn man sich im Ausdruck soweit vorwagen darf, geradezu der Boden, auf dem wir leben. Hier einen Tadel ausführlich begründen, heißt nicht an unserem Gewissen, sondern, was viel ärger ist, an unseren Beinen rütteln. Und darum will ich in der Untersuchung dieser Frage vorderhand nicht weiter gehen.

Unser Städtchen liegt nicht etwa an der Grenze, bei weitem nicht, zur Grenze ist es noch so weit, daß vielleicht noch niemand aus dem Städtchen dort gewesen ist, wüste Hochländer sind zu durchqueren, aber auch weite fruchtbare Länder. Man wird müde, wenn man sich nur einen Teil des Weges vorstellt, und mehr als einen Teil kann man sich gar nicht vorstellen. Auch große Städte liegen auf dem Weg, viel größer als unser Städtchen. Zehn solche Städtchen, nebeneinander gelegt, und von oben noch zehn solche Städtchen hineingezwängt, ergeben noch keine dieser riesigen und engen Städte. Verirrt man sich nicht auf dem Weg dorthin, so verirrt man sich in den Städten gewiß, und ihnen auszuweichen ist wegen ihrer Größe unmöglich.

Aber doch noch weiter als bis zur Grenze ist, wenn man solche Entfernungen überhaupt vergleichen kann – es ist so, als wenn man sagte, ein dreihundertjähriger Mann ist älter als ein zweihundertjähriger –, also noch viel weiter als bis zur Grenze ist es von unserem Städtchen zur Hauptstadt. Während wir von den Grenzkriegen hie und da doch Nachrichten bekommen, erfahren wir aus der Hauptstadt fast nichts, wir bürgerlichen Leute meine ich, denn die Regierungsbeamten haben allerdings eine sehr gute Verbindung mit der Hauptstadt, in zwei, drei Monaten können sie schon eine Nachricht von dort haben, wenigstens behaupten sie es.

Und nun ist es merkwürdig, und darüber wundere ich mich immer wieder von neuem, wie wir uns in unserem Städtchen allem ruhig fügen, was von der Hauptstadt aus angeordnet wird. Seit Jahrhunderten hat bei uns keine von den Bürgern selbst ausgehende politische Veränderung stattgefunden. In der Hauptstadt haben die hohen Herrscher einander abgelöst, ja sogar Dynastien sind ausgelöscht oder abgesetzt worden und neue haben begonnen, im vorigen Jahrhundert ist sogar die Hauptstadt selbst zerstört, eine neue weit von ihr gegründet, später auch diese zerstört und die alte wieder aufgebaut worden, auf unser Städtchen hat das eigentlich keinen Einfluß gehabt. Unsere Beamtenschaft war immer auf ihrem Posten, die höchsten Beamten kamen aus der

Hauptstadt, die mittleren Beamten zumindest von auswärts, die niedrigsten aus unserer Mitte, und so blieb es und so hat es uns genügt. Der höchste Beamte ist der Obersteuereinnehmer, er hat den Rang eines Obersten und wird auch so genannt. Heute ist er ein alter Mann, ich kenne ihn aber schon seit Jahren, denn schon in meiner Kindheit war er Oberst, er hat zuerst eine sehr schnelle Karriere gemacht, dann scheint sie aber gestockt zu haben, nun für unser Städtchen reicht sein Rang aus, einen höheren Rang wären wir bei uns gar nicht aufzunehmen fähig. Wann ich mir ihn vorzustellen suche, sehe ich ihn auf der Veranda seines Hauses auf dem Marktplatz sitzen, zurückgelehnt, die Pfeife im Mund. Über ihm weht vom Dach die Reichsfahne, an den Seiten der Veranda, die so groß ist, daß dort manchmal auch kleine militärische Übungen stattfinden, ist die Wäsche zum Trocknen aufgehängt. Seine Enkel, in schönen seidenen Kleidern, spielen um ihn herum, auf den Marktplatz hinunter dürfen sie nicht gehn, die andern Kinder sind ihrer unwürdig, aber doch lockt sie der Platz und sie stecken wenigstens die Köpfe zwischen den Geländerstangen durch, und wenn die andern Kinder unten streiten, streiten sie von oben mit.

Dieser Oberst also beherrscht die Stadt. Ich glaube, er hat noch niemandem ein Dokument vorgezeigt, das ihn dazu berechtigt. Er hat wohl auch kein solches Dokument. Vielleicht ist er wirklich Obersteuereinnehmer. Aber ist das alles? Berechtigt ihn das, auch in allen Gebieten der Verwaltung zu herrschen? Sein Amt ist ja für den Staat sehr gewichtig, aber für die Bürger ist es doch nicht das Wichtigste. Bei uns hat man fast den Eindruck, als ob die Leute sagten: »Nun hast du uns alles genommen, was wir hatten, nimm bitte auch uns selbst noch dazu.« Denn tatsächlich hat er nicht etwa die Herrschaft an sich gerissen und ist auch kein Tyrann. Es hat sich seit alten Zeiten so entwickelt, daß der Obersteuereinnehmer der erste Beamte ist, und der Oberst fügt sich dieser Tradition nicht anders als wir.

Aber wiewohl er ohne allzuviel Unterscheidungen der Würde unter uns lebt, ist er doch etwas ganz anderes als die gewöhnlichen Bürger. Wenn eine Abordnung mit einer Bitte vor ihn kommt, steht er da wie die Mauer der Welt. Hinter ihm ist nichts mehr, man hört förmlich dort weiterhin noch ahnungsweise ein paar Stimmen flüstern, aber das ist wahrscheinlich Täuschung, er bedeutet doch den Abschluß des Ganzen, wenigstens für uns. Man muß ihn bei solchen Empfängen gesehen haben. Als Kind war ich einmal dabei, als eine Abordnung der Bürgerschaft ihn um eine Regierungsunterstützung bat, denn das ärmste Stadtviertel war gänzlich niedergebrannt. Mein Vater, der Hufschmied, ist in der Gemeinde angesehen, war Mitglied der Abordnung und hatte mich mitgenommen. Das ist nichts Außergewöhnliches, zu einem solchen Schauspiel drängt sich alles, man erkennt die eigentliche Abordnung kaum aus der Menge heraus; da solche Empfänge meist auf der Veranda stattfinden, gibt es auch Leute, die vom Marktplatz her auf Leitern hinaufklettern und über das Geländer hinweg an den Dingen oben teilnehmen. Damals war es so eingerichtet, daß etwa ein Viertel der Veranda ihm vorbehalten war, den übrigen Teil füllte die Menge. Einige Soldaten überwachten alles, auch umstanden sie in einem Halbkreis ihn selbst. Im Grunde hätte ein Soldat für alles genügt, so groß ist bei uns die Furcht vor ihnen. Ich weiß nicht genau, woher diese Soldaten kommen, jedenfalls von weit her, alle sind sie einander sehr ähnlich, sie würden nicht einmal eine Uniform brauchen. Es sind kleine, nicht starke, aber behende Leute, am auffallendsten ist an ihnen das starke Gebiß, das förmlich allzusehr ihren Mund füllt, und ein gewisses unruhig zuckendes Blitzen ihrer kleinen schmalen Augen. Durch dieses sind sie der Schrecken der Kinder, allerdings auch ihre Lust, denn immerfort möchten die Kinder vor diesem Gebiß und diesen Augen erschrecken wollen, um dann verzweifelt wegzulaufen. Dieser Schrecken aus der Kinderzeit verliert sich wahrscheinlich auch bei den Erwachsenen nicht, zumindest wirkt er nach. Es kommt dann freilich auch noch anderes hinzu. Die Soldaten sprechen einen uns ganz unverständlichen Dialekt, können sich an unsern kaum gewöhnen, dadurch ergibt sich bei ihnen eine gewisse Abgeschlossenheit, Unnahbarkeit, die überdies auch ihrem Charakter entspricht, so still, ernst und starr sind sie, sie tun nichts eigentlich Böses und sind doch in einem bösen Sinn fast unerträglich. Es kommt zum Beispiel ein Soldat in ein Geschäft, kauft eine Kleinigkeit, und bleibt dort nun an den Pult gelehnt stehn, hört den Gesprächen zu, versteht sie wahrscheinlich nicht, aber es hat doch den Anschein, als ob er sie verstünde, sagt selbst kein Wort, blickt nur starr auf den, welcher spricht, dann wieder auf die, welche zuhören, und hält die Hand auf dem Griff des langen Messers in seinem Gürtel. Das ist abscheulich, man verliert die Lust an der Unterhaltung, der Laden leert sich, und erst wenn er ganz leer ist, geht auch der Soldat. Wo also die Soldaten auftreten, wird auch unser lebhaftes Volk still. So war es auch damals. Wie bei allen feierlichen Gelegenheiten stand der Oberst aufrecht und hielt mit den nach vorn ausgestreckten Händen zwei lange Bambusstangen. Es ist eine alte Sitte, die etwa bedeutet: so stützt er das Gesetz und so stützt es ihn. Nun weiß ja jeder, was ihn oben auf der Veranda erwartet, und doch pflegt man immer wieder von neuem zu erschrecken, auch damals wollte der zum Reden Bestimmte nicht anfangen, er stand schon dem Obersten gegenüber, aber dann verließ ihn der Mut und er drängte sich wieder unter verschiedenen Ausreden in die Menge zurück. Auch sonst fand sich kein Geeigneter, der bereit gewesen wäre zu sprechen – von den Ungeeigneten boten sich allerdings einige an –, es war eine große Verwirrung und man sandte Boten an verschiedene Bürger, bekannte Redner aus. Während dieser ganzen Zeit stand der Oberst unbeweglich da, nur im Atmen senkte sich auffallend die Brust. Nicht daß er etwa schwer geatmet hätte, er atmete nur äußerst deutlich, so wie zum Beispiel Frösche atmen, nur daß es bei ihnen immer so ist, hier aber war es außerordentlich. Ich schlich mich zwischen den Erwachsenen durch und beobachtete ihn durch die Lücke zwischen zwei Soldaten so lange, bis mich einer mit dem Knie wegstieß. Inzwischen hatte sich der ursprünglich zum Redner Bestimmte gesammelt und, von zwei Mitbürgern fest gestützt, hielt er die Ansprache. Rührend war, wie er bei dieser ernsten, das große Unglück schildernden Rede immer lächelte, ein allerdemütigstes Lächeln, das sich vergeblich anstrengte auch nur einen leichten Widerschein auf dem Gesicht des Obersten hervorzurufen. Schließlich formulierte er die Bitte, ich glaube, er bat nur um Steuerbefreiung für ein Jahr, vielleicht aber auch noch um billigeres Bauholz aus den kaiserlichen Wäldern. Dann verbeugte er sich tief und blieb in der Verbeugung ebenso wie alle andern außer dem Obersten, den Soldaten und einigen Beamten im Hintergrund. Lächerlich war es für das Kind, wie die auf den Leitern am Verandarand ein paar Sprossen hinunterstiegen, um während dieser entscheidenden Pause nicht gesehen zu werden, und nur neugierig knapp über dem Boden der Veranda von Zeit zu Zeit spionierten. Das dauerte eine Weile, dann trat ein Beamter, ein kleiner

Mann, vor den Obersten, suchte sich auf den Fußspitzen zu ihm emporzuheben, erhielt von ihm, der noch immer bis auf das tiefe Atmen unbeweglich blieb, etwas ins Ohr geflüstert, klatschte in die Hände, worauf sich alle erhoben, und verkündete: »Die Bitte ist abgewiesen. Entfernt euch.« Ein unleugbares Gefühl der Erleichterung ging durch die Menge, alles drängte sich hinaus, auf den Obersten, der förmlich wieder ein Mensch wie wir alle geworden war, achtete kaum jemand besonders, ich sah nur, wie er tatsächlich erschöpft die Stangen losließ, die hinfielen, in einen von Beamten herbeigeschleppten Lehnstuhl sank und eilig die Tabakpfeife in den Mund schob.

Dieser ganze Vorfall ist nicht vereinzelt, so geht es allgemein zu. Es kommt zwar vor, daß hie und da kleine Bitten erfüllt werden, aber dann ist es so, als hätte das der Oberst auf eigene Verantwortung als mächtige Privatperson getan, es muß – gewiß nicht ausdrücklich, aber der Stimmung nach – förmlich vor der Regierung geheimgehalten werden. Nun sind ja in unserem Städtchen die Augen des Obersten, soweit wir es beurteilen können, auch die Augen der Regierung, aber doch wird hier ein Unterschied gemacht, in den vollständig nicht einzudringen ist.

In wichtigen Angelegenheiten aber kann die Bürgerschaft einer Abweisung immer sicher sein. Und nun ist es eben so merkwürdig, daß man ohne diese Abweisung gewissermaßen nicht auskommen kann, und dabei ist dieses Hingehn und Abholen der Abweisung durchaus keine Formalität. Immer wieder frisch und ernst geht man hin und geht dann wieder von dort, allerdings nicht geradezu gekräftigt und beglückt, aber doch auch gar nicht enttäuscht und müde. Ich muß mich bei niemandem nach diesen Dingen erkundigen, ich fühle es in mir selbst wie alle. Und nicht einmal eine gewisse Neugierde, den Zusammenhängen dieser Dinge nachzuforschen.

Es gibt allerdings, so weit meine Beobachtungen reichen, eine gewisse Altersklasse, die nicht zufrieden ist, es sind etwa die jungen Leute zwischen siebzehn und zwanzig. Also ganz junge Burschen, die die Tragweite des unbedeutendsten, wie erst gar eines revolutionären Gedankens nicht von der Ferne ahnen können. Und gerade unter sie schleicht sich die Unzufriedenheit ein.

Unsere Gesetze sind nicht allgemein bekannt, sie sind Geheimnis der kleinen Adelsgruppe, welche uns beherrscht. Wir sind davon überzeugt, daß diese alten Gesetze genau eingehalten werden, aber es ist doch etwas äußerst Quälendes, nach Gesetzen beherrscht zu werden, die man nicht kennt. Ich denke hierbei nicht an die verschiedenen Auslegungsmöglichkeiten und die Nachteile, die es mit sich bringt, wenn nur einzelne und nicht das ganze Volk an der Auslegung sich beteiligen dürfen. Diese Nachteile sind vielleicht gar nicht sehr groß. Die Gesetze sind ja so alt, Jahrhunderte haben an ihrer Auslegung gearbeitet, auch diese Auslegung ist wohl schon Gesetz geworden, die möglichen Freiheiten bei der Auslegung bestehen zwar immer noch, sind aber sehr eingeschränkt. Außerdem hat offenbar der Adel keinen Grund, sich bei der Auslegung von seinem persönlichen Interesse zu unseren Ungunsten beeinflussen zu lassen, denn die Gesetze sind ja von ihrem Beginne an für den Adel festgelegt worden, der Adel steht außerhalb des Gesetzes, und gerade deshalb scheint das Gesetz sich ausschließlich in die Hände des Adels gegeben zu haben. Darin liegt natürlich Weisheit – wer zweifelt die Weisheit der alten Gesetze an? –, aber eben auch Qual für uns, wahrscheinlich ist das unumgänglich.
Übrigens können auch diese Scheingesetze eigentlich nur vermutet werden. Es ist eine Tradition, daß sie bestehen und dem Adel als Geheimnis anvertraut sind, aber mehr als alte und durch ihr Alter glaubwürdige Tradition ist es nicht und kann es nicht sein, denn der Charakter dieser Gesetze verlangt auch das Geheimhalten ihres Bestandes. Wenn wir im Volk aber seit ältesten Zeiten die Handlungen des Adels aufmerksam verfolgen, Aufschreibungen unserer Voreltern darüber besitzen, sie gewissenhaft fortgesetzt haben und in den zahllosen Tatsachen gewisse Richtlinien zu erkennen glauben, die auf diese oder jene geschichtliche Bestimmung schließen lassen, und wenn wir nach diesen sorgfältigst gesiebten und geordneten Schlußfolgerungen uns für die Gegenwart und Zukunft ein wenig einzurichten suchen – so ist das alles unsicher und vielleicht nur ein Spiel des Verstandes, denn vielleicht beste-

hen diese Gesetze, die wir hier zu erraten suchen, überhaupt nicht. Es gibt eine kleine Partei, die wirklich dieser Meinung ist und die nachzuweisen sucht, daß, wenn ein Gesetz besteht, es nur lauten kann: Was der Adel tut, ist Gesetz. Diese Partei sieht nur Willkürakte des Adels und verwirft die Volkstradition, die ihrer Meinung nach nur geringen zufälligen Nutzen bringt, dagegen meistens schweren Schaden, da sie dem Volk den kommenden Ereignissen gegenüber eine falsche, trügerische, zu Leichtsinn führende Sicherheit gibt. Dieser Schaden ist nicht zu leugnen, aber die bei weitem überwiegende Mehrheit unseres Volkes sieht die Ursache dessen darin, daß die Tradition noch bei weitem nicht ausreicht, daß also noch viel mehr in ihr geforscht werden muß und daß allerdings auch ihr Material, so riesenhaft es scheint, noch viel zu klein ist und daß noch Jahrhunderte vergehen müssen, ehe es genügen wird. Das für die Gegenwart Trübe dieses Ausblicks erhellt nur der Glaube, daß einmal eine Zeit kommen wird, wo die Tradition und ihre Forschung gewissermaßen aufatmend den Schlußpunkt macht, alles klar geworden ist, das Gesetz nur dem Volk gehört und der Adel verschwindet. Das wird nicht etwa mit Haß gegen den Adel gesagt, durchaus nicht und von niemandem. Eher hassen wir uns selbst, weil wir noch nicht des Gesetzes gewürdigt werden können. Und darum eigentlich ist jene in gewissem Sinn doch sehr verlockende Partei, welche an kein eigentliches Gesetz glaubt, so klein geblieben, weil auch sie den Adel und das Recht seines Bestandes vollkommen anerkennt.

Man kann es eigentlich nur in einer Art Widerspruch ausdrücken: Eine Partei, die neben dem Glauben an die Gesetze auch den Adel verwerfen würde, hätte sofort das ganze Volk hinter sich, aber eine solche Partei kann nicht entstehen, weil den Adel niemand zu verwerfen wagt. Auf dieses Messers Schneide leben wir. Ein Schriftsteller hat das einmal so zusammengefaßt: Das einzige, sichtbare, zweifellose Gesetz, das uns auferlegt ist, ist der Adel und um dieses einzige Gesetz sollten wir uns selbst bringen wollen?

DAS STADTWAPPEN

Anfangs war beim babylonischen Turmbau alles in leidlicher Ordnung; ja, die Ordnung war vielleicht zu groß, man dachte zu sehr an Wegweiser, Dolmetscher, Arbeiterunterkünfte und Verbindungswege, so als habe man Jahrhunderte freier Arbeitsmöglichkeit vor sich. Die damals herrschende Meinung ging sogar dahin, man könne gar nicht langsam genug bauen; man mußte diese Meinung gar nicht sehr übertreiben und konnte überhaupt davor zurückschrecken, die Fundamente zu legen. Man argumentierte nämlich so: Das Wesentliche des ganzen Unternehmens ist der Gedanke, einen bis in den Himmel reichenden Turm zu bauen. Neben diesem Gedanken ist alles andere nebensächlich. Der Gedanke, einmal in seiner Größe gefaßt, kann nicht mehr verschwinden; solange es Menschen gibt, wird auch der starke Wunsch da sein, den Turm zu Ende zu bauen. In dieser Hinsicht aber muß man wegen der Zukunft keine Sorgen haben, im Gegenteil, das Wissen der Menschheit steigert sich, die Baukunst hat Fortschritte gemacht und wird weitere Fortschritte machen, eine Arbeit, zu der wir ein Jahr brauchen, wird in hundert Jahren vielleicht in einem halben Jahr geleistet werden und überdies besser, haltbarer. Warum also schon heute sich an die Grenze der Kräfte abmühen? Das hätte nur dann Sinn, wenn man hoffen könnte, den Turm in der Zeit einer Generation aufzubauen. Das aber war auf keine Weise zu erwarten. Eher ließ sich denken, daß die nächste Generation mit ihrem vervollkommneten Wissen die Arbeit der vorigen Generation schlecht finden und das Gebaute niederreißen werde, um von neuem anzufangen. Solche Gedanken lähmten die Kräfte, und mehr als um den Turmbau kümmerte man sich um den Bau der Arbeiterstadt. Jede Landsmannschaft wollte das schönste Quartier haben, dadurch ergaben sich Streitigkeiten, die sich bis zu blutigen Kämpfen steigerten. Diese Kämpfe hörten nicht mehr auf; den Führern waren sie ein neues Argument dafür, daß der Turm auch mangels der nötigen Konzentration sehr langsam oder lieber erst nach allgemeinem Friedensschluß gebaut werden sollte. Doch verbrachte man die Zeit nicht nur mit Kämpfen, in den Pausen verschönerte man die Stadt, wodurch man allerdings neuen Neid und neue Kämpfe hervorrief. So verging die Zeit der ersten Generation, aber keine der folgenden war anders, nur die Kunstfertigkeit steigerte sich immerfort und damit die Kampfsucht. Dazu kam, daß schon die zweite oder dritte Generation die Sinnlosigkeit des Himmelsturmbaus erkannte, doch war man schon viel zu sehr miteinander verbunden, um die Stadt zu verlassen.

Alles was in dieser Stadt an Sagen und Liedern entstanden ist, ist erfüllt von der Sehnsucht nach einem prophezeiten Tag, an welchem die Stadt von einer Riesenfaust in fünf kurz aufeinanderfolgenden Schlägen zerschmettert werden wird. Deshalb hat auch die Stadt die Faust im Wappen.

VON DEN GLEICHNISSEN

Viele beklagen sich, daß die Worte der Weisen immer wieder nur Gleichnisse seien, aber unverwendbar im täglichen Leben, und nur dieses allein haben wir. Wenn der Weise sagt: »Gehe hinüber«, so meint er nicht, daß man auf die andere Seite hinübergehen solle, was man immerhin noch leisten könnte, wenn das Ergebnis des Weges wert wäre, sondern er meint irgendein sagenhaftes Drüben, etwas, das wir nicht kennen, das auch von ihm nicht näher zu bezeichnen ist und das uns also hier gar nichts helfen kann. Alle diese Gleichnisse wollen eigentlich nur sagen, daß das Unfaßbare unfaßbar ist, und das haben wir gewußt. Aber das, womit wir uns jeden Tag abmühen, sind andere Dinge.

Darauf sagte einer: »Warum wehrt ihr euch? Würdet ihr den Gleichnissen folgen, dann wäret ihr selbst Gleichnisse geworden und damit schon der täglichen Mühe frei.«

Ein anderer sagte: »Ich wette, daß auch das ein Gleichnis ist.«

Der erste sagte: »Du hast gewonnen.«

Der zweite sagte: »Aber leider nur im Gleichnis.«

Der erste sagte: »Nein, in Wirklichkeit; im Gleichnis hast du verloren.«

Poseidon saß an seinem Arbeitstisch und rechnete. Die Verwaltung aller Gewässer gab ihm unendliche Arbeit. Er hätte Hilfskräfte haben können, wie viel er wollte, und er hatte auch sehr viele, aber da er sein Amt sehr ernst nahm, rechnete er alles noch einmal durch und so halfen ihm die Hilfskräfte wenig. Man kann nicht sagen, daß ihn die Arbeit freute, er führte sie eigentlich nur aus, weil sie ihm auferlegt war, ja er hatte sich schon oft um fröhlichere Arbeit, wie er sich ausdrückte, beworben, aber immer, wenn man ihm dann verschiedene Vorschläge machte, zeigte es sich, daß ihm doch nichts so zusagte, wie sein bisheriges Amt. Es war auch sehr schwer, etwas anderes für ihn zu finden. Man konnte ihm doch unmöglich etwa ein bestimmtes Meer zuweisen; abgesehen davon, daß auch hier die rechnerische Arbeit nicht kleiner, sondern nur kleinlicher war, konnte der große Poseidon doch immer nur eine beherrschende Stellung bekommen. Und bot man ihm eine Stellung außerhalb des Wassers an, wurde ihm schon von der Vorstellung übel, sein göttlicher Atem geriet in Unordnung, sein eherner Brustkorb schwankte. Übrigens nahm man seine Beschwerden nicht eigentlich ernst; wenn ein Mächtiger quält, muß man ihm auch in der aussichtslosesten Angelegenheit scheinbar nachzugeben versuchen; an eine wirkliche Enthebung Poseidons von seinem Amt dachte niemand, seit Urbeginn war er zum Gott der Meere bestimmt worden und dabei mußte es bleiben.

Am meisten ärgerte er sich – und dies verursachte hauptsächlich seine Unzufriedenheit mit dem Amt – wenn er von den Vorstellungen hörte, die man sich von ihm machte, wie er etwa immerfort mit dem Dreizack durch die Fluten kutschiere. Unterdessen saß er hier in der Tiefe des Weltmeeres und rechnete ununterbrochen, hie und da eine Reise zu Jupiter war die einzige Unterbrechung der Eintönigkeit, eine Reise übrigens, von der er meistens wütend zurückkehrte. So hatte er die Meere kaum gesehn, nur flüchtig beim eiligen Aufstieg zum Olymp, und niemals wirklich durchfahren. Er pflegte zu sagen, er warte damit bis zum Weltuntergang, dann werde sich wohl noch ein stiller Augenblick ergeben, wo er knapp vor dem Ende nach Durchsicht der letzten Rechnung noch schnell eine kleine Rundfahrt werde machen können.

Zwei Knaben saßen auf der Quaimauer und spielten Würfel. Ein Mann las eine Zeitung auf den Stufen eines Denkmals im Schatten des säbelschwingenden Helden. Ein Mädchen am Brunnen füllte Wasser in ihre Bütte. Ein Obstverkäufer lag neben seiner Ware und blickte auf den See hinaus. In der Tiefe einer Kneipe sah man durch die leeren Tür- und Fensterlöcher zwei Männer beim Wein. Der Wirt saß vorn an einem Tisch und schlummerte. Eine Barke schwebte leise, als werde sie über dem Wasser getragen, in den kleinen Hafen. Ein Mann in blauem Kittel stieg ans Land und zog die Seile durch die Ringe. Zwei andere Männer in dunklen Röcken mit Silberknöpfen trugen hinter dem Bootsmann eine Bahre, auf der unter einem großen blumengemusterten, gefransten Seidentuch offenbar ein Mensch lag.

Auf dem Quai kümmerte sich niemand um die Ankömmlinge, selbst als sie die Bahre niederstellten, um auf den Bootsführer zu warten, der noch an den Seilen arbeitete, trat niemand heran, niemand richtete eine Frage an sie, niemand sah sie genauer an.

Der Führer wurde noch ein wenig aufgehalten durch eine Frau, die, ein Kind an der Brust, mit aufgelösten Haaren sich jetzt auf Deck zeigte. Dann kam er, wies auf ein gelbliches, zweistöckiges Haus, das sich links nahe beim Wasser geradlinig erhob, die Träger nahmen die Last auf und trugen sie durch das niedrige, aber von schlanken Säulen gebildete Tor. Ein kleiner Junge öffnete ein Fenster, bemerkte noch gerade, wie der Trupp im Haus verschwand, und schloß wieder eilig das Fenster. Auch das Tor wurde nun geschlossen, es war aus schwarzem Eichenholz sorgfältig gefügt. Ein Taubenschwarm, der bisher den Glockenturm umflogen hatte, ließ sich jetzt vor dem Hause nieder. Als werde im Hause ihre Nahrung aufbewahrt, sammelten sich die Tauben vor dem Tor. Eine flog bis zum ersten Stock auf und pickte an die Fensterscheibe. Es waren hellfarbige wohlgepflegte, lebhafte Tiere. In großem Schwung warf ihnen die Frau aus der Barke Körner hin, die sammelten sie auf und flogen dann zu der Frau hinüber.

Ein Mann im Zylinderhut mit Trauerband kam eines der schmalen, stark abfallenden Gäßchen, die zum Hafen führten, herab. Er blickte aufmerksam umher, alles bekümmerte ihn, der Anblick von Unrat in einem Winkel ließ ihn das Gesicht verzerren. Auf den Stufen des Denkmals lagen Obstschalen, er schob sie im Vorbeigehen mit seinem Stock hinunter. An der Stubentür klopfte er an, gleichzeitig nahm er den Zylinderhut in seine schwarzbehandschuhte Rechte. Gleich wurde geöffnet, wohl fünfzig kleine Knaben bildeten ein Spalier im langen Flurgang und verbeugten sich.

Der Bootsführer kam die Treppe herab, begrüßte den Herrn, führte ihn hinauf, im ersten Stockwerk umging er mit ihm den von leicht gebauten, zierlichen Loggien umgebenen Hof und beide traten, während die Knaben in respektvoller Entfernung nachdrängten, in einen kühlen, großen Raum an der Hinterseite des Hauses, dem gegenüber kein Haus mehr, sondern nur eine kahle, grauschwarze Felsenwand zu sehen war. Die Träger waren damit beschäftigt, zu Häupten der Bahre einige lange Kerzen aufzustellen und anzuzünden, aber Licht entstand dadurch nicht, es wurden förmlich nur die früher ruhenden Schatten aufgescheucht und flackerten über die Wände. Von der Bahre war das Tuch zurückgeschlagen. Es lag dort ein Mann mit wild durcheinandergewachsenem Haar und Bart, gebräunter Haut, etwa einem Jäger gleichend. Er lag bewegungslos, scheinbar atemlos mit geschlossenen Augen da, trotzdem deutete nur die Umgebung an, daß es vielleicht ein Toter war.

Der Herr trat zur Bahre, legte eine Hand dem Daliegenden auf die Stirn, kniete dann nieder und betete. Der Bootsführer winkte den Trägern, das Zimmer zu verlassen, sie gingen hinaus, vertrieben die Knaben, die sich draußen angesammelt hatten, und schlossen die Tür. Dem Herrn schien aber auch diese Stille noch nicht zu genügen, er sah den Bootsführer an, dieser verstand und ging durch eine Seitentür ins Nebenzimmer. Sofort schlug der Mann auf der Bahre die Augen auf, wandte schmerzlich lächelnd das Gesicht dem Herrn zu und sagte: »Wer bist du?« – Der Herr erhob sich ohne weiteres Staunen aus seiner knienden Stellung und antwortete: »Der Bürgermeister von Riva.«

Der Mann auf der Bahre nickte, zeigte mit schwach ausgestrecktem Arm auf einen Sessel und sagte, nachdem der Bürgermeister seiner Einladung gefolgt war: »Ich wußte es ja, Herr Bürgermeister, aber im ersten Augenblick habe ich immer alles vergessen, alles geht mir in der Runde und es ist besser, ich frage, auch wenn ich alles weiß. Auch Sie wissen wahrscheinlich, daß ich der Jäger Gracchus bin.«

»Gewiß«, sagte der Bürgermeister. »Sie wurden mir heute in der Nacht angekündigt. Wir schliefen längst. Da rief gegen Mitternacht meine Frau: ›Salvatore‹, – so heiße ich – ›sieh die Taube am Fenster!‹ Es war wirklich eine Taube, aber groß wie ein Hahn. Sie flog zu meinem Ohr und sagte: ›Morgen kommt der tote Jäger Gracchus, empfange ihn im Namen der Stadt.‹«

Der Jäger nickte und zog die Zungenspitze zwischen den Lippen durch: ›Ja, die Tauben fliegen vor mir her. Glauben Sie aber, Herr Bürgermeister, daß ich in Riva bleiben soll?«

»Das kann ich noch nicht sagen«, antwortete der Bürgermeister. »Sind Sie tot?«

»Ja«, sagte der Jäger, »wie Sie sehen. Vor vielen Jahren, es müssen aber ungemein viel Jahre sein, stürzte ich im Schwarzwald – das ist in Deutschland – von einem Felsen, als ich eine Gemse verfolgte. Seitdem bin ich tot.«

»Aber Sie leben doch auch«, sagte der Bürgermeister.

»Gewissermaßen«, sagte der Jäger, »gewissermaßen lebe ich auch. Mein Todeskahn verfehlte die Fahrt, eine falsche Drehung des Steuers, ein Augenblick der Unaufmerksamkeit des Führers, eine Ablenkung durch meine wunderschöne Heimat, ich weiß nicht, was es war, nur das weiß ich, daß ich auf der Erde blieb und daß mein Kahn seither die irdischen Gewässer befährt. So reise ich, der nur in seinen Bergen leben wollte, nach meinem Tode durch alle Länder der Erde.«

»Und Sie haben keinen Teil am Jenseits?« fragte der Bürgermeister mit gerunzelter Stirne.

»Ich bin«, antwortete der Jäger, »immer auf der großen Treppe, die hinaufführt. Auf dieser unendlich weiten Freitreppe treibe ich mich herum, bald oben, bald unten, bald rechts, bald links, immer in Bewegung. Aus dem Jäger ist ein Schmetterling geworden. Lachen Sie nicht.«

»Ich lache nicht«, verwahrte sich der Bürgermeister.

»Sehr einsichtig«, sagte der Jäger. »Immer bin ich in Bewegung. Nehme ich aber den größten Aufschwung und leuchtet mir schon oben das Tor, erwache ich auf meinem alten, in irgendeinem irdi-

schen Gewässer öde steckenden Kahn. Der Grundfehler meines
einstmaligen Sterbens umgrinst mich in meiner Kajüte. Julia, die
Frau des Bootsführers, klopft und bringt mir zu meiner Bahre das
Morgengetränk des Landes, dessen Küste wir gerade befahren. Ich
liege auf einer Holzpritsche, habe – es ist kein Vergnügen, mich zu
betrachten – ein schmutziges Totenhemd an, Haar und Bart, grau
und schwarz, geht unentwirrbar durcheinander, meine Beine sind
mit einem großen, seidenen, blumengemusterten, langgefransten
Frauentuch bedeckt. Zu meinen Häupten steht eine Kirchenkerze
und leuchtet mir. An der Wand mir gegenüber ist ein kleines Bild,
ein Buschmann offenbar, der mit einem Speer nach mir zielt und
hinter einem großartig bemalten Schild sich möglichst deckt. Man
begegnet auf Schiffen manchen dummen Darstellungen, diese ist
aber eine der dümmsten. Sonst ist mein Holzkäfig ganz leer.
Durch eine Luke der Seitenwand kommt die warme Luft der süd-
lichen Nacht und ich höre das Wasser an die alte Barke schlagen.

Hier liege ich seit damals, als ich, noch lebendiger Jäger Gracchus,
zu Hause im Schwarzwald eine Gemse verfolgte und abstürzte.
Alles ging der Ordnung nach. Ich verfolgte, stürzte ab, verblutete
in einer Schlucht, war tot und diese Barke sollte mich ins Jenseits
tragen. Ich erinnere mich noch, wie fröhlich ich mich hier auf der
Pritsche ausstreckte zum erstenmal. Niemals haben die Berge solchen Gesang von mir gehört wie diese vier damals noch dämme-
rigen Wände.

Ich hatte gern gelebt und war gern gestorben, glücklich warf ich,
ehe ich den Bord betrat, das Lumpenpack der Büchse, der Tasche,
des Jagdgewehrs vor mir hinunter, das ich immer stolz getragen
hatte, und in das Totenhemd schlüpfte ich wie ein Mädchen ins
Hochzeitskleid. Hier lag ich und wartete. Dann geschah das Unglück.«

»Ein schlimmes Schicksal«, sagte der Bürgermeister mit abweh-
rend erhobener Hand. »Und Sie tragen gar keine Schuld daran?«

»Keine«, sagte der Jäger, »ich war Jäger, ist das etwa eine Schuld?
Aufgestellt war ich als Jäger im Schwarzwald, wo es damals noch
Wölfe gab. Ich lauerte auf, schoß, traf, zog das Fell ab, ist das eine
Schuld? Meine Arbeit wurde gesegnet. ›Der große Jäger vom
Schwarzwald‹ hieß ich. Ist das eine Schuld?«

»Ich bin nicht berufen, das zu entscheiden«, sagte der Bürgermeister, »doch scheint auch mir keine Schuld darin zu liegen. Aber wer trägt denn die Schuld?«

»Der Bootsmann«, sagte der Jäger. »Niemand wird lesen, was ich hier schreibe, niemand wird kommen, mir zu helfen; wäre als Aufgabe gesetzt mir zu helfen, so blieben alle Türen aller Häuser geschlossen, alle Fenster geschlossen, alle liegen in den Betten, die Decken über den Kopf geschlagen, eine nächtliche Herberge die ganze Erde. Das hat guten Sinn, denn niemand weiß von mir, und wüßte er von mir, so wüßte er meinen Aufenthalt nicht, und wüßte er meinen Aufenthalt, so wüßte er mich dort nicht festzuhalten, so wüßte er nicht, wie mir zu helfen. Der Gedanke, mir helfen zu wollen, ist eine Krankheit und muß im Bett geheilt werden.

Das weiß ich und schreie also nicht, um Hilfe herbeizurufen, selbst wenn ich in Augenblicken – unbeherrscht wie ich bin, zum Beispiel gerade jetzt – sehr stark daran denke. Aber es genügt wohl zum Austreiben solcher Gedanken, wenn ich umherblicke und mir vergegenwärtige, wo ich bin und – das darf ich wohl behaupten – seit Jahrhunderten wohne.«

»Außerordentlich«, sagte der Bürgermeister, »außerordentlich. – Und nun gedenken Sie bei uns in Riva zu bleiben?«

»Ich gedenke nicht«, sagte der Jäger lächelnd und legte, um den Spott gutzumachen, die Hand auf das Knie des Bürgermeisters. »Ich bin hier, mehr weiß ich nicht, mehr kann ich nicht tun. Mein Kahn ist ohne Steuer, er fährt mit dem Wind, der in den untersten Regionen des Todes bläst.«

Es war im Sommer, ein heißer Tag. Ich kam auf dem Nachhause-
weg mit meiner Schwester an einem Hoftor vorüber. Ich weiß
nicht, schlug sie aus Mutwillen ans Tor oder aus Zerstreutheit
oder drohte sie nur mit der Faust und schlug gar nicht. Hundert
Schritte weiter an der nach links sich wendenden Landstraße begann das Dorf. Wir kannten es nicht, aber gleich nach dem ersten
Haus kamen Leute hervor und winkten uns, freundschaftlich oder
warnend, selbst erschrocken, gebückt vor Schrecken. Sie zeigten
nach dem Hof, an dem wir vorübergekommen waren, und erin-
nerten uns an den Schlag ans Tor. Die Hofbesitzer werden uns
verklagen, gleich werde die Untersuchung beginnen. Ich war sehr
ruhig und beruhigte auch meine Schwester. Sie hatte den Schlag
wahrscheinlich gar nicht getan, und hätte sie ihn getan, so wird
deswegen nirgends auf der Welt ein Beweis geführt. Ich suchte das
auch den Leuten um uns begreiflich zu machen, sie hörten mich
an, enthielten sich aber eines Urteils. Später sagten sie, nicht nur
meine Schwester, auch ich als Bruder werde angeklagt werden.
Ich nickte lächelnd. Alle blickten wir zum Hofe zurück, wie man
eine ferne Rauchwolke beobachtet und auf die Flamme wartet.
Und wirklich, bald sahen wir Reiter ins weit offene Hoftor einrei-
ten. Staub erhob sich, verhüllte alles, nur die Spitzen der hohen
Lanzen blinkten. Und kaum war die Truppe im Hof verschwun-
den, schien sie gleich die Pferde gewendet zu haben und war auf
dem Wege zu uns. Ich drängte meine Schwester fort, ich werde alles allein ins Reine bringen. Sie weigerte sich, mich allein zu lassen.
Ich sagte, sie solle sich aber wenigstens umkleiden, um in einem
besseren Kleid vor die Herren zu treten. Endlich folgte sie und
machte sich auf den langen Weg nach Hause. Schon waren die Reiter bei uns, noch von den Pferden herab fragten sie nach meiner
Schwester. Sie ist augenblicklich nicht hier, wurde ängstlich geantwortet, werde aber später kommen. Die Antwort wurde fast
gleichgültig aufgenommen; wichtig schien vor allem, daß sie
mich gefunden hatten. Es waren hauptsächlich zwei Herren, der
Richter, ein junger, lebhafter Mann, und sein stiller Gehilfe, der

Aßmann genannt wurde. Ich wurde aufgefordert in die Bauernstube einzutreten. Langsam, den Kopf wiegend, an den Hosenträ-
gern rückend, setzte ich mich unter den scharfen Blicken der Herren in Gang. Noch glaubte ich fast, ein Wort werde genügen, um
mich, den Städter, sogar noch unter Ehren, aus diesem Bauern-
volk zu befreien. Aber als ich die Schwelle der Stube überschritten
hatte, sagte der Richter, der vorgesprungen war und mich schon
erwartete: »Dieser Mann tut mir leid.« Es war aber über allem
Zweifel, daß er damit nicht meinen gegenwärtigen Zustand meinte, sondern das, was mit mir geschehen würde. Die Stube sah einer
Gefängniszelle ähnlicher als einer Bauernstube. Große Steinflie-
sen, dunkel, ganz kahle Wand, irgendwo eingemauert ein eiserner
Ring, in der Mitte etwas, das halb Pritsche, halb Operationstisch
war.
Könnte ich noch andere Luft schmecken als die des Gefängnisses?
Das ist die große Frage oder vielmehr, sie wäre es, wenn ich noch
Aussicht auf Entlassung hätte.

EINE KREUZUNG

Ich habe ein eigentümliches Tier, halb Kätzchen, halb Lamm. Es ist ein Erbstück aus meines Vaters Besitz. Entwickelt hat es sich aber doch erst in meiner Zeit, früher war es viel mehr Lamm als Kätzchen. Jetzt aber hat es von beiden wohl gleich viel. Von der Katze Kopf und Krallen, vom Lamm Größe und Gestalt; von beiden die Augen, die flackernd und wild sind, das Fellhaar, das weich ist und knapp anliegt, die Bewegungen, die sowohl Hüpfen als Schleichen sind. Im Sonnenschein auf dem Fensterbrett macht es sich rund und schnurrt, auf der Wiese läuft es wie toll und ist kaum einzufangen. Vor Katzen flieht es, Lämmer will es anfallen. In der Mondnacht ist die Dachtraufe sein liebster Weg. Miauen kann es nicht und vor Ratten hat es Abscheu. Neben dem Hühnerstall kann es stundenlang auf der Lauer liegen, doch hat es noch niemals eine Mordgelegenheit ausgenutzt.

Ich nähre es mit süßer Milch, sie bekommt ihm bestens. In langen Zügen saugte es sie über seine Raubtierzähne hinweg in sich ein. Natürlich ist es ein großes Schauspiel für Kinder. Sonntag Vormittag ist Besuchstunde. Ich habe das Tierchen auf dem Schoß und die Kinder der ganzen Nachbarschaft stehen um mich herum.

Da werden die wunderbarsten Fragen gestellt, die kein Mensch beantworten kann: Warum es nur ein solches Tier gibt, warum gerade ich es habe, ob es vor ihm schon ein solches Tier gegeben hat und wie es nach seinem Tode sein wird, ob es sich einsam fühlt, warum es keine Jungen hat, wie es heißt und so weiter.

Ich gebe mir keine Mühe zu antworten, sondern begnüge mich ohne weitere Erklärungen damit, das zu zeigen, was ich habe. Manchmal bringen die Kinder Katzen mit, einmal haben sie sogar zwei Lämmer gebracht. Es kam aber entgegen ihren Erwartungen zu keinen Erkennungsszenen. Die Tiere sahen einander ruhig aus Tieraugen an und nahmen offenbar ihr Dasein als göttliche Tatsache gegenseitig hin.

In meinem Schoß kennt das Tier weder Angst noch Verfolgungslust. An mich angeschmiegt, fühlt es sich am wohlsten. Es hält zur

Familie, die es aufgezogen hat. Es ist das wohl nicht irgendeine außergewöhnliche Treue, sondern der richtige Instinkt eines Tieres, das auf der Erde zwar unzählige Verschwägerte, aber vielleicht keinen einzigen Blutsverwandten hat und dem deshalb der Schutz, den es bei uns gefunden hat, heilig ist.

Manchmal muß ich lachen, wenn es mich umschnuppert, zwischen den Beinen sich durchwindet und gar nicht von mir zu trennen ist. Nicht genug damit, daß es Lamm und Katze ist, will es fast auch noch ein Hund sein. – Einmal als ich, wie es ja jedem geschehen kann, in meinen Geschäften und allem, was damit zusammenhängt, keinen Ausweg mehr finden konnte, alles verfallen lassen wollte und in solcher Verfassung zu Hause im Schaukelstuhl lag, das Tier auf dem Schoß, da tropften, als ich zufällig einmal hinuntersah, von seinen riesenhaften Barthaaren Tränen. – Waren es meine, waren es seine? – Hatte diese Katze mit Lammesseele auch Menschenehrgeiz? – Ich habe nicht viel von meinem Vater geerbt, dieses Erbstück aber kann sich sehen lassen.

Es hat beiderlei Unruhe in sich, die von der Katze und die vom Lamm, so verschiedenartig sie sind. Darum ist ihm seine Haut zu eng. – Manchmal springt es auf den Sessel neben mir, stemmt sich mit den Vorderbeinen an meine Schulter und hält seine Schnauze an mein Ohr. Es ist, als sagte es mir etwas, und tatsächlich beugt es sich dann vor und blickt mir ins Gesicht, um den Eindruck zu beobachten, den die Mitteilung auf mich gemacht hat. Und um gefällig zu sein, tue ich, als hätte ich etwas verstanden, und nicke. – Dann springt es hinunter auf den Boden und tänzelt umher.

Vielleicht wäre für dieses Tier das Messer des Fleischers eine Erlösung, die muß ich ihm aber als einem Erbstück versagen. Es muß deshalb warten, bis ihm der Atem von selbst ausgeht, wenn es mich manchmal auch wie aus verständigen Menschenaugen ansieht, die zu verständigem Tun auffordern.

Ich war steif und kalt, ich war eine Brücke, über einem Abgrund lag ich. Diesseits waren die Fußspitzen, jenseits die Hände eingebohrt, in bröckelndem Lehm habe ich mich festgebissen. Die Schöße meines Rockes wehten zu meinen Seiten. In der Tiefe lärmte der eisige Forellenbach. Kein Tourist verirrte sich zu dieser unwegsamen Höhe, die Brücke war in den Karten noch nicht eingezeichnet. – So lag ich und wartete; ich mußte warten. Ohne einzustürzen kann keine einmal errichtete Brücke aufhören, Brücke zu sein.

Einmal gegen Abend war es – war es der erste, war es der tausendste, ich weiß nicht, – meine Gedanken gingen immer in einem Wirrwarr und immer in der Runde. Gegen Abend im Sommer, dunkler rauschte der Bach, da hörte ich einen Mannesschritt! Zu mir, zu mir. – Strecke dich, Brücke, setze dich in Stand, geländerloser Balken, halte den dir Anvertrauten. Die Unsicherheit seines Schrittes gleiche unmerklich aus, schwankt er aber, dann gib dich zu erkennen und wie ein Berggott schleudere ihn ins Land.

Er kam, mit der Eisenspitze seines Stockes beklopfte er mich, dann hob er mit ihr meine Rockschöße und ordnete sie auf mir. In mein buschiges Haar fuhr er mit der Spitze und ließ sie, wahrscheinlich wild umherblickend, lange drin liegen. Dann aber – gerade träumte ich ihm nach über Berg und Tal – sprang er mit beiden Füßen mir mitten auf den Leib. Ich erschauerte in wildem Schmerz, gänzlich unwissend. Wer war es? Ein Kind? Ein Traum? Ein Wegelagerer? Ein Selbstmörder? Ein Versucher? Ein Vernichter? Und ich drehte mich um, ihn zu sehen. – Brücke dreht sich um! Ich war noch nicht umgedreht, da stürzte ich schon, ich stürzte, und schon war ich zerrissen und aufgespießt von den zugespitzten Kieseln, die mich immer so friedlich aus dem rasenden Wasser angestarrt hatten.

DER GEIER

Es war ein Geier, der hackte in meine Füße. Stiefel und Strümpfe hatte er schon aufgerissen, nun hackte er schon in die Füße selbst. Immer schlug er zu, flog dann unruhig mehrmals um mich und setzte dann die Arbeit fort. Es kam ein Herr vorüber, sah ein Weilchen zu und fragte dann, warum ich den Geier dulde. »Ich bin ja wehrlos«, sagte ich, »er kam und fing zu hacken an, da wollte ich ihn natürlich wegtreiben, versuchte ihn sogar zu würgen, aber ein solches Tier hat große Kräfte, auch wollte er mir schon ins Gesicht springen, da opferte ich lieber die Füße. Nun sind sie schon fast zerrissen.« »Daß Sie sich so quälen lassen«, sagte der Herr, »ein Schuß und der Geier ist erledigt.« »Ist das so?« fragte ich, »und wollen Sie das besorgen?« »Gern«, sagte der Herr, »ich muß nur nach Hause gehn und mein Gewehr holen. Können Sie noch eine halbe Stunde warten?« »Das weiß ich nicht«, sagte ich und stand eine Weile starr vor Schmerz, dann sagte ich: »Bitte, versuchen Sie es für jeden Fall.« »Gut«, sagte der Herr, »ich werde mich beeilen.« Der Geier hatte während des Gespräches ruhig zugehört und die Blicke zwischen mir und dem Herrn wandern lassen. Jetzt sah ich, daß er alles verstanden hatte, er flog auf, weit beugte er sich zurück, um genug Schwung zu bekommen und stieß dann wie ein Speerwerfer den Schnabel durch meinen Mund tief in mich. Zurückfallend fühlte ich befreit, wie er in meinem alle Tiefen füllenden, alle Ufer überfließenden Blut unrettbar ertrank.

DER AUFBRUCH

Ich befahl mein Pferd aus dem Stall zu holen. Der Diener verstand mich nicht. Ich ging selbst in den Stall, sattelte mein Pferd und bestieg es. In der Ferne hörte ich eine Trompete blasen, ich fragte ihn, was das bedeutete. Er wußte nichts und hatte nichts gehört. Beim Tore hielt er mich auf und fragte: »Wohin reitet der Herr?« »Ich weiß es nicht«, sagte ich, »nur weg von hier, nur weg von hier. Immerfort weg von hier, nur so kann ich mein Ziel erreichen.« »Du kennst also dein Ziel«, fragte er. »Ja«, antwortete ich, »ich sagte es doch. Weg von hier – das ist mein Ziel.«

GIBS AUF!

Es war sehr früh am Morgen, die Straßen rein und leer, ich ging zum Bahnhof. Als ich eine Turmuhr mit meiner Uhr verglich, sah ich, daß es schon viel später war, als ich geglaubt hatte, ich mußte mich sehr beeilen, der Schrecken über diese Entdeckung ließ mich im Weg unsicher werden, ich kannte mich in dieser Stadt noch nicht sehr gut aus, glücklicherweise war ein Schutzmann in der Nähe, ich lief zu ihm und fragte ihn atemlos nach dem Weg. Er lächelte und sagte: »Von mir willst du den Weg erfahren?« »Ja«, sagte ich, »da ich ihn selbst nicht finden kann.« »Gibs auf, gibs auf«, sagte er und wandte sich mit einem großen Schwunge ab, so wie Leute, die mit ihrem Lachen allein sein wollen.

Versunken in die Nacht. So wie man manchmal den Kopf senkt, um nachzudenken, so ganz versunken sein in die Nacht. Ringsum schlafen die Menschen. Eine kleine Schauspielerei, eine unschuldige Selbsttäuschung, daß sie in Häusern schlafen, in festen Betten, unter festem Dach, ausgestreckt oder geduckt auf Matratzen, in Tüchern, unter Decken, in Wirklichkeit haben sie sich zusammengefunden wie damals einmal und wie später in wüster Gegend, ein Lager im Freien, eine unübersehbare Zahl Menschen, ein Heer, ein Volk, unter kaltem Himmel auf kalter Erde, hingeworfen wo man früher stand, die Stirn auf dem Arm gedrückt, das Gesicht gegen den Boden hin, ruhig atmend. Und du wachst, bist einer der Wächter, findest den nächsten durch Schwenken des brennenden Holzes aus dem Reisighaufen neben dir. Warum wachst du? Einer muß wachen, heißt es. Einer muß da sein.

DER STEUERMANN

»Bin ich nicht Steuermann?« rief ich. »Du?« fragte ein dunkler hochgewachsener Mann und strich sich mit der Hand über die Augen, als verscheuche er einen Traum. Ich war am Steuer gestanden in der dunklen Nacht, die schwachbrennende Laterne über meinem Kopf, und nun war dieser Mann gekommen und wollte mich beiseiteschieben. Und da ich nicht wich, setzte er mir den Fuß auf die Brust und trat mich langsam nieder, während ich noch immer an den Stäben des Steuerrades hing und beim Niederfallen es ganz herumriß. Da aber faßte es der Mann, brachte es in Ordnung, mich aber stieß er weg. Doch ich besann mich bald, lief zu der Luke, die in den Mannschaftsraum führte und rief: »Mannschaft! Kameraden! Kommt schnell! Ein Fremder hat mich vom Steuer vertrieben!« Langsam kamen sie, stiegen auf aus der Schiffstreppe, schwankende müde mächtige Gestalten. »Bin ich der Steuermann?« fragte ich. Sie nickten, aber Blicke hatten sie nur für den Fremden, im Halbkreis standen sie um ihn herum und, als er befehlend sagte: »Stört mich nicht«, sammelten sie sich, nickten mir zu und zogen wieder die Schiffstreppe hinab. Was ist das für Volk! Denken sie auch oder schlurfen sie nur sinnlos über die Erde?

DER KREISEL

Ein Philosoph trieb sich immer dort herum, wo Kinder spielten. Und sah er einen Jungen, der einen Kreisel hatte, so lauerte er schon. Kaum war der Kreisel in Drehung, verfolgte ihn der Philosoph, um ihn zu fangen. Daß die Kinder lärmten und ihn von ihrem Spielzeug abzuhalten suchten, kümmerte ihn nicht, hatte er den Kreisel, solange er sich noch drehte, gefangen, war er glücklich, aber nur einen Augenblick, dann warf er ihn zu Boden und ging fort. Er glaubte nämlich, die Erkenntnis jeder Kleinigkeit, also zum Beispiel auch eines sich drehenden Kreisels, genüge zur Erkenntnis des Allgemeinen. Darum beschäftigte er sich nicht mit den großen Problemen, das schien ihm unökonomisch. War die kleinste Kleinigkeit wirklich erkannt, dann war alles erkannt, deshalb beschäftigte er sich nur mit dem sich drehenden Kreisel. Und immer wenn die Vorbereitungen zum Drehen des Kreisels gemacht wurden, hatte er Hoffnung, nun werde es gelingen, und drehte sich der Kreisel, wurde ihm im atemlosen Laufen nach ihm die Hoffnung zur Gewißheit, hielt er aber dann das dumme Holzstück in der Hand, wurde ihm übel und das Geschrei der Kinder, das er bisher nicht gehört hatte und das ihm jetzt plötzlich in die Ohren fuhr, jagte ihn fort, er taumelte wie ein Kreisel unter einer ungeschickten Peitsche.

KLEINE FABEL

»Ach«, sagte die Maus, »die Welt wird enger mit jedem Tag. Zuerst war sie so breit, daß ich Angst hatte, ich lief weiter und war
glücklich, daß ich endlich rechts und links in der Ferne Mauern
sah, aber diese langen Mauern eilen so schnell aufeinander zu, daß
ich schon im letzten Zimmer bin, und dort im Winkel steht die
Falle, in die ich laufe.« – »Du mußt nur die Laufrichtung ändern«,
sagte die Katze und fraß sie.

DER KÜBELREITER

Verbraucht alle Kohle; leer der Kübel; sinnlos die Schaufel; Kälte atmend der Ofen; das Zimmer vollgeblasen von Frost; vor dem Fenster Bäume starr im Reif; der Himmel, ein silberner Schild gegen den, der von ihm Hilfe will. Ich muß Kohle haben; ich darf doch nicht erfrieren; hinter mir der erbarmungslose Ofen, vor mir der Himmel ebenso, infolgedessen muß ich scharf zwischendurch reiten und in der Mitte beim Kohlenhändler Hilfe suchen. Gegen meine gewöhnlichen Bitten aber ist er schon abgestumpft; ich muß ihm ganz genau nachweisen, daß ich kein einziges Kohlenstäubchen mehr habe und daß er daher für mich geradezu die Sonne am Firmament bedeutet. Ich muß kommen wie der Bettler, der röchelnd vor Hunger an der Türschwelle verenden will und dem deshalb die Herrschaftsköchin den Bodensatz des letzten Kaffees einzuflößen sich entscheidet; ebenso muß mir der Händler, wütend, aber unter dem Strahl des Gebotes »Du sollst nicht töten!« eine Schaufel voll in den Kübel schleudern.

Meine Auffahrt schon muß es entscheiden; ich reite deshalb auf dem Kübel hin. Als Kübelreiter, die Hand oben am Griff, dem einfachsten Zaumzeug, drehe ich mich beschwerlich die Treppe hinab; unten aber steigt mein Kübel auf, prächtig, prächtig; Kamele, niedrig am Boden hingelagert, steigen, sich schüttelnd unter dem Stock des Führers, nicht schöner auf. Durch die festgefrorene Gasse geht es in ebenmäßigem Trab; oft werde ich bis zur Höhe der ersten Stockwerke gehoben; niemals sinke ich bis zur Haustüre hinab. Und außergewöhnlich hoch schwebe ich vor dem Kellergewölbe des Händlers, in dem er tief unten an seinem Tischchen kauert und schreibt; um die übergroße Hitze abzulassen, hat er die Tür geöffnet.

»Kohlenhändler!« rufe ich mit vor Kälte hohlgebrannter Stimme, in Rauchwolken des Atems gehüllt, »bitte, Kohlenhändler, gib mir ein wenig Kohle. Mein Kübel ist schon so leer, daß ich auf ihm reiten kann. Sei so gut. Sobald ich kann, bezahle ich's.«

Der Händler legt die Hand ans Ohr. »Hör ich recht?« fragte er über die Schulter weg seine Frau, die auf der Ofenbank strickt, »hör ich recht? Eine Kundschaft.«

»Ich höre gar nichts«, sagt die Frau, ruhig aus- und einatmend über den Stricknadeln, wohlig im Rücken gewärmt.

»O ja«, rufe ich, »ich bin es; eine alte Kundschaft; treu ergeben; nur augenblicklich mittellos.«

»Frau«, sagt der Händler, »es ist, es ist jemand; so sehr kann ich mich doch nicht täuschen; eine alte, eine sehr alte Kundschaft muß es sein, die mir so zum Herzen zu sprechen weiß.«

»Was hast du, Mann?« sagte die Frau und drückt, einen Augenblick ausruhend, die Handarbeit an die Brust, »niemand ist es, die Gasse ist leer, alle unsere Kundschaft ist versorgt; wir können für Tage das Geschäft sperren und ausruhn.«

»Aber ich sitze doch hier auf dem Kübel«, rufe ich und gefühllose Tränen der Kälte verschleiern mir die Augen, »bitte seht doch herauf; Ihr werdet mich gleich entdecken; um eine Schaufel voll bitte ich; und gebt Ihr zwei, macht Ihr mich überglücklich. Es ist doch schon alle übrige Kundschaft versorgt. Ach, hörte ich es doch schon in dem Kübel klappern!«

»Ich komme«, sagt der Händler und kurzbeinig will er die Kellertreppe emporsteigen, aber die Frau ist schon bei ihm, hält ihn beim Arm fest und sagt: »Du bleibst. Läßt du von deinem Eigensinn nicht ab, so gehe ich hinauf. Erinnere dich an deinen schweren Husten heute nacht. Aber für ein Geschäft und sei es auch nur ein eingebildetes, vergißt du Frau und Kind und opferst deine Lungen. Ich gehe.« »Dann nenn ihm aber alle Sorten, die wir auf Lager haben; die Preise rufe ich dir nach.« »Gut«, sagte die Frau und steigt zur Gasse auf. Natürlich sieht sie mich gleich. »Frau Kohlenhändlerin«, rufe ich, »ergebenen Gruß; nur eine Schaufel Kohle; gleich hier in den Kübel; ich führe sie selbst nach Hause; eine Schaufel von der schlechtesten. Ich bezahle sie natürlich voll, aber nicht gleich, nicht gleich.« Was für ein Glockenklang sind die zwei Worte ›nicht gleich‹ und wie sinnverwirrend mischen sie sich mit dem Abendläuten, das eben vom nahen Kirchturm zu hören ist!

»Was will er also haben?« ruft der Händler. »Nichts«, ruft die Frau zurück, »es ist ja nichts; ich sehe nichts, ich höre nichts; nur sechs Uhr läutet es und wir schließen. Ungeheuer ist die Kälte; morgen werden wir wahrscheinlich noch viel Arbeit haben.«

Sie sieht nichts und hört nichts; aber dennoch löst sie das Schürzenband und versucht mich mit der Schürze fortzuwehen. Leider gelingt es. Alle Vorzüge eines guten Reittieres hat mein Kübel;

Widerstandskraft hat er nicht; zu leicht ist er; eine Frauenschürze jagt ihm die Beine vom Boden.

»Du Böse«, rufe ich noch zurück, während sie, zum Geschäft sich wendend, halb verächtlich, halb befriedigt mit der Hand in die Luft schlägt, »du Böse! Um eine Schaufel von der schlechtesten habe ich gebeten und du hast sie mir nicht gegeben.« Und damit steige ich in die Regionen der Eisgebirge und verliere mich auf Nimmerwiedersehen.

DAS EHEPAAR

Die allgemeine Geschäftslage ist so schlecht, daß ich manchmal, wenn ich im Büro Zeit erübrige, selbst die Mustertasche nehme, um die Kunden persönlich zu besuchen. Unter anderem hatte ich mir schon längst vorgenommen, einmal zu N. zu gehen, mit dem ich früher in ständiger Geschäftsverbindung gewesen bin, die sich aber im letzten Jahr aus mir unbekannten Gründen fast gelöst hat. Für solche Störungen müssen auch gar nicht eigentliche Gründe vorhanden sein; in den heutigen labilen Verhältnissen entscheidet hier oft ein Nichts, eine Stimmung, und ebenso kann auch ein Nichts, ein Wort, das Ganze wieder in Ordnung bringen. Es ist aber ein wenig umständlich zu N. vorzudringen; er ist ein alter Mann, in letzter Zeit sehr kränklich, und wenn er auch noch die geschäftlichen Angelegenheiten in seiner Hand zusammenhält, so kommt er doch selbst kaum mehr ins Geschäft; will man mit ihm sprechen, muß man in seine Wohnung gehen, und einen derartigen Geschäftsgang schiebt man gern hinaus.

Gestern Abend nach sechs Uhr machte ich mich aber doch auf den Weg; es war freilich keine Besuchszeit mehr, aber die Sache war ja nicht gesellschaftlich, sondern kaufmännisch zu beurteilen. Ich hatte Glück. N. war zu Hause; er war eben, wie man mir im Vorzimmer sagte, mit seiner Frau von einem Spaziergang zurückgekommen und jetzt im Zimmer seines Sohnes, der unwohl war und im Bett lag. Ich wurde aufgefordert auch hinzugehen; zuerst zögerte ich, dann aber überwog das Verlangen, den leidigen Besuch möglichst schnell zu beenden, und ich ließ mich, so wie ich war, im Mantel, Hut und Mustertasche in der Hand, durch ein dunkles Zimmer in ein matt beleuchtetes führen, in welchem eine kleine Gesellschaft beisammen war.

Wohl instinktmäßig fiel mein Blick zuerst auf einen mir nur allzu gut bekannten Geschäftsagenten, der zum Teil mein Konkurrent ist. So hatte er sich denn also noch vor mir heraufgeschlichen. Er war bequem knapp beim Bett des Kranken, so als wäre er der Arzt; in seinem schönen, offenen, aufgebauschten Mantel saß er großmächtig da; seine Frechheit ist unübertrefflich; etwas Ähnli-

ches mochte auch der Kranke denken, der mit ein wenig fieberge-
röteten Wangen dalag und manchmal nach ihm hinsah. Er ist übrigens nicht mehr jung, der Sohn, ein Mann in meinem Alter mit
einem kurzen, infolge der Krankheit etwas verwilderten Vollbart.
Der alte N., ein großer, breitschultriger Mann, aber durch sein
schleichendes Leiden zu meinem Erstaunen recht abgemagert, gebückt und unsicher geworden, stand noch, so wie er eben gekommen war, in seinem Pelz da und murmelte etwas gegen den
Sohn hin. Seine Frau, klein und gebrechlich, aber äußerst lebhaft,
wenn auch nur insoweit es ihn betraf – uns andere sah sie kaum –,
war damit beschäftigt, ihm den Pelz auszuziehen, was infolge des
Größenunterschiedes der Beiden einige Schwierigkeiten machte,
aber schließlich doch gelang. Vielleicht lag übrigens die eigentliche Schwierigkeit darin, daß N. sehr ungeduldig war und unruhig
mit tastenden Händen immerfort nach dem Lehnstuhl verlangte,
den ihm denn auch, nachdem der Pelz ausgezogen war, seine Frau
schnell zuschob. Sie selbst nahm den Pelz, unter dem sie fast verschwand, und trug ihn hinaus.

Nun schien mir endlich meine Zeit gekommen oder vielmehr, sie
war nicht gekommen und würde hier wohl auch niemals kommen; wenn ich überhaupt noch etwas versuchen wollte, mußte es
gleich geschehen, denn meinem Gefühl nach konnten hier die
Voraussetzungen für eine geschäftliche Aussprache nur noch immer schlechter werden; mich hier aber für alle Zeiten festzusetzen,
wie es der Agent scheinbar beabsichtigte, das war nicht meine Art;
übrigens wollte ich auf ihn nicht die geringste Rücksicht nehmen.
So begann ich denn kurzerhand, meine Sache vorzutragen, obwohl ich merkte, daß N. gerade Lust hatte, sich ein wenig mit seinem Sohn zu unterhalten. Leider habe ich die Gewohnheit, wenn
ich mich ein wenig in Erregung gesprochen habe – und das geschieht sehr bald und geschah in diesem Krankenzimmer noch
früher als sonst – aufzustehen und während des Redens auf- und
abzugehen. Im eigenen Büro eine recht gute Einrichtung, ist es in
einer fremden Wohnung doch ein wenig lästig. Ich konnte mich
aber nicht beherrschen, besonders da mir die gewohnte Zigarette
fehlte. Nun, jeder hat seine schlechten Gewohnheiten, dabei lobe
ich noch die meinen im Vergleich zu denen des Agenten. Was soll
man zum Beispiel dazu sagen, daß er seinen Hut, den er auf dem
Knie hält und dort langsam hin- und herschiebt, manchmal plötz-

lich, ganz unerwartet aufsetzt; er nimmt ihn zwar gleich wieder ab, als sei ein Versehen geschehen, hat ihn aber doch einen Augenblick lang auf dem Kopf gehabt, und das wiederholt er immer wieder von Zeit zu Zeit. Eine solche Aufführung ist doch wahrhaftig unerlaubt zu nennen. Mich stört es nicht, ich gehe auf und ab, bin ganz von meinen Dingen in Anspruch genommen und sehe über ihn hinweg, es mag aber Leute geben, welche dieses Hutkunststück gänzlich aus der Fassung bringen kann. Allerdings beachte ich im Eifer nicht nur eine solche Störung nicht, sondern überhaupt niemanden, ich sehe zwar, was vorgeht, nehme es aber, solange ich nicht fertig bin oder solange ich nicht geradezu Einwände höre, gewissermaßen nicht zur Kenntnis. So merkte ich zum Beispiel wohl, daß N. sehr wenig aufnahmsfähig war; die Hände an den Seitenlehnen, drehte er sich unbehaglich hin und her, blickte nicht zu mir auf, sondern sinnlos suchend ins Leere und sein Gesicht schien so unbeteiligt, als dringe kein Laut meiner Rede, ja nicht einmal ein Gefühl meiner Anwesenheit zu ihm. Dieses ganze, mir wenig Hoffnung gebende krankhafte Benehmen sah ich zwar, sprach aber trotzdem weiter, so als hätte ich doch noch Aussicht, durch meine Worte, durch meine vorteilhaften Angebote – ich erschrak selbst über die Zugeständnisse, die ich machte. Zugeständnisse, die niemand verlangte – alles schließlich wieder ins Gleichgewicht zu bringen. Eine gewisse Genugtuung gab es mir auch, daß der Agent, wie ich flüchtig bemerkte, endlich seinen Hut ruhen ließ und die Arme über der Brust verschränkte; meine Ausführungen, die ja zum Teil für ihn berechnet waren, schienen seinen Plänen einen empfindlichen Stich zu geben. Und ich hätte in dem dadurch erzeugten Wohlgefühl vielleicht noch lange fortgesprochen, wenn nicht der Sohn, den ich als für mich nebensächliche Person bisher vernachlässigt hatte, plötzlich sich im Bette halb erhoben und mit drohender Faust mich zum Schweigen gebracht hätte. Er wollte offenbar noch etwas sagen, etwas zeigen, hatte aber nicht Kraft genug. Ich hielt das alles zuerst für Fieberwahn, aber als ich unwillkürlich gleich darauf nach dem alten N. blickte, verstand ich es besser.

N. saß mit offenen, glasigen, aufgequollenen, nur für die Minute noch dienstbaren Augen da, zitternd nach vorne geneigt, als hielte oder schlüge ihn jemand im Nacken, die Unterlippe, ja der Unterkiefer selbst mit weit entblößtem Zahnfleisch hing unbeherrscht

hinab, das ganze Gesicht war aus den Fugen; noch atmete er, wenn
auch schwer, dann aber wie befreit fiel er zurück gegen die Lehne,
schloß die Augen, der Ausdruck irgendeiner großen Anstrengung
fuhr noch über sein Gesicht und dann war es zu Ende. Schnell
sprang ich zu ihm, faßte die leblos hängende, kalte, mich durch-
schauernde Hand; da war kein Puls mehr. Nun also, es war vorüber. Freilich, ein alter Mann. Möchte uns das Sterben nicht schwerer werden. Aber wie Vieles war jetzt zu tun! Und was in der Eile
zunächst? Ich sah mich nach Hilfe um; aber der Sohn hatte die
Decke über den Kopf gezogen, man hörte sein endloses Schluchzen; der Agent, kalt wie ein Frosch, saß fest in seinem Sessel, zwei
Schritte gegenüber N. und war sichtlich entschlossen, nichts zu
tun, als den Zeitlauf abzuwarten; ich also, nur ich blieb übrig, um
etwas zu tun und jetzt gleich das Schwerste, nämlich der Frau
irgendwie auf eine erträgliche Art, also eine Art, die es in der Welt
nicht gab, die Nachricht zu vermitteln. Und schon hörte ich die
eifrigen, schlürfenden Schritte aus dem Nebenzimmer.

Sie brachte – noch immer im Straßenanzug, sie hatte noch keine
Zeit gehabt, sich umzuziehen – ein auf dem Ofen durchwärmtes
Nachthemd, das sie ihrem Mann jetzt anziehen wollte. »Er ist eingeschlafen«, sagte sie lächelnd und kopfschüttelnd, als sie uns so
still fand. Und mit dem unendlichen Vertrauen des Unschuldigen
nahm sie die gleiche Hand, die ich eben mit Widerwillen und
Scheu in der meinen gehalten hatte, küßte sie wie in kleinem ehe-
lichen Spiel und – wie mögen wir drei anderen zugesehen haben! –
N. bewegte sich, gähnte laut, ließ sich das Hemd anziehen, duldete
mit ärgerlich-ironischem Gesicht die zärtlichen Vorwürfe seiner
Frau wegen der Überanstrengung auf dem allzu großen Spaziergang und sagte dagegen, uns sein Einschlafen anders zu erklären,
merkwürdigerweise etwas von Langweile. Dann legte er sich,
um sich auf dem Weg in ein anderes Zimmer nicht zu verkühlen,
vorläufig zu seinem Sohn ins Bett; neben die Füße des Sohnes
wurde auf zwei von der Frau eilig herbeigebrachten Polstern sein
Kopf gebettet. Ich fand nach dem Vorangegangenen nichts Sonderbares mehr daran. Nun verlangte er die Abendzeitung, nahm
sie ohne Rücksicht auf die Gäste vor, las aber noch nicht, sah nur
hie und da ins Blatt und sagte uns dabei mit einem erstaunlichen
geschäftlichen Scharfblick einiges recht Unangenehme über unsere Angebote, während er mit der freien Hand immerfort weg-

werfende Bewegungen machte und durch Zungenschnalzen den schlechten Geschmack im Munde andeutete, den ihm unser geschäftliches Gebaren verursachte. Der Agent konnte sich nicht enthalten, einige unpassende Bemerkungen vorzubringen, er fühlte wohl sogar in seinem groben Sinn, daß hier nach dem, was geschehen war, irgendein Ausgleich geschaffen werden mußte, aber auf seine Art ging es freilich am allerwenigsten. Ich verabschiedete mich nun schnell, ich war dem Agenten fast dankbar; ohne seine Anwesenheit hätte ich nicht die Entschlußkraft gehabt, schon fortzugehen.

Im Vorzimmer traf ich noch Frau N. Im Anblick ihrer armseligen Gestalt sagte ich aus meinen Gedanken heraus, daß sie mich ein wenig an meine Mutter erinnere. Und da sie still blieb, fügte ich bei: »Was man dazu auch sagen mag: die konnte Wunder tun. Was wir schon zerstört hatten, machte sie noch gut. Ich habe sie schon in der Kinderzeit verloren.« Ich hatte absichtlich übertrieben langsam und deutlich gesprochen, denn ich vermutete, daß die alte Frau schwerhörig war. Aber sie war wohl taub, denn sie fragte ohne Übergang: »Und das Aussehen meines Mannes?« Aus ein paar Abschiedsworten merkte ich übrigens, daß sie mich mit dem Agenten verwechselte; ich wollte gern glauben, daß sie sonst zutraulicher gewesen wäre.

Dann ging ich die Treppe hinunter. Der Abstieg war schwerer als früher der Aufstieg und nicht einmal dieser war leicht gewesen. Ach, was für mißlungene Geschäftswege es gibt und man muß die Last weiter tragen.

DER NACHBAR

Mein Geschäft ruht ganz auf meinen Schultern. Zwei Fräulein mit Schreibmaschinen und Geschäftsbüchern im Vorzimmer, mein Zimmer mit Schreibtisch, Kasse, Beratungstisch, Klubsessel und Telephon, das ist mein ganzer Arbeitsapparat. So einfach zu überblicken, so leicht zu führen. Ich bin ganz jung und die Geschäfte rollen vor mir her. Ich klage nicht, ich klage nicht.

Seit Neujahr hat ein junger Mann die kleine, leerstehende Nebenwohnung, die ich ungeschickterweise so lange zu mieten gezögert habe, frischweg gemietet. Auch ein Zimmer mit Vorzimmer, außerdem aber noch eine Küche. – Zimmer und Vorzimmer hätte ich wohl brauchen können – meine zwei Fräulein fühlten sich schon manchmal überlastet –, aber wozu hätte mir die Küche gedient? Dieses kleinliche Bedenken war daran schuld, daß ich mir die Wohnung habe nehmen lassen. Nun sitzt dort dieser junge Mann. Harras heißt er. Was er dort eigentlich macht, weiß ich nicht. Auf der Tür steht: ›Harras, Bureau‹. Ich habe Erkundigungen eingezogen, man hat mir mitgeteilt, es sei ein Geschäft ähnlich dem meinigen. Vor Kreditgewährung könne man nicht geradezu warnen, denn es handle sich doch um einen jungen, aufstrebenden Mann, dessen Sache vielleicht Zukunft habe, doch könne man zum Kredit nicht geradezu raten, denn gegenwärtig sei allem Anschein nach kein Vermögen vorhanden. Die übliche Auskunft, die man gibt, wenn man nichts weiß.

Manchmal treffe ich Harras auf der Treppe, er muß es immer außerordentlich eilig haben, er huscht förmlich an mir vorüber. Genau gesehen habe ich ihn noch gar nicht, den Büroschlüssel hat er schon vorbereitet in der Hand. Im Augenblick hat er die Tür geöffnet. Wie der Schwanz einer Ratte ist er hineingeglitten und ich stehe wieder vor der Tafel ›Harras, Bureau‹, die ich schon viel öfter gelesen habe, als sie es verdient.

Die elend dünnen Wände, die den ehrlich tätigen Mann verraten, den Unehrlichen aber decken. Mein Telephon ist an der Zimmerwand angebracht, die mich von meinem Nachbar trennt. Doch hebe ich das bloß als besonders ironische Tatsache hervor.

Selbst wenn es an der entgegengesetzten Wand hinge, würde man in der Nebenwohnung alles hören. Ich habe mir abgewöhnt, den Namen der Kunden beim Telephon zu nennen. Aber es gehört natürlich nicht viel Schlauheit dazu, aus charakteristischen, aber unvermeidlichen Wendungen des Gesprächs die Namen zu erraten. – Manchmal umtanze ich, die Hörmuschel am Ohr, von Unruhe gestachelt, auf den Fußspitzen den Apparat und kann es doch nicht verhüten, daß Geheimnisse preisgegeben werden.

Natürlich werden dadurch meine geschäftlichen Entscheidungen unsicher, meine Stimme zittrig. Was macht Harras, während ich telephoniere? Wollte ich sehr übertreiben – aber das muß man oft, um sich Klarheit zu verschaffen –, so könnte ich sagen: Harras braucht kein Telephon, er benutzt meines, er hat sein Kanapee an die Wand gerückt und horcht, ich dagegen muß, wenn geläutet wird, zum Telephon laufen, die Wünsche des Kunden entgegennehmen, schwerwiegende Entschlüsse fassen, großangelegte Überredungen ausführen – vor allem aber während des Ganzen unwillkürlich durch die Zimmerwand Harras Bericht erstatten.

Vielleicht wartet er gar nicht das Ende des Gespräches ab, sondern erhebt sich nach der Gesprächsstelle, die ihn über den Fall genügend aufgeklärt hat, huscht nach seiner Gewohnheit durch die Stadt und, ehe ich die Hörmuschel aufgehängt habe, ist er vielleicht schon daran, mir entgegenzuarbeiten.

DIE PRÜFUNG

Ich bin ein Diener, aber es ist keine Arbeit für mich da. Ich bin ängstlich und dränge mich nicht vor, ja ich dränge mich nicht einmal in eine Reihe mit den andern, aber das ist nur die eine Ursache meines Nichtbeschäftigtseins, es ist auch möglich, daß es mit meinem Nichtbeschäftigtsein überhaupt nichts zu tun hat, die Hauptsache ist jedenfalls, daß ich nicht zum Dienst gerufen werde, andere sind gerufen worden und haben sich nicht mehr darum beworben als ich, ja haben vielleicht nicht einmal den Wunsch gehabt, gerufen zu werden, während ich ihn wenigstens manchmal sehr stark habe.

So liege ich also auf der Pritsche in der Gesindestube, schaue zu den Balken auf der Decke hinauf, schlafe ein, wache auf und schlafe schon wieder ein. Manchmal gehe ich hinüber ins Wirtshaus, wo ein saures Bier ausgeschenkt wird, manchmal habe ich schon vor Widerwillen ein Glas davon ausgeschüttet, dann aber trinke ich es wieder. Ich sitze gern dort, weil ich hinter dem geschlossenen kleinen Fenster, ohne von irgend jemandem entdeckt werden zu können, zu den Fenstern unseres Hauses hinübersehen kann. Man sieht ja dort nicht viel, hier gegen die Straße zu liegen, glaube ich, nur die Fenster der Korridore und überdies nicht jener Korridore, die zu den Wohnungen der Herrschaft führen. Es ist möglich, daß ich mich aber auch irre, irgend jemand hat es einmal, ohne daß ich ihn gefragt hätte, behauptet und der allgemeine Eindruck dieser Hausfront bestätigt das. Selten nur werden die Fenster geöffnet, und wenn es geschieht, tut es ein Diener und lehnt sich dann wohl auch an die Brüstung, um ein Weilchen hinunterzusehn. Es sind also Korridore, wo er nicht überrascht werden kann. Übrigens kenne ich diese Diener nicht, die ständig oben beschäftigten Diener schlafen anderswo, nicht in meiner Stube.

Einmal, als ich ins Wirtshaus kam, saß auf meinem Beobachtungsplatz schon ein Gast. Ich wagte nicht genau hinzusehn und wollte mich gleich in der Tür wieder umdrehn und weggehn. Aber der Gast rief mich zu sich, und es zeigte sich, daß er auch ein Diener war, den ich schon einmal irgendwo gesehn hatte, ohne aber bisher mit ihm gesprochen zu haben.

»Warum willst du fortlaufen? Setz dich her und trink! Ich zahl's.«
So setzte ich mich also. Er fragte mich einiges, aber ich konnte es
nicht beantworten, ja ich verstand nicht einmal die Fragen. Ich
sagte deshalb: »Vielleicht reut es dich jetzt, daß du mich eingela-
den hast, dann gehe ich«, und ich wollte schon aufstehn. Aber er
langte mit seiner Hand über den Tisch herüber und drückte mich
nieder: »Bleib«, sagte er, »das war ja nur eine Prüfung. Wer die
Fragen nicht beantwortet, hat die Prüfung bestanden.«

Es war sehr unsicher, ob ich Fürsprecher hatte, ich konnte nichts Genaues darüber erfahren, alle Gesichter waren abweisend, die meisten Leute, die mir entgegenkamen, und die ich wieder und wieder auf den Gängen traf, sahen wie alte dicke Frauen aus, sie hatten große, den ganzen Körper bedeckende, dunkelblau und weiß gestreifte Schürzen, strichen sich den Bauch und drehten sich schwerfällig hin und her. Ich konnte nicht einmal erfahren, ob wir in einem Gerichtsgebäude waren. Manches sprach dafür, vieles dagegen. Über alle Einzelheiten hinweg erinnerte mich am meisten an ein Gericht ein Dröhnen, das unaufhörlich aus der Ferne zu hören war, man konnte nicht sagen, aus welcher Richtung es kam, es erfüllte so sehr alle Räume, daß man annehmen konnte, es komme von überall oder, was noch richtiger schien, gerade der Ort, wo man zufällig stand, sei der eigentliche Ort dieses Dröhnens, aber gewiß war das eine Täuschung, denn es kam aus der Ferne. Diese Gänge, schmal, einfach überwölbt, in langsamen Wendungen geführt, mit sparsam geschmückten hohen Türen, schienen sogar für tiefe Stille geschaffen, es waren die Gänge eines Museums oder einer Bibliothek. Wenn es aber kein Gericht war, warum forschte ich dann hier nach einem Fürsprecher? Weil ich überall einen Fürsprecher suchte, überall ist er nötig, ja man braucht ihn weniger bei Gericht als anderswo, denn das Gericht spricht sein Urteil nach dem Gesetz, sollte man annehmen. Sollte man annehmen, daß es hierbei ungerecht oder leichtfertig vorgehe, wäre ja kein Leben möglich, man muß zum Gericht das Zutrauen haben, daß es der Majestät des Gesetzes freien Raum gibt, denn das ist seine einzige Aufgabe, im Gesetz selbst aber ist alles Anklage, Fürspruch und Urteil, das selbständige Sicheinmischen eines Menschen hier wäre Frevel. Anders aber verhält es sich mit dem Tatbestand eines Urteils, dieser gründet sich auf Erhebungen hier und dort, bei Verwandten und Fremden, bei Freunden und Feinden, in der Familie und in der Öffentlichkeit, in Stadt und Dorf, kurz überall. Hier ist es dringend nötig, Fürsprecher zu haben, Fürsprecher in Mengen, die besten Fürsprecher, einen eng neben dem andern, eine lebende Mauer, denn die Fürsprecher sind ihrer Natur nach schwer beweglich, die Ankläger aber, diese schlauen Füchse, diese flinken Wiesel, die unsichtbaren Mäuschen, schlüpfen durch die kleinsten Lücken, huschen zwischen den Beinen der Fürsprecher durch. Also Achtung! Deshalb bin ich ja hier, ich sammle Fürsprecher. Aber ich habe noch keinen gefunden, nur diese alten Frauen kommen und gehn, immer wieder; wäre ich nicht auf der Suche, es würde mich einschläfern. Ich bin nicht am richtigen Ort, leider kann ich mich dem Eindruck nicht verschließen, daß ich nicht am richtigen Ort bin. Ich müßte an einem Ort sein, wo vielerlei Menschen zusammenkommen, aus verschiedenen Gegenden, aus allen Ständen, aus allen Berufen, verschiedenen Alters, ich müßte die Möglichkeit haben, die Tauglichen, die Freundlichen, die, welche einen Blick für mich haben, vorsichtig auszuwählen aus einer Menge. Am besten wäre dazu vielleicht ein großer Jahrmarkt geeignet. Statt dessen treibe ich mich auf diesen Gängen umher, wo nur diese alten Frauen zu sehn sind, und auch von ihnen nicht viele, und immerfort die gleichen und selbst diese wenigen, trotz ihrer Langsamkeit, lassen sich von mir nicht stellen, entgleiten mir, schweben wie Regenwolken, sind von unbekannten Beschäftigungen ganz in Anspruch genommen. Warum eile ich denn blindlings in ein Haus, lese nicht die Aufschrift über dem Tor, bin gleich auf den Gängen, setze mich hier mit solcher Verbohrtheit fest, daß ich mich gar nicht erinnern kann, jemals vor dem Haus gewesen, jemals die Treppen hinaufgelaufen zu sein. Zurück aber darf ich nicht, diese Zeitversäumnis, dieses Eingestehn eines Irrwegs wäre mir unerträglich. Wie? In diesem kurzen, eiligen, von einem ungeduldigen Dröhnen begleiteten Leben eine Treppe hinunterlaufen? Das ist unmöglich. Die dir zugemessene Zeit ist so kurz, daß du, wenn du eine Sekunde verlierst, schon dein ganzes Leben verloren hast, denn es ist nicht länger, es ist immer nur so lang, wie die Zeit, die du verlierst. Hast du also einen Weg begonnen, setze ihn fort, unter allen Umständen, du kannst nur gewinnen, du läufst keine Gefahr, vielleicht wirst du am Ende abstürzen, hättest du aber schon nach den ersten Schritten dich zurückgewendet und wärest die Treppe hinuntergelaufen, wärst du gleich am Anfang abgestürzt und nicht vielleicht, sondern ganz gewiß. Findest du also nichts hier auf den Gängen, öffne die Türen, findest du nichts hinter diesen Türen, gibt es neue

Stockwerke, findest du oben nichts, es ist keine Not, schwinge dich neue Treppen hinauf. Solange du nicht zu steigen aufhörst, hören die Stufen nicht auf, unter deinen steigenden Füßen wachsen sie aufwärts.

HEIMKEHR

Ich bin zurückgekehrt, ich habe den Flur durchschritten und blicke mich um. Es ist meines Vaters alter Hof. Die Pfütze in der Mitte. Altes, unbrauchbares Gerät, ineinanderverfahren, verstellt den Weg zur Bodentreppe. Die Katze lauert auf dem Geländer. Ein zerrissenes Tuch, einmal im Spiel um eine Stange gewunden, hebt sich im Wind. Ich bin angekommen. Wer wird mich empfangen? Wer wartet hinter der Tür der Küche? Rauch kommt aus dem Schornstein, der Kaffee zum Abendessen wird gekocht. Ist dir heimlich, fühlst du dich zu Hause? Ich weiß es nicht, ich bin sehr unsicher. Meines Vaters Haus ist es, aber kalt steht Stück neben Stück, als wäre jedes mit seinen eigenen Angelegenheiten beschäftigt, die ich teils vergessen habe, teils niemals kannte. Was kann ich ihnen nützen, was bin ich ihnen und sei ich auch des Vaters, des alten Landwirts Sohn. Und ich wage nicht, an der Küchentür zu klopfen, nur von der Ferne horche ich, nur von der Ferne horche ich stehend, nicht so, daß ich als Horcher überrascht werden könnte. Und weil ich von der Ferne horche, erhorche ich nichts, nur einen leichten Uhrenschlag höre ich oder glaube ihn vielleicht nur zu hören, herüber aus den Kindertagen. Was sonst in der Küche geschieht, ist das Geheimnis der dort Sitzenden, das sie vor mir wahren. Je länger man vor der Tür zögert, desto fremder wird man. Wie wäre es, wenn jetzt jemand die Tür öffnete und mich etwas fragte. Wäre ich dann nicht selbst wie einer, der sein Geheimnis wahren will.

GEMEINSCHAFT

Wir sind fünf Freunde, wir sind einmal hintereinander aus einem Haus gekommen, zuerst kam der eine und stellte sich neben das Tor, dann kam oder vielmehr glitt so leicht, wie ein Quecksilberkügelchen gleitet, der zweite aus dem Tor und stellte sich unweit vom ersten auf, dann der dritte, dann der vierte, dann der fünfte. Schließlich standen wir alle in einer Reihe. Die Leute wurden auf uns aufmerksam, zeigten auf uns und sagten: Die fünf sind jetzt aus diesem Haus gekommen. Seitdem leben wir zusammen, es wäre ein friedliches Leben, wenn sich nicht immerfort ein sechster einmischen würde. Er tut uns nichts, aber er ist uns lästig, das ist genug getan; warum drängt er sich ein, wo man ihn nicht haben will. Wir kennen ihn nicht und wollen ihn nicht bei uns aufnehmen. Wir fünf haben zwar früher einander auch nicht gekannt, und wenn man will, kennen wir einander auch jetzt nicht, aber was bei uns fünf möglich ist und geduldet wird, ist bei jenem sechsten nicht möglich und wird nicht geduldet. Außerdem sind wir fünf und wir wollen nicht sechs sein. Und was soll überhaupt dieses fortwährende Beisammensein für einen Sinn haben, auch bei uns fünf hat es keinen Sinn, aber nun sind wir schon beisammen und bleiben es, aber eine neue Vereinigung wollen wir nicht, eben auf Grund unserer Erfahrungen. Wie soll man aber das alles dem sechsten beibringen, lange Erklärungen würden schon fast eine Aufnahme in unsern Kreis bedeuten, wir erklären lieber nichts und nehmen ihn nicht auf. Mag er noch so sehr die Lippen aufwerfen, wir stoßen ihn mit dem Ellbogen weg, aber mögen wir ihn noch so sehr wegstoßen, er kommt wieder.

BLUMFELD, EIN ÄLTERER JUNGGESELLE

Blumfeld, ein älterer Junggeselle, stieg eines Abends zu seiner Wohnung hinauf, was eine mühselige Arbeit war, denn er wohnte im sechsten Stock. Während des Hinaufsteigens dachte er, wie öfters in der letzten Zeit, daran, daß dieses vollständig einsame Leben recht lästig sei, daß er jetzt diese sechs Stockwerke förmlich im Geheimen hinaufsteigen müsse, um oben in seinen leeren Zimmern anzukommen, dort wieder förmlich im Geheimen den Schlafrock anzuziehn, die Pfeife anzustecken, in der französischen Zeitschrift, die er schon seit Jahren abonniert hatte, ein wenig zu lesen, dazu an einem von ihm selbst bereiteten Kirschenschnaps zu nippen und schließlich nach einer halben Stunde zu Bett zu gehn, nicht ohne vorher das Bettzeug vollständig umordnen zu müssen, das die jeder Belehrung unzugängliche Bedienerin immer nach ihrer Laune hinwarf. Irgendein Begleiter, irgendein Zuschauer für diese Tätigkeiten wäre Blumfeld sehr willkommen gewesen. Er hatte schon überlegt, ob er sich nicht einen kleinen Hund anschaffen solle. Ein solches Tier ist lustig und vor allem dankbar und treu; ein Kollege von Blumfeld hat einen solchen Hund, er schließt sich niemandem an, außer seinem Herrn, und hat er ihn ein paar Augenblicke nicht gesehn, empfängt er ihn gleich mit großem Bellen, womit er offenbar seine Freude darüber ausdrücken will, seinen Herrn, diesen außerordentlichen Wohltäter wieder gefunden zu haben. Allerdings hat ein Hund auch Nachteile. Selbst wenn er noch so reinlich gehalten wird, verunreinigt er das Zimmer. Das ist gar nicht zu vermeiden, man kann ihn nicht jedesmal, ehe man ihn ins Zimmer hineinnimmt, in heißem Wasser baden, auch würde das seine Gesundheit nicht vertragen. Unreinlichkeit in seinem Zimmer aber verträgt wieder Blumfeld nicht, die Reinheit seines Zimmers ist ihm etwas Unentbehrliches, mehrmals in der Woche hat er mit der in diesem Punkte leider nicht sehr peinlichen Bedienerin Streit. Da sie schwerhörig ist, zieht er sie gewöhnlich am Arm zu jenen Stellen des Zimmers, wo er an der Reinlichkeit etwas auszusetzen hat. Durch diese Strenge hat er es erreicht, daß die Ordnung im Zimmer annähernd seinen Wünschen entspricht. Mit der Einführung eines Hundes würde er aber geradezu den bisher so sorgfältig abgewehrten Schmutz freiwillig in sein Zimmer leiten. Flöhe, die ständigen Begleiter der Hunde, würden sich einstellen. Waren aber einmal Flöhe da, dann war auch der Augenblick nicht mehr fern, an dem Blumfeld sein behagliches Zimmer dem Hund überlassen und ein anderes Zimmer suchen würde. Unreinlichkeit war aber nur *ein* Nachteil der Hunde. Hunde werden auch krank und Hundekrankheiten versteht doch eigentlich niemand. Dann hockt dieses Tier in einem Winkel oder hinkt herum, winselt, hüstelt, würgt an irgendeinem Schmerz, man umwickelt es mit einer Decke, pfeift ihm etwas vor, schiebt ihm Milch hin, kurz, pflegt es in der Hoffnung, daß es sich, wie es ja auch möglich ist, um ein vorübergehendes Leiden handelt, indessen aber kann es eine ernsthafte, widerliche und ansteckende Krankheit sein. Und selbst wenn der Hund gesund bleibt, so wird er doch später einmal alt, man hat sich nicht entschließen können, das treue Tier rechtzeitig wegzugeben, und es kommt dann die Zeit, wo einen das eigene Alter aus den tränenden Hundeaugen anschaut. Dann muß man sich aber mit dem halbblinden, lungenschwachen, vor Fett fast unbeweglichen Tier quälen und damit die Freuden, die der Hund früher gemacht hat, teuer bezahlen. So gern Blumfeld einen Hund jetzt hätte, so will er doch lieber noch dreißig Jahre allein die Treppe hinaufsteigen, statt später von einem solchen alten Hund belästigt zu werden, der, noch lauter seufzend als er selbst, sich neben ihm von Stufe zu Stufe hinaufschleppt.

So wird also Blumfeld doch allein bleiben, er hat nicht etwa die Gelüste einer alten Jungfer, die irgendein untergeordnetes lebendiges Wesen in ihrer Nähe haben will, das sie beschützen darf, mit dem sie zärtlich sein kann, welches sie immerfort bedienen will, so daß ihr also zu diesem Zweck eine Katze, ein Kanarienvogel oder selbst Goldfische genügen. Und kann es das nicht sein, so ist sie sogar mit Blumen vor dem Fenster zufrieden. Blumfeld dagegen will nur einen Begleiter haben, ein Tier, um das er sich nicht viel kümmern muß, dem ein gelegentlicher Fußtritt nicht schadet, das im Notfall auch auf der Gasse übernachten kann, das aber, wenn es Blumfeld danach verlangt, gleich mit Bellen, Springen, Händelecken zur Verfügung steht. Etwas derartiges will Blumfeld, da er es aber, wie er einsieht, ohne allzugroße Nachteile nicht haben kann, so verzichtet er darauf, kommt aber seiner gründlichen Natur entsprechend von Zeit zu Zeit, zum Beispiel an diesem Abend, wieder auf die gleichen Gedanken zurück.

Als er oben vor seiner Zimmertür den Schlüssel aus der Tasche holt, fällt ihm ein Geräusch auf, das aus seinem Zimmer kommt. Ein eigentümliches klapperndes Geräusch, sehr lebhaft aber, sehr regelmäßig. Da Blumfeld gerade an Hunde gedacht hat, erinnert es ihn an das Geräusch, das Pfoten hervorbringen, wenn sie abwechselnd auf den Boden schlagen. Aber Pfoten klappern nicht, es sind nicht Pfoten. Er schließt eilig die Tür auf und dreht das elektrische Licht auf. Auf diesen Anblick war er nicht vorbereitet. Das ist ja Zauberei, zwei kleine, weiße blaugestreifte Zelluloidbälle springen auf dem Parkett nebeneinander auf und ab; schlägt der eine auf den Boden, ist der andere in der Höhe, und unermüdlich führen sie ihr Spiel aus. Einmal im Gymnasium hat Blumfeld bei einem bekannten elektrischen Experiment kleine Kügelchen ähnlich springen sehn, diese aber sind verhältnismäßig große Bälle, springen im freien Zimmer und es wird kein elektrisches Experiment angestellt. Blumfeld bückt sich zu ihnen herab, um sie genauer anzusehn. Es sind ohne Zweifel gewöhnliche Bälle, sie enthalten wahrscheinlich in ihrem Innern noch einige kleinere Bälle und diese erzeugen das klappernde Geräusch. Blumfeld greift in die Luft, um festzustellen, ob sie nicht etwa an irgendwelchen Fäden hängen, nein, sie bewegen sich ganz selbständig. Schade, daß Blumfeld nicht ein kleines Kind ist, zwei solche Bälle wären für ihn eine freudige Überraschung gewesen, während jetzt das Ganze einen mehr unangenehmen Eindruck auf ihn macht. Es ist doch nicht ganz wertlos, als ein unbeachteter Junggeselle nur im Geheimen zu leben, jetzt hat irgend jemand, gleichgültig wer, dieses Geheimnis gelüftet und ihm diese zwei komischen Bälle hereingeschickt.

Er will einen fassen, aber sie weichen vor ihm zurück und locken ihn im Zimmer hinter sich her. Es ist doch zu dumm, denkt er, so hinter den Bällen herzulaufen, bleibt stehen und sieht ihnen nach, wie sie, da die Verfolgung aufgegeben scheint, auch auf der gleichen Stelle bleiben. Ich werde sie aber doch zu fangen suchen, denkt er dann wieder und eilt zu ihnen. Sofort flüchten sie sich, aber Blumfeld drängt sie mit auseinandergestellten Beinen in eine

Zimmerecke, und vor dem Koffer, der dort steht, gelingt es ihm, einen Ball zu fangen. Es ist ein kühler, kleiner Ball und dreht sich in seiner Hand, offenbar begierig zu entschlüpfen. Und auch der andere Ball, als sehe er die Not seines Kameraden, springt höher als früher, und dehnt die Sprünge, bis er Blumfelds Hand berührt. Er schlägt gegen die Hand, schlägt in immer schnelleren Sprüngen, ändert die Angriffspunkte, springt dann, da er gegen die Hand, die den Ball ganz umschließt, nichts ausrichten kann, noch höher und will wahrscheinlich Blumfelds Gesicht erreichen. Blumfeld könnte auch diesen Ball fangen und beide irgendwo einsperren, aber es scheint ihm im Augenblick zu entwürdigend, solche Maßnahmen gegen zwei kleine Bälle zu ergreifen. Es ist doch auch ein Spaß, zwei solche Bälle zu besitzen, auch werden sie bald genug müde werden, unter einen Schrank rollen und Ruhe geben. Trotz dieser Überlegung schleudert aber Blumfeld in einer Art Zorn den Ball zu Boden, es ist ein Wunder, daß hiebei die schwache, fast durchsichtige Zelluloidhülle nicht zerbricht. Ohne Übergang nehmen die zwei Bälle ihre frühern, niedrigen, gegenseitig abgestimmten Sprünge wieder auf.

Blumfeld entkleidet sich ruhig, ordnet die Kleider im Kasten, er pflegt immer genau nachzusehn, ob die Bedienerin alles in Ordnung zurückgelassen hat. Ein- oder zweimal schaut er über die Schulter weg nach den Bällen, die unverfolgt jetzt sogar ihn zu verfolgen scheinen, sie sind ihm nachgerückt und springen nun knapp hinter ihm. Blumfeld zieht den Schlafrock an und will zu der gegenüberliegenden Wand, um eine der Pfeifen zu holen, die dort in einem Gestell hängen. Unwillkürlich schlägt er, ehe er sich umdreht, mit einem Fuß nach hinten aus, die Bälle aber verstehen es auszuweichen und werden nicht getroffen. Als er nun um die Pfeife geht, schließen sich ihm die Bälle gleich an, er schlurft mit den Pantoffeln, macht unregelmäßige Schritte, aber doch folgt jedem Auftreten fast ohne Pause ein Aufschlag der Bälle, sie halten mit ihm Schritt. Blumfeld dreht sich unerwartet um, um zu sehn, wie die Bälle das zustande bringen. Aber kaum hat er sich umgedreht, beschreiben die Bälle einen Halbkreis und sind schon wieder hinter ihm und das wiederholt sich, sooft er sich umdreht. Wie untergeordnete Begleiter, suchen sie es zu vermeiden, vor Blumfeld sich aufzuhalten. Bis jetzt haben sie es scheinbar nur gewagt, um sich ihm vorzustellen, jetzt aber haben sie bereits ihren Dienst angetreten.

Bisher hat Blumfeld immer in allen Ausnahmefällen, wo seine Kraft nicht hinreichte, um die Lage zu beherrschen, das Aushilfsmittel gewählt, so zu tun, als bemerke er nichts. Es hat oft geholfen und meistens die Lage wenigstens verbessert. Er verhält sich also auch jetzt so, steht vor dem Pfeifengestell, wählt mit aufgestülpten Lippen eine Pfeife, stopft sie besonders gründlich aus dem bereitgestellten Tabaksbeutel und läßt unbekümmert hinter sich die Bälle ihre Sprünge machen. Nur zum Tisch zu gehn zögert er, den Gleichtakt der Sprünge und seiner eigenen Schritte zu hören, schmerzt ihn fast. So steht er, stopft die Pfeife unnötig lange und prüft die Entfernung, die ihn vom Tische trennt. Endlich aber überwindet er seine Schwäche und legt die Strecke unter solchem Fußstampfen zurück, daß er die Bälle gar nicht hört. Als er sitzt, springen sie allerdings hinter seinem Sessel wieder vernehmlich wie früher.

Über dem Tisch ist in Griffnähe an der Wand ein Brett angebracht, auf dem die Flasche mit dem Kirschenschnaps von kleinen Gläschen umgeben steht. Neben ihr liegt ein Stoß von Heften der französischen Zeitschrift. (Gerade heute ist ein neues Heft gekommen und Blumfeld holt es herunter. Den Schnaps vergißt er ganz, er hat selbst das Gefühl, als ob er heute nur aus Trost an seinen gewöhnlichen Beschäftigungen sich nicht hindern ließe, auch ein wirkliches Bedürfnis zu lesen hat er nicht. Er schlägt das Heft, entgegen seiner sonstigen Gewohnheit, Blatt für Blatt sorgfältig zu wenden, an einer beliebigen Stelle auf und findet dort ein großes Bild. Er zwingt sich es genauer anzusehn. Es stellt die Begegnung zwischen dem Kaiser von Rußland und dem Präsidenten von Frankreich dar. Sie findet auf einem Schiff statt. Ringsherum bis in die Ferne sind noch viele andere Schiffe, der Rauch ihrer Schornsteine verflüchtigt sich im hellen Himmel. Beide, der Kaiser und der Präsident, sind eben in langen Schritten einander entgegengeeilt und fassen einander gerade bei der Hand. Hinter dem Kaiser wie hinter dem Präsidenten stehen je zwei Herren. Gegenüber den freudigen Gesichtern des Kaisers und des Präsidenten sind die Gesichter der Begleiter sehr ernst, die Blicke jeder Begleitgruppe vereinigen sich auf ihren Herrscher. Tiefer unten, der Vorgang spielt sich offenbar auf dem höchsten Deck des Schiffes ab, stehen vom Bildrand abgeschnitten lange Reihen salutierender Matrosen. Blumfeld betrachtet allmählich das Bild mit mehr Teilnahme, hält es dann ein wenig entfernt und sieht es so mit blinzelnden Augen an. Er hat immer viel Sinn für solche großartige Szenen gehabt. Daß die Hauptpersonen so unbefangen, herzlich und leichtsinnig einander die Hände drücken, findet er sehr wahrheitsgetreu. Und ebenso richtig ist es, daß die Begleiter – übrigens natürlich sehr hohe Herren, deren Namen unten verzeichnet sind – in ihrer Haltung den Ernst des historischen Augenblicks wahren.)

Und statt alles, was er benötigt, herunterzuholen, sitzt Blumfeld still und blickt in den noch immer nicht entzündeten Pfeifenkopf. Er ist auf der Lauer, plötzlich, ganz unerwartet weicht sein Erstarren und er dreht sich in einem Ruck mit dem Sessel um. Aber auch die Bälle sind entsprechend wachsam oder folgen gedankenlos dem sie beherrschenden Gesetz, gleichzeitig mit Blumfelds Umdrehung verändern auch sie ihren Ort und verbergen sich hinter seinem Rücken. Nun sitzt Blumfeld mit dem Rücken zum Tisch, die kalte Pfeife in der Hand. Die Bälle springen jetzt unter dem Tisch und sind, da dort ein Teppich ist, nur wenig zu hören. Das ist ein großer Vorteil; es gibt nur ganz schwache dumpfe Geräusche, man muß sehr aufmerken, um sie mit dem Gehör noch zu erfassen. Blumfeld allerdings ist sehr aufmerksam und hört sie genau. Aber das ist nur jetzt so, in einem Weilchen wird er sie wahrscheinlich gar nicht mehr hören. Daß sie sich auf Teppichen so wenig bemerkbar machen können, scheint Blumfeld eine große Schwäche der Bälle zu sein. Man muß ihnen nur einen oder noch besser zwei Teppiche unterschieben und sie sind fast machtlos. Allerdings nur für eine bestimmte Zeit, und außerdem bedeutet schon ihr Dasein eine gewisse Macht.

Jetzt könnte Blumfeld einen Hund gut brauchen, so ein junges, wildes Tier würde mit den Bällen bald fertig werden; er stellt sich vor, wie dieser Hund mit den Pfoten nach ihnen hascht, wie er sie von ihrem Posten vertreibt, wie er sie kreuz und quer durchs Zimmer jagt und sie schließlich zwischen seine Zähne bekommt. Es ist leicht möglich, daß sich Blumfeld in nächster Zeit einen Hund anschafft.

Vorläufig aber müssen die Bälle nur Blumfeld fürchten und er hat jetzt keine Lust sie zu zerstören, vielleicht fehlt es ihm auch nur an Entschlußkraft dazu. Er kommt abends müde aus der Arbeit und nun, wo er Ruhe nötig hat, wird ihm diese Überraschung bereitet.

Er fühlt erst jetzt, wie müde er eigentlich ist. Zerstören wird er ja die Bälle gewiß, und zwar in allernächster Zeit, aber vorläufig nicht und wahrscheinlich erst am nächsten Tag. Wenn man das Ganze unvoreingenommen ansieht, führen sich übrigens die Bälle genügend bescheiden auf. Sie könnten beispielsweise von Zeit zu Zeit vorspringen, sich zeigen und wieder an ihren Ort zurückkehren, oder sie könnten höher springen, um an die Tischplatte zu schlagen und sich für die Dämpfung durch den Teppich so entschädigen. Aber das tun sie nicht, sie wollen Blumfeld nicht unnötig reizen, sie beschränken sich offenbar nur auf das unbedingt Notwendige.

Allerdings genügt auch dieses Notwendige, um Blumfeld den Aufenthalt beim Tisch zu verleiden. Er sitzt erst ein paar Minuten dort und denkt schon daran, schlafen zu gehn. Einer der Beweggründe dafür ist auch der, daß er hier nicht rauchen kann, denn er hat die Zündhölzer auf das Nachttischchen gelegt. Er müßte also diese Zündhölzchen holen, wenn er aber einmal beim Nachttisch ist, ist es wohl besser schon dort zu bleiben und sich niederzulegen. Er hat hiebei auch noch einen Hintergedanken, er glaubt nämlich, daß die Bälle, in ihrer blinden Sucht, sich immer hinter ihm zu halten, auf das Bett springen werden und daß er sie dort, wenn er sich dann niederlegt, mit oder ohne Willen zerdrücken wird. Den Einwand, daß etwa auch noch die Reste der Bälle springen könnten, lehnt er ab. Auch das Ungewöhnliche muß Grenzen haben. Ganze Bälle springen auch sonst, wenn auch nicht ununterbrochen, Bruchstücke von Bällen dagegen springen niemals, und werden also auch hier nicht springen.

»Auf!« ruft er durch diese Überlegung fast mutwillig gemacht und stampft wieder mit den Bällen hinter sich zum Bett. Seine Hoffnung scheint sich zu bestätigen, wie er sich absichtlich ganz nahe ans Bett stellt, springt sofort ein Ball auf das Bett hinauf. Dagegen tritt das Unerwartete ein, daß der andere Ball sich unter das Bett begibt. An die Möglichkeit, daß die Bälle auch unter dem Bett springen könnten, hat Blumfeld gar nicht gedacht. Er ist über den einen Ball entrüstet, trotzdem er fühlt, wie ungerecht das ist, denn durch das Springen unter dem Bett erfüllt der Ball seine Aufgabe vielleicht noch besser als der Ball auf dem Bett. Nun kommt alles darauf an, für welchen Ort sich die Bälle entscheiden, denn, daß sie lang getrennt arbeiten könnten, glaubt Blumfeld nicht.

Und tatsächlich springt im nächsten Augenblick auch der untere Ball auf das Bett hinauf. Jetzt habe ich sie, denkt Blumfeld, heiß vor Freude, und reißt den Schlafrock vom Leib, um sich ins Bett zu werfen. Aber gerade springt der gleiche Ball wieder unter das Bett. Übermäßig enttäuscht sinkt Blumfeld förmlich zusammen. Der Ball hat sich wahrscheinlich oben nur umgesehn und es hat ihm nicht gefallen. Und nun folgt ihm auch der andere und bleibt natürlich unten, denn unten ist es besser. ›Nun werde ich diese Trommler die ganze Nacht hier haben‹, denkt Blumfeld, beißt die Lippen zusammen und nickt mit dem Kopf.

Er ist traurig, ohne eigentlich zu wissen, womit ihm die Bälle in der Nacht schaden könnten. Sein Schlaf ist ausgezeichnet, er wird das kleine Geräusch leicht überwinden. Um dessen ganz sicher zu sein, schiebt er ihnen entsprechend der gewonnenen Erfahrung zwei Teppiche unter. Es ist, als hätte er einen kleinen Hund, den er weich betten will. Und als wären auch die Bälle müde und schläfrig, sind auch ihre Sprünge niedriger und langsamer als früher. Wie Blumfeld vor dem Bett kniet und mit der Nachtlampe hinunterleuchtet, glaubt er manchmal, daß die Bälle auf den Teppichen für immer liegenbleiben werden, so schwach fallen sie, so langsam rollen sie ein Stückchen weit. Dann allerdings erheben sie sich wieder pflichtgemäß. Es ist aber leicht möglich, daß Blumfeld, wenn er früh unter das Bett schaut, dort zwei stille harmlose Kinderbälle finden wird.

Aber sie scheinen die Sprünge nicht einmal bis zum Morgen aushalten zu können, denn schon als Blumfeld im Bett liegt, hört er sie gar nicht mehr. Er strengt sich an, etwas zu hören, lauscht aus dem Bett vorgebeugt – kein Laut. So stark können die Teppiche nicht wirken, die einzige Erklärung ist, daß die Bälle nicht mehr springen, entweder können sie sich von den weichen Teppichen nicht genügend abstoßen und haben deshalb das Springen vorläufig aufgegeben, oder aber, was das Wahrscheinlichere ist, sie werden niemals mehr springen. Blumfeld könnte aufstehn und nachschauen, wie es sich eigentlich verhält, aber in seiner Zufriedenheit darüber, daß endlich Ruhe ist, bleibt er lieber liegen, er will an die ruhiggewordenen Bälle nicht einmal mit den Blicken rühren. Sogar auf das Rauchen verzichtet er gern, dreht sich zur Seite und schläft gleich ein.

Doch bleibt er nicht ungestört; wie sonst immer, ist sein Schlaf

auch diesmal traumlos, aber sehr unruhig. Unzählige Male in der
Nacht wird er durch die Täuschung aufgeschreckt, als ob jemand
an die Tür klopfe. Er weiß auch bestimmt, daß niemand klopft;
wer wollte in der Nacht klopfen und an seine, eines einsamen
Junggesellen Tür. Obwohl er es aber bestimmt weiß, fährt er doch
immer wieder auf und blickt einen Augenblick lang gespannt zur
Türe, den Mund offen, die Augen aufgerissen und die Haarsträh-
nen schütteln sich auf seiner feuchten Stirn. Er macht Versuche zu
zählen, wie oft er geweckt wird, aber besinnungslos von den ungeheuern Zahlen, die sich ergeben, fällt er wieder in den Schlaf zurück. Er glaubt zu wissen, woher das Klopfen stammt, es wird
nicht an der Tür ausgeführt, sondern ganz anderswo, aber er kann
sich in der Befangenheit des Schlafes nicht erinnern, worauf sich
seine Vermutungen gründen. Er weiß nur, daß viele winzige widerliche Schläge sich sammeln, ehe sie das große starke Klopfen
ergeben. Er würde alle Widerlichkeit der kleinen Schläge erdulden
wollen, wenn er das Klopfen vermeiden könnte, aber es ist aus irgendeinem Grunde zu spät, er kann hier nicht eingreifen, es ist versäumt, er hat nicht einmal Worte, nur zum stummen Gähnen
öffnet sich sein Mund, und wütend darüber schlägt er das Gesicht
in die Kissen. So vergeht die Nacht.

Am Morgen weckt ihn das Klopfen der Bedienerin, mit einem
Seufzer der Erlösung begrüßt er das sanfte Klopfen, über dessen
Unhörbarkeit er sich immer beklagt hat, und will schon »herein«
rufen, da hört er noch ein anderes lebhaftes, zwar schwaches, aber
förmlich kriegerisches Klopfen. Es sind die Bälle unter dem Bett.
Sind sie aufgewacht, haben sie im Gegensatz zu ihm über die
Nacht neue Kräfte gesammelt? »Gleich«, ruft Blumfeld der Bedienerin zu, springt aus dem Bett, aber vorsichtigerweise so, daß
er die Bälle im Rücken behält, wirft sich, immer den Rücken ihnen
zugekehrt, auf den Boden, blickt mit verdrehtem Kopf zu den
Bällen und – möchte fast fluchen. Wie Kinder, die in der Nacht die
lästigen Decken von sich schieben, haben die Bälle wahrscheinlich
durch kleine, während der ganzen Nacht fortgesetzte Zuckungen
die Teppiche so weit unter dem Bett hervorgeschoben, daß sie
selbst wieder das freie Parkett unter sich haben und Lärm machen
können. »Zurück auf die Teppiche«, sagt Blumfeld mit bösem
Gesicht, und erst, als die Bälle dank der Teppiche wieder still geworden sind, ruft er die Bedienerin herein. Während diese, ein fet-

tes, stumpfsinniges, immer steif aufrecht gehendes Weib, das Frühstück auf den Tisch stellt und die paar Handreichungen macht, die nötig sind, steht Blumfeld unbeweglich im Schlafrock bei seinem Bett, um die Bälle unten festzuhalten. Er folgt der Bedienerin mit den Blicken, um festzustellen, ob sie etwas merkt. Bei ihrer Schwerhörigkeit ist das sehr unwahrscheinlich und Blumfeld schreibt es seiner durch den schlechten Schlaf erzeugten Überreiztheit zu, wenn er zu sehen glaubt, daß die Bedienerin doch hie und da stockt, sich an irgendeinem Möbel festhält und mit hochgezogenen Brauen horcht. Er wäre glücklich, wenn er die Bedienerin dazu bringen könnte, ihre Arbeit ein wenig zu beschleunigen, aber sie ist fast langsamer als sonst. Umständlich belädt sie sich mit Blumfelds Kleidern und Stiefeln und zieht damit auf den Gang, lange bleibt sie weg, eintönig und ganz vereinzelt klingen die Schläge herüber, mit denen sie draußen die Kleider bearbeitet. Und während dieser ganzen Zeit muß Blumfeld auf dem Bett ausharren, darf sich nicht rühren, wenn er nicht die Bälle hinter sich herziehn will, muß den Kaffee, den er so gern möglichst warm trinkt, auskühlen lassen und kann nichts anderes tun, als den herabgelassenen Fenstervorhang anstarren, hinter dem der Tag trübe herandämmert. Endlich ist die Bedienerin fertig, wünscht einen guten Morgen und will schon gehn. Aber ehe sie sich endgültig entfernt, bleibt sie noch bei der Tür stehn, bewegt ein wenig die Lippen und sieht Blumfeld mit langem Blicke an. Blumfeld will sie schon zur Rede stellen, da geht sie schließlich. Am liebsten möchte Blumfeld die Tür aufreißen und ihr nachschreien, was für ein dummes, altes, stumpfsinniges Weib sie ist. Als er aber darüber nachdenkt, was er gegen sie eigentlich einzuwenden hat, findet er nur den Widersinn, daß sie zweifellos nichts bemerkt hat und sich doch den Anschein geben wollte, als hätte sie etwas bemerkt. Wie verwirrt seine Gedanken sind! Und das nur von einer schlecht durchschlafenen Nacht! Für den schlechten Schlaf findet er eine kleine Erklärung darin, daß er gestern abend von seinen Gewohnheiten abgewichen ist, nicht geraucht und nicht Schnaps getrunken hat. Wenn ich einmal, und das ist das Endergebnis seines Nachdenkens, nicht rauche und nicht Schnaps trinke, schlafe ich schlecht.

Er wird von jetzt ab mehr auf sein Wohlbefinden achten, und beginnt damit, daß er aus seiner Hausapotheke, die über dem Nachttischchen hängt, Watte nimmt und zwei Wattekügelchen sich in die Ohren stopft. Dann steht er auf und macht einen Probeschritt. Die Bälle folgen zwar, aber er hört sie fast nicht, noch ein Nachschub von Watte macht sie ganz unhörbar. Blumfeld führt noch einige Schritte aus, es geht ohne besondere Unannehmlichkeit. Jeder ist für sich, Blumfeld wie die Bälle, sie sind zwar aneinander gebunden, aber sie stören einander nicht. Nur als Blumfeld sich einmal rascher umwendet und ein Ball die Gegenbewegung nicht rasch genug machen kann, stößt Blumfeld mit dem Knie an ihn. Es ist der einzige Zwischenfall, im übrigen trinkt Blumfeld ruhig den Kaffee, er hat Hunger, als hätte er in dieser Nacht nicht geschlafen, sondern einen langen Weg gemacht, wäscht sich mit kaltem, ungemein erfrischendem Wasser und kleidet sich an. Bisher hat er die Vorhänge nicht hochgezogen, sondern ist aus Vorsicht lieber im Halbdunkel geblieben, für die Bälle braucht er keine fremden Augen. Aber als er jetzt zum Weggehn bereit ist, muß er die Bälle für den Fall, daß sie es wagen sollten – er glaubt es nicht – ihm auch auf die Gasse zu folgen, irgendwie versorgen. Er hat dafür einen guten Einfall, er öffnet den großen Kleiderkasten und stellt sich mit dem Rücken gegen ihn. Als hätten die Bälle eine Ahnung dessen, was beabsichtigt wird, hüten sie sich vor dem Inneren des Kastens, jedes Plätzchen, das zwischen Blumfeld und dem Kasten bleibt, nützen sie aus, springen, wenn es nicht anders geht, für einen Augenblick in den Kasten, flüchten sich aber vor dem Dunkel gleich wieder hinaus, über die Kante weiter in den Kasten sind sie gar nicht zu bringen, lieber verletzen sie ihre Pflicht und halten sich fast zur Seite Blumfelds. Aber ihre kleinen Listen sollen ihnen nichts helfen, denn jetzt steigt Blumfeld selbst rücklings in den Kasten und nun müssen sie allerdings folgen. Damit ist aber auch über sie entschieden, denn auf dem Kastenboden liegen verschiedene kleinere Gegenstände, wie Stiefel, Schachteln, kleine Koffer, die alle zwar – jetzt bedauert es Blumfeld – wohl geordnet sind, aber doch die Bälle sehr behindern. Und als nun Blumfeld, der inzwischen die Tür des Kastens fast zugezogen hat, mit einem großen Sprung, wie er ihn schon seit Jahren nicht ausgeführt hat, den Kasten verläßt, die Tür zudrückt und den Schlüssel umdreht, sind die Bälle eingesperrt. ›Das ist also gelungen‹, denkt Blumfeld und wischt sich den Schweiß vom Gesicht. Wie die Bälle in dem Kasten lärmen! Es macht den Eindruck, als wären sie verzweifelt.

Blumfeld dagegen ist sehr zufrieden. Er verläßt das Zimmer und schon der öde Korridor wirkt wohltuend auf ihn ein. Er befreit die Ohren von der Watte und die vielen Geräusche des erwachenden Hauses entzücken ihn. Menschen sieht man nur wenig, es ist noch sehr früh.

Unten im Flur vor der niedrigen Tür, durch die man in die Kellerwohnung der Bedienerin kommt, steht ihr kleiner zehnjähriger Junge. Ein Ebenbild seiner Mutter, keine Häßlichkeit der Alten ist in diesem Kindergesicht vergessen worden. Krummbeinig, die Hände in den Hosentaschen steht er dort und faucht, weil er schon jetzt einen Kropf hat und nur schwer Atem holen kann. Während aber Blumfeld sonst, wenn ihm der Junge in den Weg kommt, einen eiligeren Schritt einschlägt, um sich dieses Schauspiel möglichst zu ersparen, möchte er heute bei ihm fast stehnbleiben wollen. Wenn der Junge auch von diesem Weib in die Welt gesetzt ist und alle Zeichen seines Ursprungs trägt, so ist er vorläufig doch ein Kind, in diesem unförmigen Kopf sind doch Kindergedanken, wenn man ihn verständig ansprechen und etwas fragen wird, so wird er wahrscheinlich mit heller Stimme, unschuldig und ehrerbietig antworten, und man wird nach einiger Überwindung auch diese Wangen streicheln können. So denkt Blumfeld, geht aber doch vorüber. Auf der Gasse merkt er, daß das Wetter freundlicher ist, als er in seinem Zimmer gedacht hat. Die Morgennebel teilen sich und Stellen blauen, von kräftigem Wind gefegten Himmels erscheinen. Blumfeld verdankt es den Bällen, daß er viel früher aus seinem Zimmer herausgekommen ist als sonst, sogar die Zeitung hat er ungelesen auf dem Tisch vergessen, jedenfalls hat er dadurch viel Zeit gewonnen und kann jetzt langsam gehn. Es ist merkwürdig, wie wenig Sorge ihm die Bälle machen, seitdem er sie von sich getrennt hat. Solange sie hinter ihm her waren, konnte man sie für etwas zu ihm Gehöriges halten, für etwas, das bei Beurteilung seiner Person irgendwie mit herangezogen werden mußte, jetzt dagegen waren sie nur ein Spielzeug zu Hause im Kasten. Und es fällt hiebei Blumfeld ein, daß er die Bälle vielleicht am besten dadurch unschädlich machen könnte, daß er sie ihrer eigentlichen Bestimmung zuführt. Dort im Flur steht noch der Junge, Blumfeld wird ihm die Bälle schenken, und zwar nicht etwa borgen, sondern ausdrücklich schenken, was gewiß gleichbedeutend ist mit dem Befehl zu ihrer Vernichtung. Und selbst wenn sie heil bleiben sollten, so werden sie doch in den Händen des Jungen noch weniger bedeuten als im Kasten, das ganze Haus wird sehn, wie der Junge mit ihnen spielt, andere Kinder werden sich anschließen, die allgemeine Meinung, daß es sich hier um Spielbälle und nicht etwa um Lebensbegleiter Blumfelds handelt, wird unerschütterlich und unwiderstehlich werden. Blumfeld läuft ins Haus zurück. Gerade ist der Junge die Kellertreppe hinuntergestiegen und will unten die Tür öffnen. Blumfeld muß den Jungen also rufen und seinen Namen aussprechen, der lächerlich ist wie alles, was mit dem Jungen in Verbindung gebracht wird. »Alfred, Alfred«, ruft er. Der Junge zögert lange. »Also komm doch«, ruft Blumfeld, »ich gebe dir etwas.« Die kleinen zwei Mädchen des Hausmeisters sind aus der gegenüberliegenden Tür herausgekommen und stellen sich neugierig rechts und links von Blumfeld auf. Sie fassen viel schneller auf als der Junge und verstehen nicht, warum er nicht gleich kommt. Sie winken ihm, lassen dabei Blumfeld nicht aus den Augen, können aber nicht ergründen, was für ein Geschenk Alfred erwartet. Die Neugierde plagt sie und sie hüpfen von einem Fuß auf den andern. Blumfeld lacht sowohl über sie als über den Jungen. Dieser scheint sich endlich alles zurechtgelegt zu haben und steigt steif und schwerfällig hinauf. Nicht einmal im Gang verleugnet er seine Mutter, die übrigens unten in der Kellertür erscheint. Blumfeld schreit überlaut, damit ihn auch die Bedienerin versteht und die Ausführung seines Auftrags, falls es nötig sein sollte, überwacht. »Ich habe oben«, sagt Blumfeld, »in meinem Zimmer zwei schöne Bälle. Willst du sie haben?« Der Junge verzieht bloß den Mund, er weiß nicht, wie er sich verhalten soll, er dreht sich um und sieht fragend zu seiner Mutter hinunter. Die Mädchen aber fangen gleich an, um Blumfeld herumzuspringen und bitten um die Bälle. »Ihr werdet auch mit ihnen spielen dürfen«, sagt Blumfeld zu ihnen, wartet aber auf die Antwort des Jungen. Er könnte die Bälle gleich den Mädchen schenken, aber sie scheinen ihm zu leichtsinnig und er hat jetzt mehr Vertrauen zu dem Jungen. Dieser hat sich inzwischen bei seiner Mutter, ohne daß Worte gewechselt worden wären, Rat geholt und nickt auf eine neuerliche Frage Blumfelds zustimmend. »Dann gib acht«, sagt Blumfeld, der gern übersieht, daß er hier für sein Geschenk keinen Dank bekommen wird, »den Schlüssel zu meinem Zimmer hat deine Mutter, den mußt du dir von ihr ausborgen, hier gebe ich dir den Schlüssel von meinem Kleiderkasten und in diesem Kleiderkasten sind die Bälle. Sperr den Kasten und das Zimmer wieder vorsichtig zu. Mit den Bällen aber kannst du machen was du willst und mußt sie nicht wieder zurückbringen. Hast du mich verstanden?« Der Junge hat aber leider nicht verstanden. Blumfeld hat diesem grenzenlos begriffstützigen Wesen alles besonders klarmachen wollen, hat aber gerade infolge dieser Absicht alles zu oft wiederholt, zu oft abwechselnd von Schlüsseln, Zimmer und Kasten gesprochen, und der Junge starrt ihn infolgedessen nicht wie seinen Wohltäter, sondern wie einen Versucher an. Die Mädchen allerdings haben gleich alles begriffen, drängen sich an Blumfeld und strecken die Hände nach dem Schlüssel aus. »Wartet doch«, sagt Blumfeld und ärgert sich schon über alle. Auch vergeht die Zeit, er kann sich nicht mehr lange aufhalten. Wenn doch die Bedienerin endlich sagen wollte, daß sie ihn verstanden hat und alles richtig für den Jungen besorgen wird. Statt dessen steht sie aber noch immer unten an der Tür, lächelt geziert wie verschämte Schwerhörige und glaubt vielleicht, daß Blumfeld oben über ihren Jungen in plötzliches Entzücken geraten sei und ihm das kleine Einmaleins abhöre. Blumfeld wieder kann aber doch nicht die Kellertreppe hinunterspringen und der Bedienerin seine Bitte ins Ohr schreien, ihr Junge möge ihn doch um Gottes Barmherzigkeit willen von den Bällen befreien. Er hat sich schon genug bezwungen, wenn er den Schlüssel zu seinem Kleiderkasten für einen ganzen Tag dieser Familie anvertrauen will. Nicht um sich zu schonen, reicht er hier den Schlüssel dem Jungen, statt ihn selbst hinaufzuführen und ihm dort die Bälle zu übergeben. Aber er kann doch nicht oben die Bälle zuerst wegschenken und sie dann, wie es voraussichtlich geschehen müßte, dem Jungen gleich wieder nehmen, indem er sie als Gefolge hinter sich herzieht. »Du verstehst mich also noch immer nicht?« fragt Blumfeld wehmütig, nachdem er zu einer neuen Erklärung angesetzt, sie aber unter dem leeren Blick des Jungen gleich wieder abgebrochen hat. Ein solcher leerer Blick macht einen wehrlos. Er könnte einen dazu verführen, mehr zu sagen als man will, nur damit man diese Leere mit Verstand erfülle.

»Wir werden ihm die Bälle holen«, rufen da die Mädchen. Sie sind schlau, sie haben erkannt, daß sie die Bälle nur durch irgendeine Vermittlung des Jungen erhalten können, daß sie aber auch noch diese Vermittlung selbst bewerkstelligen müssen. Aus dem Zimmer des Hausmeisters schlägt eine Uhr und mahnt Blumfeld zur Eile. »Dann nehmt also den Schlüssel«, sagt Blumfeld, und der Schlüssel wird ihm mehr aus der Hand gezogen, als daß er ihn hergibt. Die Sicherheit, mit der er den Schlüssel dem Jungen gegeben hätte, wäre unvergleichbar größer gewesen. »Den Schlüssel zum Zimmer holt unten von der Frau«, sagt Blumfeld noch, »und wenn ihr mit den Bällen zurückkommt, müßt ihr beide Schlüssel der Frau geben.« »Ja, ja«, rufen die Mädchen und laufen die Treppe hinunter. Sie wissen alles, durchaus alles, und als sei Blumfeld von der Begriffstützigkeit des Jungen angesteckt, versteht er jetzt selbst nicht, wie sie seinen Erklärungen alles so schnell hatten entnehmen können.

Nun zerren sie schon unten am Rock der Bedienerin, aber Blumfeld kann, so verlockend es wäre, nicht länger zusehn, wie sie ihre Aufgabe ausführen werden, und zwar nicht nur weil es schon spät ist, sondern auch deshalb, weil er nicht zugegen sein will, wenn die Bälle ins Freie kommen. Er will sogar schon einige Gassen weit entfernt sein, wenn die Mädchen oben erst die Türe seines Zimmers öffnen. Er weiß ja gar nicht, wessen er sich von den Bällen noch versehen kann. Und so tritt er zum zweitenmal an diesem Morgen ins Freie. Er hat noch gesehn, wie die Bedienerin sich gegen die Mädchen förmlich wehrt und der Junge die krummen Beine rührt, um der Mutter zu Hilfe zu kommen. Blumfeld begreift es nicht, warum solche Menschen wie die Bedienerin auf der Welt gedeihen und sich fortpflanzen.

Während des Weges in die Wäschefabrik, in der Blumfeld angestellt ist, bekommen die Gedanken an die Arbeit allmählich über alles andere die Oberhand. Er beschleunigt seine Schritte und trotz der Verzögerung, die der Junge verschuldet hat, ist er der erste in seinem Bureau. Dieses Bureau ist ein mit Glas verschalter Raum, es enthält einen Schreibtisch für Blumfeld und zwei Stehpulte für die Blumfeld untergeordneten Praktikanten. Obwohl diese Stehpulte so klein und schmal sind, als seien sie für Schulkinder bestimmt, ist es doch in diesem Bureau sehr eng und die Praktikanten dürfen sich nicht setzen, weil dann für Blumfelds Sessel kein Platz mehr wäre. So stehen sie den ganzen Tag an ihre Pulte gedrückt. Das ist für sie gewiß sehr unbequem, es wird aber dadurch auch Blumfeld erschwert, sie zu beobachten. Oft drängen sie sich eifrig an das Pult, aber nicht etwa um zu arbeiten, sondern um miteinander zu flüstern oder sogar einzunicken. Blumfeld hat viel Ärger mit ihnen, sie unterstützen ihn bei weitem nicht genügend in der riesenhaften Arbeit, die ihm auferlegt ist. Diese Arbeit besteht darin, daß er den gesamten Waren- und Geldverkehr mit den Heimarbeiterinnen besorgt, welche von der Fabrik für die Herstellung gewisser feinerer Waren beschäftigt werden. Um die Größe dieser Arbeit beurteilen zu können, muß man einen näheren Einblick in die ganzen Verhältnisse haben. Diesen Einblick aber hat, seitdem der unmittelbare Vorgesetzte Blumfelds vor einigen Jahren gestorben ist, niemand mehr, deshalb kann auch Blumfeld niemandem die Berechtigung zu einem Urteil über seine Arbeit zugestehn. Der Fabrikant, Herr Ottomar zum Beispiel, unterschätzt Blumfelds Arbeit offensichtlich, er erkennt natürlich die Verdienste an, die sich Blumfeld in der Fabrik im Laufe der zwanzig Jahre erworben hat, und er erkennt sie an, nicht nur weil er muß, sondern auch, weil er Blumfeld als treuen, vertrauenswürdigen Menschen achtet, – aber seine Arbeit unterschätzt er doch, er glaubt nämlich, sie könne einfacher und deshalb in jeder Hinsicht vorteilhafter eingerichtet werden, als sie Blumfeld betreibt. Man sagt, und es ist wohl nicht unglaubwürdig, daß Ottomar nur deshalb sich so selten in der Abteilung Blumfelds zeige, um sich den Ärger zu ersparen, den ihm der Anblick der Arbeitsmethoden Blumfelds verursacht. So verkannt zu werden, ist für Blumfeld gewiß traurig, aber es gibt keine Abhilfe, denn er kann doch Ottomar nicht zwingen, etwa einen Monat ununterbrochen in Blumfelds Abteilung zu bleiben, die vielfachen Arten der hier zu bewältigenden Arbeiten zu studieren, seine eigenen angeblich besseren Methoden anzuwenden und sich durch den Zusammenbruch der Abteilung, den das notwendig zur Folge hätte, von Blumfelds Recht überzeugen zu lassen. Deshalb also versieht Blumfeld seine Arbeit unbeirrt wie vorher, erschrickt ein wenig, wenn nach langer Zeit einmal Ottomar erscheint, macht dann im Pflichtgefühl des Untergeordneten doch einen schwachen Versuch, Ottomar diese oder jene Einrichtung zu erklären, worauf dieser stumm nickend mit gesenkten Augen weitergeht, und leidet im übrigen weniger unter dieser Verkennung als unter dem Gedanken daran, daß, wenn er einmal von seinem Posten wird abtreten müssen, die sofortige Folge dessen ein großes, von niemandem aufzulösendes Durcheinander sein wird, denn er kennt niemanden in der Fabrik, der ihn ersetzen und seinen Posten in der Weise übernehmen könnte, daß für den Betrieb durch Monate hindurch auch nur die schwersten Stockungen vermieden würden. Wenn der Chef jemanden unterschätzt, so suchen ihn darin natürlich die Angestellten womöglich noch zu übertreffen. Es unterschätzt daher jeder Blumfelds Arbeit, niemand hält es für notwendig, zu seiner Ausbildung eine Zeitlang in Blumfelds Abteilung zu arbeiten, und wenn neue Angestellte aufgenommen werden, wird niemand aus eigenem Antrieb Blumfeld zugeteilt. Infolgedessen fehlt es für die Abteilung Blumfelds an Nachwuchs. Es waren Wochen des härtesten Kampfes, als Blumfeld, der bis dahin in der Abteilung ganz allein, nur von einem Diener unterstützt, alles besorgt hatte, die Beistellung eines Praktikanten forderte. Fast jeden Tag erschien Blumfeld im Bureau Ottomars und erklärte ihm in ruhiger und ausführlicher Weise, warum ein Praktikant in dieser Abteilung notwendig sei. Er sei nicht etwa deshalb notwendig, weil Blumfeld sich schonen wolle, Blumfeld wolle sich nicht schonen, er arbeite seinen überreichlichen Teil und gedenke damit nicht aufzuhören, aber Herr Ottomar möge nur überlegen, wie sich das Geschäft im Laufe der Zeit entwickelt habe, alle Abteilungen seien entsprechend vergrößert worden, nur Blumfelds Abteilung werde immer vergessen. Und wie sei gerade dort die Arbeit angewachsen! Als Blumfeld eintrat, an diese Zeiten könne sich Herr Ottomar gewiß nicht mehr erinnern, hatte man dort mit etwa zehn Näherinnen zu tun, heute schwankt ihre Zahl zwischen fünfzig und sechzig. Eine solche Arbeit verlangt Kräfte, Blumfeld könne dafür bürgen, daß er sich vollständig für die Arbeit verbrauche, dafür aber, daß er sie vollständig bewältigen würde, könne er von jetzt ab nicht mehr bürgen. Nun lehnte ja Herr Ottomar niemals Blumfelds Ansuchen geradezu ab, das konnte er einem alten Beamten gegenüber nicht tun, aber die Art, wie er kaum zuhörte, über den bittenden Blumfeld hinweg mit andern Leuten sprach, halbe Zusagen machte, in einigen Tagen alles wieder vergessen hatte, – diese Art war recht beleidigend. Nicht eigentlich für Blumfeld, Blumfeld ist kein Phantast, so schön Ehre und Anerkennung ist, Blumfeld kann sie entbehren, er wird trotz allem auf seiner Stelle ausharren, so lange es irgendwie geht, jedenfalls ist er im Recht, und Recht muß sich schließlich, wenn es auch manchmal lange dauert, Anerkennung verschaffen. So hat ja auch tatsächlich Blumfeld sogar zwei Praktikanten schließlich bekommen, was für Praktikanten allerdings. Man hätte glauben können, Ottomar habe eingesehn, er könne seine Mißachtung der Abteilung noch deutlicher als durch Verweigerung von Praktikanten durch Gewährung dieser Praktikanten zeigen. Es war sogar möglich, daß Ottomar nur deshalb Blumfeld so lange vertröstet hatte, weil er zwei solche Praktikanten gesucht und sie, was begreiflich war, so lange nicht hatte finden können. Und beklagen konnte sich jetzt Blumfeld nicht, die Antwort war ja vorauszusehn, er hatte doch zwei Praktikanten bekommen, während er nur einen verlangt hatte; so geschickt war alles von Ottomar eingeleitet. Natürlich beklagte sich Blumfeld doch, aber nur weil ihn förmlich seine Notlage dazu drängte, nicht weil er jetzt noch Abhilfe erhoffte. Er beklagte sich auch nicht nachdrücklich, sondern nur nebenbei, wenn sich eine passende Gelegenheit ergab. Trotzdem verbreitete sich bald unter den übelwollenden Kollegen das Gerücht, jemand habe Ottomar gefragt, ob es denn möglich sei, daß sich Blumfeld, der doch jetzt eine so außerordentliche Beihilfe bekommen habe, noch immer beklage. Darauf habe Ottomar geantwortet, es sei richtig, Blumfeld beklage sich noch immer, aber mit Recht. Er, Ottomar, habe es endlich eingesehn und er beabsichtige Blumfeld nach und nach für jede Näherin einen Praktikanten, also im Ganzen etwa sechzig zuzuteilen. Sollten aber diese noch nicht genügen, werde er noch mehr hinschikken und er werde damit nicht früher aufhören, bis das Tollhaus vollkommen sei, welches in der Abteilung Blumfelds schon seit Jahren sich entwickle. Nun war allerdings in dieser Bemerkung die Redeweise Ottomars gut nachgeahmt, er selbst aber, daran zweifelte Blumfeld nicht, war weit davon entfernt, sich jemals auch nur in ähnlicher Weise über Blumfeld zu äußern. Das Ganze war eine Erfindung der Faulenzer aus den Bureaus im ersten Stock, Blumfeld ging darüber hinweg, – hätte er nur auch über das Vorhandensein der Praktikanten so ruhig hinweggehn können. Die standen aber da und waren nicht mehr wegzubringen. Blasse, schwache Kinder. Nach ihren Dokumenten sollten sie das schulfreie Alter schon erreicht haben, in Wirklichkeit konnte man es aber nicht glauben. Ja, man hätte sie noch nicht einmal einem Lehrer anvertrauen wollen, so deutlich gehörten sie noch an die Hand der Mutter. Sie konnten sich noch nicht vernünftig bewegen, langes Stehn ermüdete sie besonders in der ersten Zeit ungemein. Ließ man sie unbeobachtet, so knickten sie in ihrer Schwäche gleich ein, standen schief und gebückt in einem Winkel. Blumfeld suchte ihnen begreiflich zu machen, daß sie sich für das ganze Leben zu Krüppeln machen würden, wenn sie immer der Bequemlichkeit so nachgäben. Den Praktikanten eine kleine Bewegung aufzutragen, war gewagt, einmal hatte einer etwas nur ein paar Schritte weit bringen sollen, war übereifrig hingelaufen und hatte sich am Pult das Knie wundgeschlagen. Das Zimmer war voll Näherinnen gewesen, die Pulte waren voll Ware, aber Blumfeld hatte alles vernachlässigen, den weinenden Praktikanten ins Bureau führen und ihm dort einen kleinen Verband machen müssen. Aber auch dieser Eifer der Praktikanten war nur äußerlich, wie richtige Kinder wollten sie sich manchmal auszeichnen, aber noch viel öfters oder vielmehr fast immer wollten sie die Aufmerksamkeit des Vorgesetzten nur täuschen und ihn betrügen. Zur Zeit der größten Arbeit war Blumfeld einmal schweißtriefend an ihnen vorübergejagt und hatte bemerkt, wie sie zwischen Warenballen versteckt Marken tauschten. Er hätte mit den Fäusten auf ihre Köpfe niederfahren wollen, für ein solches Verhalten wäre es die einzig mögliche Strafe gewesen, aber es waren Kinder, Blumfeld konnte doch nicht Kinder totschlagen. Und so quälte er sich mit ihnen weiter. Ursprünglich hatte er sich vorgestellt, daß die Praktikanten ihn in den unmittelbaren Handreichungen unterstützen würden, welche zur Zeit der Warenverteilung so viel Anstrengung und Wachsamkeit erforderten. Er hatte gedacht, er würde etwa in der Mitte hinter dem Pult stehn, immer die Übersicht über alles behalten und die Eintragungen besorgen, während die Praktikanten nach seinem Befehl hin- und herlaufen und alles verteilen würden. Er hatte sich vorgestellt, daß seine Beaufsichtigung, die, so scharf sie war, für ein solches Gedränge nicht genügen konnte, durch die Aufmerksamkeit der Praktikanten ergänzt werden würde und daß diese Praktikanten allmählich Erfahrungen sammeln, nicht in jeder Einzelheit auf seine Befehle angewiesen bleiben und endlich selbst lernen würden, die Näherinnen, was Warenbedarf und Vertrauenswürdigkeit anlangt, voneinander zu unterscheiden. An diesen Praktikanten gemessen, waren es ganz leere Hoffnungen gewesen, Blumfeld sah bald ein, daß er sie überhaupt mit den Näherinnen nicht reden lassen durfte. Zu manchen Näherinnen waren sie nämlich von allem Anfang gar nicht gegangen, weil sie Abneigung oder Angst vor ihnen gehabt hatten, andern dagegen, für welche sie Vorliebe hatten, waren sie oft bis zur Tür entgegengelaufen. Diesen brachten sie, was sie nur wünschten, drückten es ihnen, auch wenn die Näherinnen zur Empfangnahme berechtigt waren, mit einer Art Heimlichkeit in die Hände, sammelten in einem leeren Regal für diese Bevorzugten verschiedene Abschnitzel, wertlose Reste, aber doch auch noch brauchbare Kleinigkeiten, winkten ihnen damit hinter dem Rücken Blumfelds glückselig schon von weitem zu und bekamen dafür Bonbons in den Mund gesteckt. Blumfeld machte diesem Unwesen allerdings bald ein Ende und trieb sie, wenn die Näherinnen kamen, in den Verschlag. Aber noch lange hielten sie das für eine große Ungerechtigkeit, trotzten, zerbrachen mutwillig die Federn und klopften manchmal, ohne daß sie allerdings den Kopf zu heben wagten, laut an die Glasscheiben, um die Näherinnen auf die schlechte Behandlung aufmerksam zu machen, die sie ihrer Meinung nach von Blumfeld zu erleiden hatten.

Das Unrecht, das sie selbst begehn, das können sie nicht begreifen. So kommen sie zum Beispiel fast immer zu spät ins Bureau. Blumfeld, ihr Vorgesetzter, der es von frühester Jugend an für selbstverständlich gehalten hat, daß man wenigstens eine halbe Stunde vor Bureaubeginn erscheint, – nicht Streberei, nicht übertriebenes Pflichtbewußtsein, nur ein gewisses Gefühl für Anstand veranlaßt ihn dazu, – Blumfeld muß auf seine Praktikanten meist länger als eine Stunde warten. Die Frühstücksemmel kauend steht er gewöhnlich hinter dem Pult im Saal und führt die Rechnungsabschlüsse in den kleinen Büchern der Näherinnen durch. Bald vertieft er sich in die Arbeit und denkt an nichts anderes. Da wird er plötzlich so erschreckt, daß ihm noch ein Weilchen danach die Feder in den Händen zittert. Der eine Praktikant ist hereingestürmt, es ist, als wolle er umfallen, mit einer Hand hält er sich irgendwo fest, mit der anderen drückt er die schwer atmende Brust – aber das Ganze bedeutet nichts weiter, als daß er wegen seines Zuspätkommens eine Entschuldigung vorbringt, die so lächerlich ist, daß sie Blumfeld absichtlich überhört, denn täte er es nicht, müßte er den Jungen verdienterweise prügeln. So aber sieht er ihn nur ein Weilchen an, zeigt dann mit ausgestreckter Hand auf den Verschlag und wendet sich wieder seiner Arbeit zu. Nun dürfte man doch erwarten, daß der Praktikant die Güte des Vorgesetzten einsieht und zu seinem Standort eilt. Nein, er eilt nicht, er tänzelt, er geht auf den Fußspitzen, setzt Fuß vor Fuß. Will er seinen Vorgesetzten verlachen? Auch das nicht. Es ist nur wieder diese Mischung von Furcht und Selbstzufriedenheit, gegen die man wehrlos ist. Wie wäre es denn sonst zu erklären, daß Blumfeld heute, wo er doch selbst ungewöhnlich spät ins Bureau gekommen ist, jetzt nach langem Warten – zum Nachprüfen der Büchlein hat er keine Lust – durch die Staubwolken, die der unvernünftige Diener vor ihm mit dem Besen in die Höhe treibt, auf der Gasse die beiden Praktikanten erblickt, wie sie friedlich daherkommen. Sie halten sich fest umschlungen und scheinen einander wichtige Dinge zu erzählen, die aber gewiß mit dem Geschäft höchstens in einem unerlaubten Zusammenhange stehn. Je näher sie der Glastür kommen, desto mehr verlangsamen sie ihre Schritte. Endlich erfaßt der eine schon die Klinke, drückt sie aber nicht nieder, noch immer erzählen sie einander, hören zu und lachen. »Öffne doch unseren Herren«, schreit Blumfeld mit erhobenen Händen den Diener an. Aber als die Praktikanten eintreten, will Blumfeld nicht mehr zanken, antwortet auf ihren Gruß nicht und geht zu seinem Schreibtisch. Er beginnt zu rechnen, blickt aber manchmal auf, um zu sehn, was die Praktikanten machen. Der eine scheint sehr müde zu sein und reibt die Augen; als er seinen Überrock an den Nagel gehängt hat, benützt er die Gelegenheit und bleibt noch ein wenig an der Wand lehnen, auf der Gasse war er frisch, aber die Nähe der Arbeit macht ihn müde. Der andere Praktikant dagegen hat Lust zur Arbeit, aber nur zu mancher. So ist es seit jeher sein Wunsch, auskehren zu dürfen. Nun ist das aber eine Arbeit, die ihm nicht gebührt, das Auskehren steht nur dem Diener zu; an und für sich hätte ja Blumfeld nichts dagegen, daß der Praktikant auskehrt, mag der Praktikant auskehren, schlechter als der Diener kann man es nicht machen, wenn aber der Praktikant auskehren will, dann soll er eben früher kommen, ehe der Diener zu kehren beginnt, und soll nicht die Zeit dazu verwenden, während er ausschließlich zu Bureauarbeiten verpflichtet ist. Wenn nun aber schon der kleine Junge jeder vernünftigen Überlegung unzugänglich ist, so könnte doch wenigstens der Diener, dieser halbblinde Greis, den der Chef gewiß in keiner andern Abteilung als in der Blumfelds dulden würde und der nur noch von Gottes und des Chefs Gnaden lebt, so könnte doch wenigstens dieser Diener nachgiebig sein und für einen Augenblick den Besen dem Jungen überlassen, der doch ungeschickt ist, gleich die Lust am Kehren verlieren und dem Diener mit dem Besen nachlaufen wird, um ihn wieder zum Kehren zu bewegen. Nun scheint aber der Diener gerade für das Kehren sich besonders verantwortlich zu fühlen, man sieht, wie er, kaum daß sich ihm der Junge nähert, den Besen mit den zitternden Händen besser zu fassen sucht, lieber steht er still und läßt das Kehren, um nur alle Aufmerksamkeit auf den Besitz des Besens richten zu können. Der Praktikant bittet nun nicht durch Worte, denn er fürchtet doch Blumfeld, welcher scheinbar rechnet, auch wären gewöhnliche Worte nutzlos, denn der Diener ist nur durch stärkstes Schreien zu erreichen. Der Praktikant zupft also zunächst den Diener am Ärmel. Der Diener weiß natürlich, um was es sich handelt, finster sieht er den Praktikanten an, schüttelt den Kopf und zieht den Beser näher, bis an die Brust. Nun faltet der Praktikant die Hände und bittet. Er hat allerdings keine Hoffnung, durch Bitten etwas zu erreichen, das Bitten belustigt ihn nur und deshalb bittet er. Der andere Praktikant begleitet den Vorgang mit leisem Lachen und glaubt offenbar, wenn auch unbegreiflicherweise, daß Blumfeld ihn nicht hört. Auf den Diener macht das Bitten nicht den geringsten Eindruck, er dreht sich um und glaubt jetzt den Besen in Sicherheit wieder gebrauchen zu können. Aber der Praktikant ist ihm auf den Fußspitzen hüpfend und die beiden Hände flehentlich aneinanderreibend gefolgt und bittet nun von dieser Seite. Diese Wendungen des Dieners und das Nachhüpfen des Praktikanten wiederholen sich mehrmals. Schließlich fühlt sich der Diener von allen Seiten abgesperrt und merkt, was er bei einer nur ein wenig geringeren Einfalt gleich am Anfang hätte merken können, daß er früher ermüden wird als der Praktikant. Infolgedessen sucht er fremde Hilfe, droht dem Praktikanten mit dem Finger und zeigt auf Blumfeld, bei dem er, wenn der Praktikant nicht abläßt, Klage führen wird. Der Praktikant erkennt, daß er sich jetzt, wenn er überhaupt den Besen bekommen will, sehr beeilen muß, also greift er frech nach dem Besen. Ein unwillkürlicher Aufschrei des andern Praktikanten deutet die kommende Entscheidung an. Zwar rettet noch der Diener diesmal den Besen, indem er einen Schritt zurück macht und ihn nachzieht. Aber nun gibt der Praktikant nicht mehr nach, mit offenem Mund und blitzenden Augen springt er vor, der Diener will flüchten, aber seine alten Beine schlottern statt zu laufen, der Praktikant reißt an dem Besen, und wenn er ihn auch nicht erfaßt, so erreicht er doch, daß der Besen fällt und damit ist er für den Diener verloren. Scheinbar allerdings auch für den Praktikanten, denn beim Fallen des Besens erstarren zunächst alle drei, die Praktikanten und der Diener, denn jetzt muß Blumfeld alles offenbar werden. Tatsächlich blickt Blumfeld an seinem Guckfenster auf, als sei er erst jetzt aufmerksam geworden, strenge und prüfend faßt er jeden ins Auge, auch der Besen auf dem Boden entgeht ihm nicht. Sei es, daß das Schweigen zu lange andauert, sei es, daß der schuldige Praktikant die Begierde zu kehren nicht unterdrücken kann, jedenfalls bückt er sich, allerdings sehr vorsichtig, als greife er nach einem Tier und nicht nach dem Besen, nimmt den Besen, streicht mit ihm über den Boden, wirft ihn aber sofort erschrocken weg, als Blumfeld aufspringt und aus dem Verschlage tritt. »Beide an die Arbeit und nicht mehr gemuckst«, schreit Blumfeld und zeigt mit ausgestreckter Hand den beiden Praktikanten den Weg zu ihren Pulten. Sie folgen gleich, aber nicht etwa beschämt mit gesenkten Köpfen, vielmehr drehn sie sich steif an Blumfeld vorüber und sehn ihm starr in die Augen, als wollten sie ihn dadurch abhalten, sie zu schlagen. Und doch könnten sie durch die Erfahrung genügend darüber belehrt sein, daß Blumfeld grundsätzlich niemals schlägt. Aber sie sind überängstlich und suchen immer und ohne jedes Zartgefühl ihre wirklichen oder scheinbaren Rechte zu wahren.

DER BAU

Ich habe den Bau eingerichtet und er scheint wohlgelungen. Von außen ist eigentlich nur ein großes Loch sichtbar, dieses führt aber in Wirklichkeit nirgends hin, schon nach ein paar Schritten stößt man auf natürliches festes Gestein. Ich will mich nicht dessen rühmen, diese List mit Absicht ausgeführt zu haben, es war vielmehr der Rest eines der vielen vergeblichen Bauversuche, aber schließlich schien es mir vorteilhaft, dieses eine Loch unverschüttet zu lassen. Freilich manche List ist so fein, daß sie sich selbst umbringt, das weiß ich besser als irgendwer sonst und es ist gewiß auch kühn, durch dieses Loch überhaupt auf die Möglichkeit aufmerksam zu machen, daß hier etwas Nachforschungswertes vorhanden ist. Doch verkennt mich, wer glaubt, daß ich feige bin und etwa nur aus Feigheit meinen Bau anlege. Wohl tausend Schritte von diesem Loch entfernt liegt, von einer abhebbaren Moosschicht verdeckt, der eigentliche Zugang zum Bau, er ist so gesichert, wie eben überhaupt auf der Welt etwas gesichert werden kann, gewiß, es kann jemand auf das Moos treten oder hineinstoßen, dann liegt mein Bau frei da und wer Lust hat – allerdings sind, wohlgemerkt, auch gewisse nicht allzuhäufige Fähigkeiten dazu nötig –, kann eindringen und für immer alles zerstören. Das weiß ich wohl und mein Leben hat selbst jetzt auf seinem Höhepunkt kaum eine völlig ruhige Stunde, dort an jener Stelle im dunkeln Moos bin ich sterblich und in meinen Träumen schnuppert dort oft eine lüsterne Schnauze unaufhörlich herum. Ich hätte, wird man meinen, auch wirklich dieses Eingangsloch zuschütten können, oben in dünner Schicht und mit fester, weiter unten mit lockerer Erde, so daß es mir immer nur wenig Mühe gegeben hätte, mir immer wieder von neuem den Ausweg zu erarbeiten. Es ist aber doch nicht möglich, gerade die Vorsicht verlangt, daß ich eine sofortige Auslaufmöglichkeit habe, gerade die Vorsicht verlangt, wie leider so oft, das Risiko des Lebens. Das alles sind recht mühselige Rechnungen, und die Freude des scharfsinnigen Kopfes an sich selbst ist manchmal die alleinige Ursache dessen, daß man weiterrechnet. Ich muß die sofortige Auslaufmöglichkeit haben, kann ich denn trotz aller Wachsamkeit nicht von ganz unerwarteter Seite angegriffen werden? Ich lebe im Innersten meines Hauses in Frieden und inzwischen bohrt sich langsam und still der Gegner von irgendwoher an mich heran. Ich will nicht sagen, daß er besseren Spürsinn hat als ich; vielleicht weiß er ebensowenig von mir wie ich von ihm. Aber es gibt leidenschaftliche Räuber, die blindlings die Erde durchwühlen und bei der ungeheuren Ausdehnung meines Baues haben selbst sie Hoffnung, irgendwo auf einen meiner Wege zu stoßen. Freilich, ich habe den Vorteil, in meinem Haus zu sein, alle Wege und Richtungen genau zu kennen. Der Räuber kann sehr leicht mein Opfer werden und ein süß schmeckendes. Aber ich werde alt, es gibt viele, die kräftiger sind als ich und meiner Gegner gibt es unzählige, es könnte geschehen, daß ich vor einem Feinde fliehe und dem anderen in die Fänge laufe. Ach, was könnte nicht alles geschehen! Jedenfalls aber muß ich die Zuversicht haben, daß irgendwo vielleicht ein leicht erreichbarer, völlig offener Ausgang ist, wo ich, um hinauszukommen, gar nicht mehr zu arbeiten habe, so daß ich nicht etwa, während ich dort verzweifelt grabe, sei es auch in leichter Aufschüttung, plötzlich – bewahre mich der Himmel! – die Zähne des Verfolgers in meinen Schenkeln spüre. Und es sind nicht nur die äußeren Feinde, die mich bedrohen. Es gibt auch solche im Innern der Erde. Ich habe sie noch nie gesehen, aber die Sagen erzählen von ihnen und ich glaube fest an sie. Es sind Wesen der inneren Erde; nicht einmal die Sage kann sie beschreiben. Selbst wer ihr Opfer geworden ist, hat sie kaum gesehen; sie kommen, man hört das Kratzen ihrer Krallen knapp unter sich in der Erde, die ihr Element ist, und schon ist man verloren. Hier gilt auch nicht, daß man in seinem Haus ist, vielmehr ist man in ihrem Haus. Vor ihnen rettet mich auch jener Ausweg nicht, wie er mich ja wahrscheinlich überhaupt nicht rettet, sondern verdirbt, aber eine Hoffnung ist er und ich kann ohne ihn nicht leben. Außer diesem großen Weg verbinden mich mit der Außenwelt noch ganz enge, ziemlich ungefährliche Wege, die mir gut atembare Luft verschaffen. Sie sind von den Waldmäusen angelegt. Ich habe es verstanden, sie in meinen Bau richtig einzubeziehen. Sie bieten mir auch die Möglichkeit weitreichender Witterung und geben mir so Schutz. Auch kommt durch sie allerlei kleines Volk zu mir, das ich verzehre, so daß ich eine gewisse, für einen bescheidenen Lebensunterhalt ausreichende Niederjagd haben kann, ohne überhaupt meinen Bau zu verlassen; das ist natürlich sehr wertvoll.

Das schönste an meinem Bau ist aber seine Stille. Freilich, sie ist trügerisch. Plötzlich einmal kann sie unterbrochen werden und alles ist zu Ende. .Vorläufig aber ist sie noch da. Stundenlang kann ich durch meine Gänge schleichen und höre nichts als manchmal das Rascheln irgendeines Kleintieres, das ich dann gleich auch zwischen meinen Zähnen zur Ruhe bringe, oder das Rieseln der Erde, das mir die Notwendigkeit irgendeiner Ausbesserung anzeigt; sonst ist es still. Die Waldluft weht herein, es ist gleichzeitig warm und kühl. Manchmal strecke ich mich aus und drehe mich in dem Gang rundum vor Behagen. Schön ist es für das nahende Alter, einen solchen Bau zu haben, sich unter Dach gebracht zu haben, wenn der Herbst beginnt. Alle hundert Meter habe ich die Gänge zu kleinen runden Plätzen erweitert, dort kann ich mich bequem zusammenrollen, mich an mir wärmen und ruhen. Dort schlafe ich den süßen Schlaf des Friedens, des beruhigten Verlangens, des erreichten Zieles des Hausbesitzes. Ich weiß nicht, ob es eine Gewohnheit aus alten Zeiten ist oder ob doch die Gefahren auch dieses Hauses stark genug sind, mich zu wecken: regelmäßig von Zeit zu Zeit schrecke ich auf aus tiefem Schlaf und lausche, lausche in die Stille, die hier unverändert herrscht bei Tag und Nacht, lächle beruhigt und sinke mit gelösten Gliedern in noch tieferen Schlaf. Arme Wanderer ohne Haus, auf Landstraßen, in Wäldern, bestenfalls verkrochen in einen Blätterhaufen oder in einem Rudel der Genossen, ausgeliefert allem Verderben des Himmels und der Erde! Ich liege hier auf einem allseits gesicherten Platz – mehr als fünfzig solcher Art gibt es in meinem Bau – und zwischen Hindämmern und bewußtlosem Schlaf vergehen mir die Stunden, die ich nach meinem Belieben dafür wähle.

Nicht ganz in der Mitte des Baues wohlerwogen für den Fall der äußersten Gefahr, nicht geradezu einer Verfolgung, aber einer Belagerung, liegt der Hauptplatz. Während alles andere vielleicht mehr eine Arbeit angestrengtesten Verstandes als des Körpers ist, ist dieser Burgplatz das Ergebnis allerschwerster Arbeit meines Körpers in allen seinen Teilen. Einigemal wollte ich in der Verzweiflung körperlicher Ermüdung von allem ablassen, wälzte mich auf den Rücken und fluchte dem Bau, schleppte mich hinaus und ließ den Bau offen daliegen. Ich konnte es ja tun, weil ich nicht mehr zu ihm zurückkehren wollte, bis ich dann nach Stunden oder Tagen reuig zurückkam, fast einen Gesang erhoben hätte über die Unverletztheit des Baues und in aufrichtiger Fröhlichkeit mit der Arbeit von neuem begann. Die Arbeit am Burgplatz erschwerte sich auch unnötig (unnötig will sagen, daß der Bau von der Leerarbeit keinen eigentlichen Nutzen hatte) dadurch, daß gerade an der Stelle, wo der Ort planmäßig sein sollte, die Erde recht locker und sandig war, die Erde mußte dort geradezu festgehämmert werden, um den großen schöngewölbten und gerundeten Platz zu bilden. Für eine solche Arbeit aber habe ich nur die Stirn. Mit der Stirn also bin ich tausend- und tausendmal tage- und nächtelang gegen die Erde angerannt, war glücklich, wenn ich sie mir blutig schlug, denn dies war ein Beweis der beginnenden Festigkeit der Wand, und habe mir auf diese Weise, wie man mir zugestehen wird, meinen Burgplatz wohl verdient.

Auf diesem Burgplatz sammle ich meine Vorräte, alles, was ich über meine augenblicklichen Bedürfnisse hinaus innerhalb des Baus erjage, und alles, was ich von meinen Jagden außer dem Hause mitbringe, häufe ich hier auf. Der Platz ist so groß, daß ihn Vorräte für ein halbes Jahr nicht füllen. Infolgedessen kann ich sie wohl ausbreiten, zwischen ihnen herumgehen, mit ihnen spielen, mich an der Menge und an den verschiedenen Gerüchen freuen und immer einen genauen Überblick über das Vorhandene haben. Ich kann dann auch immer Neuordnungen vornehmen und, entsprechend der Jahreszeit, die nötigen Vorausberechnungen und Jagdpläne machen. Es gibt Zeiten, in denen ich so wohlversorgt bin, daß ich aus Gleichgültigkeit gegen das Essen überhaupt das Kleinzeug, das hier herumhuscht, gar nicht berühre, was allerdings aus anderen Gründen vielleicht unvorsichtig ist. Die häufige Beschäftigung mit Verteidigungsvorbereitungen bringt es mit sich, daß meine Ansichten hinsichtlich der Ausnutzung des Baus für solche Zwecke sich ändern oder entwickeln, in kleinem Rahmen allerdings. Es scheint mir dann manchmal gefährlich, die Verteidigung ganz auf dem Burgplatz zu basieren, die Mannigfaltigkeit des Baus gibt mir doch auch mannigfaltigere Möglichkeiten und es scheint mir der Vorsicht entsprechender, die Vorräte ein wenig zu verteilen und auch manche kleine Plätze mit ihnen zu versorgen, dann bestimme ich etwa jeden dritten Platz zum Reservevorratsplatz oder jeden vierten Platz zu einem Haupt- und jeden zweiten zu einem Nebenvorratsplatz und dergleichen. Oder ich schalte manche Wege zu Täuschungszwecken überhaupt aus der Behäufung mit Vorräten aus oder ich wähle ganz sprunghaft, je nach ihrer Lage zum Hauptausgang, nur wenige Plätze. Jeder solche neue Plan verlangt allerdings schwere Lastträgerarbeit, ich muß die neue Berechnung vornehmen und trage dann die Lasten hin und her. Freilich kann ich das in Ruhe ohne Übereilung machen und es ist nicht gar so schlimm, die guten Dinge im Maule zu tragen, sich auszuruhen, wo man will und, was einem gerade schmeckt, zu naschen. Schlimmer ist es, wenn es mir manchmal, gewöhnlich beim Aufschrecken aus dem Schlafe, scheint, daß die gegenwärtige Aufteilung ganz und gar verfehlt ist, große Gefahren herbeiführen kann und sofort eiligst ohne Rücksicht auf Schläfrigkeit und Müdigkeit richtiggestellt werden muß; dann eile ich, dann fliege ich, dann habe ich keine Zeit zu Berechnungen; der ich gerade einen neuen, ganz genauen Plan ausführen will, fasse willkürlich, was mir unter die Zähne kommt, schleppe, trage, seufze, stöhne, stolpere und nur irgendeine beliebige Veränderung des gegenwärtigen, mir so übergefährlich scheinenden Zustandes will mir schon genügen. Bis allmählich mit völligem Erwachen die Ernüchterung kommt, ich die Übereilung kaum verstehe, tief den Frieden meines Hauses einatme, den ich selbst gestört habe, zu meinem Schlafplatz zurückkehre, in neugewonnener Müdigkeit sofort einschlafe und beim Erwachen als unwiderleglichen Beweis der schon fast traumhaft erscheinenden Nachtarbeit etwa noch eine Ratte an den Zähnen hängen habe. Dann gibt es wieder Zeiten, wo mir die Vereinigung aller Vorräte auf einen Platz das Allerbeste scheint. Was können mir die Vorräte auf den kleinen Plätzen helfen, wieviel läßt sich denn dort überhaupt unterbringen, und was immer man auch hinbringt, es verstellt den Weg und wird mich vielleicht einmal bei der Verteidigung, beim Laufen eher hindern. Außerdem ist es zwar dumm aber wahr, daß das Selbstbewußtsein darunter leidet, wenn man nicht alle Vorräte beisammen sieht und so mit einem einzigen Blicke weiß, was man besitzt. Kann nicht auch bei diesen vielen Verteilungen vieles verloren gehen? Ich kann nicht immerfort durch meine Kreuz- und Quergänge galoppieren, um zu sehen, ob alles in richtigem Stande ist. Der Grundgedanke einer Verteilung der Vorräte ist ja richtig, aber eigentlich nur dann, wenn man mehrere Plätze von der Art meines

Burgplatzes hat. Mehrere solche Plätze! Freilich! Aber wer kann das schaffen? Auch sind sie im Gesamtplan meines Baus jetzt nachträglich nicht mehr unterzubringen. Zugeben aber will ich, daß darin ein Fehler des Baus liegt, wie überhaupt dort immer ein Fehler ist, wo man von irgend etwas nur ein Exemplar besitzt. Und ich gestehe auch ein, daß in mir während des ganzen Baues dunkel im Bewußtsein, aber deutlich genug, wenn ich den guten Willen gehabt hätte, die Forderung nach mehreren Burgplätzen lebte, ich habe ihr nicht nachgegeben, ich fühlte mich zu schwach für die ungeheure Arbeit; ja, ich fühlte mich zu schwach, mir die Notwendigkeit der Arbeit zu vergegenwärtigen, irgendwie tröstete ich mich mit Gefühlen von nicht minderer Dunkelheit, nach denen das, was sonst nicht hinreichen würde, in meinem Fall einmal ausnahmsweise, gnadenweise, wahrscheinlich, weil der Vorsehung an der Erhaltung meiner Stirn, des Stampfhammers, besonders gelegen ist, hinreichen werde. Nun so habe ich nur einen Burgplatz, aber die dunklen Gefühle, daß der eine diesmal nicht hinreichen werde, haben sich verloren. Wie es auch sei, ich muß mich mit dem einen begnügen, die kleinen Plätze können ihn unmöglich ersetzen und so fange ich dann, wenn diese Anschauung in mir gereift ist, wieder an, alles aus den kleinen Plätzen zum Burgplatz zurückzuschleppen. Für einige Zeit ist es mir dann ein gewisser Trost, alle Plätze und Gänge frei zu haben, zu sehen, wie auf dem Burgplatz sich die Mengen des Fleisches häufen und weithin bis in die äußersten Gänge die Mischung der vielen Gerüche senden, von denen jeder in seiner Art mich entzückt und die ich aus der Ferne genau zu sondern imstande bin. Dann pflegen besonders friedliche Zeiten zu kommen, in denen ich meine Schlafplätze langsam, allmählich von den äußeren Kreisen nach innen verlege, immer tiefer in die Gerüche tauche, bis ich es nicht mehr ertrage und eines Nachts auf den Burgplatz stürze, mächtig unter den Vorräten aufräume und bis zur vollständigen Selbstbetäubung mit dem Besten, was ich liebe, mich fülle. Glückliche, aber gefährliche Zeiten; wer sie auszunützen verstünde, könnte mich leicht, ohne sich zu gefährden, vernichten. Auch hier wirkt das Fehlen eines zweiten oder dritten Burgplatzes schädigend mit, die große einmalige Gesamtanhäufung ist es, die mich verführt. Ich suche mich verschiedentlich dagegen zu schützen, die Verteilung auf die kleinen Plätze ist ja auch eine derartige Maßnahme, leider führt sie wie andere ähnliche Maßnahmen durch Entbehrung zu noch größerer Gier, die dann mit Überrennung des Verstandes die Verteidigungspläne zu ihren Zwecken willkürlich ändert.

Nach solchen Zeiten pflege ich, um mich zu sammeln, den Bau zu revidieren und, nachdem die nötigen Ausbesserungen vorgenommen sind, ihn öfters, wenn auch immer nur für kurze Zeit zu verlassen. Die Strafe, ihn lange zu entbehren, scheint mir selbst dann zu hart, aber die Notwendigkeit zeitweiliger Ausflüge sehe ich ein. Es hat immer eine gewisse Feierlichkeit, wenn ich mich dem Ausgang nähere. In den Zeiten des häuslichen Lebens weiche ich ihm aus, vermeide sogar den Gang, der zu ihm führt, in seinen letzten Ausläufern zu begehen; es ist auch gar nicht leicht, dort herumzuwandern, denn ich habe dort ein volles kleines Zickzackwerk von Gängen angelegt; dort fing mein Bau an, ich durfte damals noch nicht hoffen, ihn je so beenden zu können, wie er in meinem Plane dastand, ich begann halb spielerisch an diesem Eckchen und so tobte sich dort die erste Arbeitsfreude in einem Labyrinthbau aus, der mir damals die Krone aller Bauten schien, den ich aber heute wahrscheinlich richtiger als allzu kleinliche, des Gesamtbaues nicht recht würdige Bastelei beurteile, die zwar theoretisch vielleicht köstlich ist – hier ist der Eingang zu meinem Haus, sagte ich damals ironisch zu den unsichtbaren Feinden und sah sie schon sämtlich in dem Eingangslabyrinth ersticken –, in Wirklichkeit aber eine viel zu dünnwandige Spielerei darstellt, die einem ernsten Angriff oder einem verzweifelt um sein Leben kämpfenden Feind kaum widerstehen wird. Soll ich diesen Teil deshalb umbauen? Ich zögere die Entscheidung hinaus und es wird wohl schon so bleiben wie es ist. Abgesehen von der großen Arbeit, die ich mir damit zumuten würde, wäre es auch die gefährlichste, die man sich denken kann. Damals, als ich den Bau begann, konnte ich dort verhältnismäßig ruhig arbeiten, das Risiko war nicht viel größer als irgendwo sonst, heute aber hieße es fast mutwillig auf den ganzen Bau aufmerksam machen wollen, heute ist es nicht mehr möglich. Es freut mich fast, eine gewisse Empfindsamkeit für dieses Erstlingswerk ist ja auch vorhanden. Und wenn ein großer Angriff kommen sollte, welcher Grundriß des Eingangs könnte mich retten? Der Eingang kann täuschen, ablenken, den Angreifer quälen, das tut auch dieser zur Not. Aber einem wirklich großen Angriff muß ich gleich mit allen Mitteln des Gesamtbaues und mit allen Kräften des Körpers und der Seele zu begegnen suchen – das ist ja selbstverständlich. So mag auch dieser Eingang schon bleiben. Der Bau hat so viele von der Natur ihm aufgezwungene Schwächen, mag er auch noch diesen von meinen Händen geschaffenen und wenn auch erst nachträglich, so doch genau erkannten Mangel behalten. Mit all dem ist freilich nicht gesagt, daß mich dieser Fehler nicht von Zeit zu Zeit oder vielleicht immer doch beunruhigt. Wenn ich bei meinen gewöhnlichen Spaziergängen diesem Teil des Baues ausweiche, so geschieht das hauptsächlich deshalb, weil mir sein Anblick unangenehm ist, weil ich nicht immer einen Mangel des Baues in Augenschein nehmen will, wenn dieser Mangel schon in meinem Bewußtsein mir allzusehr rumort. Mag der Fehler dort oben am Eingang unausrottbar bestehen, ich aber mag, so lange es sich vermeiden läßt, von seinem Anblick verschont bleiben. Gehe ich nur in der Richtung zum Ausgang, sei ich auch noch durch Gänge und Plätze von ihm getrennt, glaube ich schon in die Atmosphäre einer großen Gefahr zu geraten, mir ist manchmal, als verdünne sich mein Fell, als könnte ich bald mit bloßem kahlem Fleisch dastehen und in diesem Augenblick vom Geheul meiner Feinde begrüßt werden. Gewiß, solche Gefühle bringt schon an und für sich der Ausgang selbst hervor, das Aufhören des häuslichen Schutzes, aber es ist doch auch dieser Eingangsbau, der mich besonders quält. Manchmal träume ich, ich hätte ihn umgebaut, ganz und gar geändert, schnell, mit Riesenkräften in einer Nacht, von niemandem bemerkt, und nun sei er uneinnehmbar; der Schlaf, in dem mir das geschieht, ist der süßeste von allen, Tränen der Freude und Erlösung glitzern noch an meinem Bart, wenn ich erwache.

Die Pein dieses Labyrinths muß ich also auch körperlich überwinden, wenn ich ausgehe, und es ist mir ärgerlich und rührend zugleich, wenn ich mich manchmal in meinem eigenen Gebilde für einen Augenblick verirre und das Werk sich also noch immer anzustrengen scheint, mir, dessen Urteil schon längst feststeht, doch noch seine Existenzberechtigung zu beweisen. Dann aber bin ich unter der Moosdecke, der ich manchmal Zeit lasse – so lange rühre ich mich nicht aus dem Hause –, mit dem übrigen Waldboden zusammengewachsen, und nun ist nur noch ein Ruck des Kopfes nötig und ich bin in der Fremde. Diese kleine Bewegung wage ich lange nicht auszuführen, hätte ich nicht wieder das Eingangslabyrinth zu überwinden, gewiß würde ich heute davon ablassen und wieder zurückwandern. Wie? Dein Haus ist geschützt, in sich abgeschlossen. Du lebst in Frieden, warm, gut genährt, Herr, alleiniger Herr über eine Vielzahl von Gängen und Plätzen, und alles dieses willst du hoffentlich nicht opfern, aber doch gewissermaßen preisgeben, hast zwar die Zuversicht, es zurückzugewinnen, aber läßt dich doch darauf ein, ein hohes, ein allzuhohes Spiel zu spielen? Es gäbe vernünftige Gründe dafür? Nein, für etwas derartiges kann es keine vernünftigen Gründe geben. Aber dann hebe ich doch vorsichtig die Falltüre und bin draußen, lasse sie vorsichtig sinken und jage, so schnell ich kann, weg von dem verräterischen Ort.

Aber im Freien bin ich eigentlich nicht, zwar drücke ich mich nicht mehr durch die Gänge, sondern jage im offenen Wald, fühle in meinem Körper neue Kräfte, für die im Bau gewissermaßen kein Raum ist, nicht einmal auf dem Burgplatz, und wäre er zehnmal größer. Auch ist die Ernährung draußen eine bessere, die Jagd zwar schwieriger, der Erfolg seltener, aber das Ergebnis in jeder Hinsicht höher zu bewerten, das alles leugne ich nicht und verstehe es wahrzunehmen und zu genießen, zumindest so gut wie jeder andere, aber wahrscheinlich viel besser, denn ich jage nicht wie ein Landstreicher aus Leichtsinn oder Verzweiflung, sondern zweckvoll und ruhig. Auch bin ich nicht dem freien Leben bestimmt und ausgeliefert, sondern ich weiß, daß meine Zeit gemessen ist, daß ich nicht endloser hier jagen muß, sondern daß mich gewissermaßen, wenn ich will und des Lebens hier müde bin, jemand zu sich rufen wird, dessen Einladung ich nicht werde widerstehen können. Und so kann ich diese Zeit hier ganz auskosten und sorgenlos verbringen, vielmehr, ich könnte es und kann es doch nicht. Zuviel beschäftigt mich der Bau. Schnell bin ich vom Eingang fortgelaufen, bald aber komme ich zurück. Ich suche mir ein gutes Versteck und belauere den Eingang meines Hauses – diesmal von außen – tage- und nächtelang. Mag man es töricht nennen, es macht mir eine unsagbare Freude und es beruhigt mich. Mir ist dann, als stehe ich nicht vor meinem Haus, sondern vor mir selbst, während ich schlafe, und hätte das Glück, gleichzeitig tief zu schlafen und dabei mich scharf bewachen zu können. Ich bin gewissermaßen ausgezeichnet, die Gespenster der Nacht nicht nur in der Hilflosigkeit und Vertrauensseligkeit des Schlafes zu sehen, sondern ihnen gleichzeitig in Wirklichkeit bei voller Kraft des Wachseins in ruhiger Urteilsfähigkeit zu begegnen. Und ich finde, daß es merkwürdigerweise nicht so schlimm mit mir steht, wie ich oft glaubte und wie ich wahrscheinlich wieder glauben werde, wenn ich in mein Haus hinabsteige. In dieser Hinsicht, wohl auch in anderer, aber in dieser besonders, sind diese Ausflüge wahrhaftig unentbehrlich. Gewiß, so sorgfältig ich den Eingang abseitsliegend gewählt habe – der Verkehr, der sich dort vollzieht, ist doch, wenn man die Beobachtungen einer Woche zusammenfaßt, sehr groß, aber so ist es vielleicht überhaupt in allen bewohnbaren Gegenden und wahrscheinlich ist es sogar besser, einem größeren Verkehr sich auszusetzen, der infolge seiner Größe sich selbst mit weiterreißt, als in völliger Einsamkeit dem ersten besten, langsam suchenden Eindringling ausgeliefert zu sein. Hier gibt es viele Feinde und noch mehr Helfershelfer der Feinde, aber sie bekämpfen sich auch gegenseitig und jagen in diesen Beschäftigungen am Bau vorbei. Niemanden habe ich in der ganzen Zeit geradezu am Eingang forschen sehen, zu meinem und zu seinem Glück, denn ich hätte mich, besinnungslos vor Sorge um den Bau, gewiß an seine Kehle geworfen. Freilich, es kam auch Volk, in dessen Nähe ich nicht zu bleiben wagte und vor denen ich, wenn ich sie nur in der Ferne ahnte, fliehen mußte, über ihr Verhalten zum Bau dürfte ich mich eigentlich mit Sicherheit nicht äußern, doch genügt es wohl zur Beruhigung, daß ich bald zurückkam, niemanden von ihnen mehr vorfand und den Eingang unverletzt. Es gab glückliche Zeiten, in denen ich mir fast sagte, daß die Gegnerschaft der Welt gegen mich vielleicht aufgehört oder sich beruhigt habe oder daß die Macht des Baues mich heraushebe aus dem bisherigen Vernichtungskampf. Der Bau schützt vielleicht mehr, als ich jemals gedacht habe oder im Innern des Baues zu denken wage. Es ging so weit, daß ich manchmal den kindischen Wunsch bekam, überhaupt nicht mehr in den Bau zurückzukehren, sondern hier in der Nähe des Eingangs mich einzurichten, mein Leben in der Beobachtung des Eingangs zu verbringen und immerfort mir vor Augen zu halten und darin mein Glück zu finden, wie fest mich der Bau, wäre ich darin, zu sichern imstande wäre. Nun, es gibt ein schnelles Aufschrecken aus kindischen Träumen. Was ist es denn für eine Sicherung, die ich hier beobachte? Darf ich denn die Gefahr, in welcher ich im Bau bin, überhaupt nach den Erfahrungen beurteilen, die ich hier draußen mache? Haben denn meine Feinde überhaupt die richtige Witterung, wenn ich nicht im Bau bin? Einige Witterung von mir haben sie gewiß, aber die volle nicht. Und ist nicht oft der Bestand der vollen Witterung die Voraussetzung der normalen Gefahr? Es sind also nur Halb- und Zehntelversuche, die ich hier anstelle, geeignet, mich zu beruhigen und durch falsche Beruhigung aufs höchste zu gefährden. Nein, ich beobachte doch nicht, wie ich glaubte, meinen Schlaf, vielmehr bin ich es, der schläft, während der Verderber wacht. Vielleicht ist er unter denen, die achtlos am Eingang vorüberschlendern, sich immer nur vergewissern, nicht anders als ich, daß die Tür noch unverletzt ist und auf ihren Angriff wartet, und nur vorübergehen, weil sie wissen, daß der Hausherr nicht im Innern ist oder weil sie vielleicht gar wissen, daß er unschuldig nebenan im Gebüsch lauert. Und ich verlasse meinen Beobachtungsplatz und bin satt des Lebens im Freien, mir ist, als könnte ich nicht mehr hier lernen, nicht jetzt und nicht später. Und ich habe Lust, Abschied zu nehmen von allem hier, hinabzusteigen in den Bau und niemals mehr zurückzukommen, die Dinge ihren Lauf nehmen zu lassen und sie durch unnütze Beobachtungen nicht aufzuhalten. Aber verwöhnt dadurch, daß ich solange alles gesehen habe, was über dem Eingang vor sich ging, ist es mir jetzt sehr quälend, die an sich geradezu Aufsehen machende Prozedur des Hinabsteigens durchzuführen und nicht zu wissen, was im ganzen Umkreis hinter meinem Rücken und dann hinter der wiedereingefügten Falltür geschehen wird. Ich versuche es zunächst in stürmischen Nächten mit dem schnellen Hineinwerfen der Beute, das scheint zu gelingen, aber ob es wirklich gelungen ist, wird sich erst zeigen, wenn ich selbst hineingestiegen bin, es wird sich zeigen, aber nicht mehr mir, oder auch mir, aber zu spät. Ich lasse also ab davon und steige nicht ein. Ich grabe, natürlich in genügender Entfernung vom wirklichen Eingang einen Versuchsgraben, er ist nicht länger als ich selbst bin und auch von einer Moosdecke abgeschlossen. Ich krieche in den Graben, decke ihn hinter mir zu, warte sorgfältig, berechne kürzere und längere Zeiten zu verschiedenen Tagesstunden, werfe dann das Moos ab, komme hervor und registriere meine Beobachtungen. Ich mache die verschiedensten Erfahrungen guter und schlimmer Art, ein allgemeines Gesetz oder eine unfehlbare Methode des Hinabsteigens finde ich aber nicht. Ich bin infolgedessen noch nicht in den wirklichen Eingang hinabgestiegen und verzweifelt, es doch bald tun zu müssen. Ich bin nicht ganz fern von dem Entschluß, in die Ferne zu gehen, das alte, trostlose Leben wieder aufzunehmen, das gar keine Sicherheit hatte, das eine einzige ununterscheidbare Fülle von Gefahren war und infolgedessen die einzelne Gefahr nicht so genau sehen und fürchten ließ, wie es mich der Vergleich zwischen meinem sicheren Bau und dem sonstigen Leben immerfort lehrt. Gewiß, ein solcher Entschluß wäre eine völlige Narrheit, hervorgerufen nur durch allzu langes Leben in der sinnlosen Freiheit; noch gehört der Bau mir, ich habe nur einen Schritt zu tun und bin gesichert. Und ich reiße mich los von allen Zweifeln und laufe geradewegs bei hellem Tag auf die Tür zu, um sie nun ganz gewiß zu heben, aber ich kann es doch nicht, ich überlaufe sie und werfe mich mit Absicht in ein Dornengebüsch, um mich zu strafen, zu strafen für eine Schuld, die ich nicht kenne. Dann allerdings muß ich mir letzten Endes sagen, daß ich doch recht habe, und daß es wirklich unmöglich ist hinabzusteigen, ohne das Teuerste, was ich habe, allen ringsherum, auf dem Boden, auf den Bäumen, in den Lüften wenigstens für ein Weilchen offen preiszugeben. Und die Gefahr ist keine eingebildete, sondern eine sehr wirkliche. Es muß ja kein eigentlicher Feind sein, dem ich die Lust errege, mir zu folgen, es kann recht gut irgendeine beliebige kleine Unschuld, irgendein widerliches kleines Wesen sein, welches aus Neugier mir nachgeht und damit, ohne es zu wissen, zur Führerin der Welt gegen mich wird, es muß auch das nicht sein, vielleicht ist es, und das ist nicht weniger schlimm als das andere, in mancher Hinsicht ist es das schlimmste – vielleicht ist es irgend jemand von meiner Art, ein Kenner und Schätzer von Bauten, irgendein Waldbruder, ein Liebhaber des Friedens, aber ein wüster Lump, der wohnen will, ohne zu bauen. Wenn er doch jetzt käme, wenn er doch mit seiner schmutzigen Gier den Eingang entdeckte, wenn er doch daran zu arbeiten begänne, das Moos zu heben, wenn es ihm doch gelänge, wenn er sich doch für mich hineinzwängte und schon darin soweit wäre, daß mir sein Hinterer für einen Augenblick gerade noch auftauchte, wenn das alles doch geschähe, damit ich endlich in einem Rasen hinter ihm her, frei von allen Bedenken, ihn anspringen könnte, ihn zerbeißen, zerfleischen, zerreißen und austrinken und seinen Kadaver gleich zur anderen Beute stopfen könnte, vor allem aber, das wäre die Hauptsache, endlich wieder in meinem Bau wäre, gern diesmal sogar das Labyrinth bewundern wollte, zunächst aber die Moosdecke über mich ziehen und ruhen wollte, ich glaube, den ganzen, noch übrigen Rest meines Lebens. Aber es kommt niemand und ich bleibe auf mich allein angewiesen. Ich verliere, immerfort nur mit der Schwierigkeit der Sache beschäftigt, viel von meiner Ängstlichkeit, ich weiche dem Eingang auch äußerlich nicht mehr aus, ihn in Kreisen zu umstreichen wird meine Lieblingsbeschäftigung, es ist schon fast so, als sei ich der Feind und spionierte die passende Gelegenheit aus, um mit Erfolg einzubrechen. Hätte ich doch irgend jemanden, dem ich vertrauen könnte, den ich auf meinen Beobachtungsposten stellen könnte, dann könnte ich wohl getrost hinabsteigen. Ich würde mit ihm, dem ich vertraue, vereinbaren, daß er die Situation bei meinem Hinabsteigen und eine lange Zeit hinterher genau beobachtet, im Falle von gefährlichen Anzeichen an die Moosdecke klopft, sonst aber nicht. Damit wäre über mir völlig reiner Tisch gemacht, es bliebe kein Rest, höchstens mein Vertrauensmann. – Denn wird er nicht eine Gegenleistung verlangen, wird er nicht wenigstens den Bau ansehen wollen? Schon dieses, jemanden freiwillig in meinen Bau zu lassen, wäre mir äußerst peinlich. Ich habe ihn für mich, nicht für Besucher gebaut, ich glaube, ich würde ihn nicht einlassen; selbst um den Preis, daß er es mir ermöglicht in den Bau zu kommen, würde ich ihn nicht einlassen. Aber ich könnte ihn gar nicht einlassen, denn entweder müßte ich ihn allein hinablassen, und das ist doch außerhalb jeder Vorstellbarkeit, oder wir müßten gleichzeitig hinabsteigen, wodurch dann eben der Vorteil, den er mir bringen soll, hinter mir Beobachtungen anzustellen, verloren ginge. Und wie ist es mit dem Vertrauen? Kann ich dem, welchem ich Aug in Aug vertraue, noch ebenso vertrauen, wenn ich ihn nicht sehe und wenn die Moosdecke uns trennt? Es ist verhältnismäßig leicht, jemandem zu vertrauen, wenn man ihn gleichzeitig überwacht oder wenigstens überwachen kann, es ist vielleicht sogar möglich, jemandem aus der Ferne zu vertrauen, aber aus dem Innern des Baues, also einer anderen Welt heraus, jemandem außerhalb völlig zu vertrauen, ich glaube, das ist unmöglich. Aber solche Zweifel sind noch nicht einmal nötig, es genügt ja schon die Überlegung, daß während oder nach meinem Hinabsteigen alle die unzähligen Zufälle des Lebens den Vertrauensmann hindern können, seine Pflicht zu erfüllen, und was für unberechenbare Folgen kann seine kleinste Verhinderung für mich haben. Nein, faßt man alles zusammen, muß ich es gar nicht beklagen, daß ich allein bin und niemanden habe, dem ich vertrauen kann. Ich verliere dadurch gewiß keinen Vorteil und erspare mir wahrscheinlich Schaden. Vertrauen aber kann ich nur mir und dem Bau. Das hätte ich früher bedenken und für den Fall, der mich jetzt so beschäftigt, Vorsorge treffen sollen. Es wäre am Beginne des Baues wenigstens zum Teile möglich gewesen. Ich hätte den ersten Gang so anlegen müssen, daß er, in gehörigem Abstand voneinander, zwei Eingänge gehabt hätte, so daß ich durch den einen Eingang mit aller unvermeidlichen Umständlichkeit hinabgestiegen wäre, rasch den Anfangsgang bis zum zweiten Eingang durchlaufen, die Moosdecke dort, die zu dem Zweck entsprechend hätte eingerichtet sein müssen, ein wenig gelüftet und von dort aus die Lage einige Tage und Nächte zu überblicken versucht hätte. So allein wäre es richtig gewesen. Zwar verdoppeln zwei Eingänge die Gefahr, aber dieses Bedenken hätte hier schweigen müssen, zumal der eine Eingang, der nur als Beobachtungsplatz gedacht war, ganz eng hätte sein können. Und damit verliere ich mich in technische Überlegungen, ich fange wieder einmal meinen Traum eines ganz vollkommenen Baues zu träumen an, das beruhigt mich ein wenig, entzückt sehe ich mit geschlossenen Augen klare und weniger klare Baumöglichkeiten, um unbemerkt aus- und einschlüpfen zu können.

Wenn ich so daliege und daran denke, bewerte ich diese Möglichkeiten sehr hoch, aber doch nur als technische Errungenschaften, nicht als wirkliche Vorteile, denn dieses ungehinderte Aus- und Einschlüpfen, was soll es? Es deutet auf unruhigen Sinn, auf unsichere Selbsteinschätzung, auf unsaubere Gelüste, schlechte Eigenschaften, die noch viel schlechter werden angesichts des Baues, der doch dasteht und Frieden einzugießen vermag, wenn man sich ihm nur völlig öffnet. Nun bin ich freilich jetzt außerhalb seiner und suche eine Möglichkeit der Rückkehr; dafür wären die nötigen technischen Einrichtungen sehr erwünscht. Aber vielleicht doch nicht gar so sehr. Heißt es nicht in der augenblicklichen nervösen Angst den Bau sehr unterschätzen, wenn man ihn nur als eine Höhlung ansieht, in die man sich mit möglichster Sicherheit verkriechen will? Gewiß, er ist auch diese sichere Höhlung oder sollte es sein, und wenn ich mir vorstelle, ich sei mitten in einer Gefahr, dann will ich mit zusammengebissenen Zähnen und mit aller Kraft des Willens, daß der Bau nichts anderes sei als das für meine Lebensrettung bestimmte Loch und daß er diese klar gestellte Aufgabe mit möglichster Vollkommenheit erfülle, und jede andere Aufgabe bin ich bereit ihm zu erlassen. Nun verhält es sich aber so, daß er in Wirklichkeit – und für die hat man in der großen Not keinen Blick und selbst in gefährdeten Zeiten muß man sich diesen Blick erst erwerben – zwar viel Sicherheit gibt, aber durchaus nicht genug, hören dann jemals die Sorgen völlig in ihm auf? Es sind andere, stolzere, inhaltsreichere, oft weit zurückgedrängte Sorgen, aber ihre verzehrende Wirkung ist vielleicht die gleiche wie jene der Sorgen, die das Leben draußen bereitet. Hätte ich den Bau nur zu meiner Lebenssicherung aufgeführt, wäre ich zwar nicht betrogen, aber das Verhältnis zwischen der ungeheuren Arbeit und der tatsächlichen Sicherung, wenigstens soweit ich sie zu empfinden imstande bin und soweit ich von ihr profitieren kann, wäre ein für mich nicht günstiges. Es ist sehr schmerzlich, sich das einzugestehen, aber es muß geschehen, gerade angesichts des Eingangs dort, der sich jetzt gegen mich, den Erbauer und Besitzer abschließt, ja förmlich verkrampft. Aber der Bau ist eben nicht nur ein Rettungsloch. Wenn ich auf dem Burgplatz stehe, umgeben von den hohen Fleischvorräten, das Gesicht zugewandt den zehn Gängen, die von hier ausgehen, jeder besonders dem Gesamtplatz entsprechend gesenkt oder gehoben, gestreckt oder gerundet, sich erweiternd oder sich verengend und alle gleichmäßig still und leer, und bereit, jeder in seiner Art mich weiterzuführen zu den vielen Plätzen und auch diese alle still und leer – dann liegt mir der Gedanke an Sicherheit fern, dann weiß ich genau, daß hier meine Burg ist, die ich durch Kratzen und Beißen, Stampfen und Stoßen dem widerspenstigen Boden abgewonnen habe, meine Burg, die auf keine Weise jemandem anderen angehören kann und die so sehr mein ist, daß ich hier letzten Endes ruhig von meinem Feind auch die tödliche Verwundung annehmen kann, denn mein Blut versickert hier in meinem Boden und geht nicht verloren. Und was anderes als dies ist denn auch der Sinn der schönen Stunden, die ich, halb friedlich schlafend, halb fröhlich wachend, in den Gängen zu verbringen pflege, in diesen Gängen, die ganz genau für mich berechnet sind, für wohliges Strecken, kindliches Sichwälzen, träumerisches Daliegen, seliges Entschlafen. Und die kleinen Plätze, jeder mir wohlbekannt, jeder trotz völliger Gleichheit von mir mit geschlossenen Augen schon nach dem Schwung der Wände deutlich unterschieden, sie umfangen mich friedlich und warm, wie kein Nest seinen Vogel umfängt. Und alles, alles still und leer.

Wenn es aber so ist, warum zögere ich dann, warum fürchte ich den Eindringling mehr als die Möglichkeit, vielleicht niemals meinen Bau wiederzusehen. Nun, dieses letztere ist glücklicherweise eine Unmöglichkeit, es wäre gar nicht nötig, mir durch Überlegungen erst klarzumachen, was mir der Bau bedeutet; ich und der Bau gehören so zusammen, daß ich ruhig, ruhig bei aller meiner Angst, mich hier niederlassen könnte, gar nicht versuchen müßte mich zu überwinden, auch den Eingang entgegen allen Bedenken zu öffnen, es würde durchaus genügen, wenn ich untätig wartete, denn nichts kann uns auf die Dauer trennen und irgendwie komme ich schließlich ganz gewiß hinab. Aber freilich, wieviel Zeit kann bis dahin vergehen und wieviel kann in dieser Zeit sich ereignen, hier oben sowohl wie dort unten? Und es liegt doch nur an mir, diesen Zeitraum zu verkürzen und das Notwendige gleich zu tun.

Und nun, schon denkunfähig vor Müdigkeit, mit hängendem Kopf, unsicheren Beinen, halb schlafend, mehr tastend als gehend, nähere ich mich dem Eingang, hebe langsam das Moos, steige langsam hinab, lasse aus Zerstreutheit den Eingang überflüssig lange unbedeckt, erinnere mich dann an das Versäumte, steige wieder hinauf, um es nachzuholen, aber warum denn hinaufsteigen? Nur die Moosdecke soll ich zuziehen, gut, so steige ich wieder hinunter und nun endlich ziehe ich die Moosdecke zu. Nur in diesem Zustand, ausschließlich in diesem Zustand, kann ich diese Sache ausführen. – Dann also liege ich unter dem Moos, oben auf der eingebrachten Beute, umflossen von Blut und Fleischsäften, und könnte den ersehnten Schlaf zu schlafen beginnen. Nichts stört mich, niemand ist mir gefolgt, über dem Moos scheint es, wenigstens bis jetzt, ruhig zu sein, und selbst wenn es nicht ruhig wäre, ich glaube, ich könnte mich jetzt nicht mit Beobachtungen aufhalten; ich habe den Ort gewechselt, aus der Oberwelt bin ich in meinen Bau gekommen und ich fühle die Wirkung dessen sofort. Es ist eine neue Welt, die neue Kräfte gibt, und was oben Mü-

digkeit ist, gilt hier nicht als solche. Ich bin von einer Reise zurückgekehrt, besinnungslos müde von den Strapazen, aber das
Wiedersehen der alten Wohnung, die Einrichtungsarbeit, die mich
erwartet, die Notwendigkeit, schnell alle Räume wenigstens
oberflächlich zu besichtigen, vor allem aber eiligst zum Burgplatz
vorzudringen, das alles verwandelt meine Müdigkeit in Unruhe
und Eifer, es ist, als hätte ich während des Augenblicks, da ich den
Bau betrat, einen langen und tiefen Schlaf getan. Die erste Arbeit
ist sehr mühselig und nimmt mich ganz in Anspruch: die Beute
nämlich durch die engen und schwachwandigen Gänge des Labyrinths zu bringen. Ich drücke vorwärts mit allen Kräften und es
geht auch, aber mir viel zu langsam; um es zu beschleunigen, reiße
ich einen Teil der Fleischmassen zurück und dränge mich über sie
hinweg, durch sie hindurch, nun habe ich bloß einen Teil vor mir,
nun ist es leichter, ihn vorwärts zu bringen, aber ich bin derart mitten darin in der Fülle des Fleisches hier in den engen Gängen, durch
die es mir, selbst wenn ich allein bin, nicht immer leicht wird
durchzukommen, daß ich recht gut in meinen eigenen Vorräten
ersticken könnte, manchmal kann ich mich schon nur durch Fressen und Trinken vor ihrem Andrang bewahren. Aber der Trans-
port gelingt, ich beende ihn in nicht zu langer Zeit, das Labyrinth
ist überwunden, aufatmend stehe ich in einem regelrechten Gang,
treibe die Beute durch einen Verbindungsgang in einen für solche
Fälle besonders vorgesehenen Hauptgang, der in starkem Gefälle
zum Burgplatz hinabführt. Nun ist es keine Arbeit mehr, nun rollt
und fließt das Ganze fast von selbst hinab. Endlich auf meinem
Burgplatz! Endlich werde ich ruhen dürfen. Alles ist unverändert,
kein größeres Unglück scheint geschehen zu sein, die kleinen
Schäden, die ich auf den ersten Blick bemerke, werden bald verbessert sein, nur noch vorher die lange Wanderung durch die
Gänge, aber das ist keine Mühe, das ist ein Plaudern mit Freunden,
so wie ich es tat in alten Zeiten oder – ich bin noch gar nicht so alt,
aber für vieles trübt sich die Erinnerung schon völlig – wie ich es
tat oder wie ich hörte, daß es zu geschehen pflegt. Ich beginne jetzt
mit dem zweiten Gang absichtlich langsam, nachdem ich den
Burgplatz gesehen habe, habe ich endlose Zeit – immer innerhalb
des Baues habe ich endlose Zeit –, denn alles, was ich dort tue, ist
gut und wichtig und sättigt mich gewissermaßen. Ich beginne mit
dem zweiten Gang und breche die Revision in der Mitte ab und

gehe zum dritten Gang über und lasse mich von ihm zum Burgplatz zurückzuführen und muß nun allerdings wieder den zweiten Gang von neuem vornehmen und spiele so mit der Arbeit und vermehre sie und lache vor mich hin und freue mich und werde ganz wirr von der vielen Arbeit, aber lasse nicht von ihr ab. Euretwegen, ihr Gänge und Plätze und deine Fragen vor allem, Burgplatz, bin ich ja gekommen, habe mein Leben für nichts geachtet, nachdem ich lange Zeit die Dummheit hatte, seinetwegen zu zittern und die Rückkehr zu euch zu verzögern. Was kümmert mich die Gefahr, jetzt, da ich bei euch bin. Ihr gehört zu mir, ich zu euch, verbunden sind wir, was kann uns geschehen. Mag sich oben auch das Volk schon drängen und die Schnauze bereit sein, die das Moos durchstoßen wird. Und mit seiner Stummheit und Leere begrüßt nun auch mich der Bau und bekräftigt, was ich sage. – Nun aber überkommt mich doch eine gewisse Lässigkeit und auf einem Platz, der zu meinen Lieblingen gehört, rolle ich mich ein wenig zusammen, noch lange habe ich nicht alles besichtigt, aber ich will ja auch noch weiter besichtigen bis zum Ende, ich will hier nicht schlafen, nur der Lockung gebe ich nach, mich hier so einzurichten, wie wenn ich schlafen wollte, nachsehen will ich, ob das hier noch immer so gut gelingt wie früher. Es gelingt, aber mir gelingt es nicht mich loszureißen, ich bleibe hier in tiefem Schlaf.

Ich habe wohl sehr lange geschlafen. Erst aus dem letzten von selbst sich auflösenden Schlaf werde ich geweckt, der Schlaf muß nun schon sehr leicht sein, denn ein an sich kaum hörbares Zischen weckt mich. Ich verstehe es sofort, das Kleinzeug, viel zu wenig von mir beaufsichtigt, viel zu sehr von mir geschont, hat in meiner Abwesenheit irgendwo einen neuen Weg gebohrt, dieser Weg ist mit einem alten zusammengestoßen, die Luft verfängt sich dort und das ergibt das zischende Geräusch. Was für ein unaufhörlich tätiges Volk das ist und wie lästig sein Fleiß! Ich werde, genau horchend an den Wänden meines Ganges, durch Versuchsgrabungen den Ort der Störung erst feststellen müssen und dann erst das Geräusch beseitigen können. Übrigens kann der neue Graben, wenn er irgendwie den Verhältnissen des Baues entspricht, als neue Luftzuführung mir auch willkommen sein. Aber auf die Kleinen will ich nun viel besser achten als bisher, keines darf geschont werden.

Da ich große Übung in solchen Untersuchungen habe, wird es wohl nicht lange dauern und ich kann gleich damit beginnen, es liegen zwar noch andere Arbeiten vor, aber diese ist die dringendste, es soll still sein in meinen Gängen. Dieses Geräusch ist übrigens ein verhältnismäßig unschuldiges; ich habe es gar nicht gehört, als ich kam, obwohl es gewiß schon vorhanden war; ich mußte erst wieder völlig heimisch werden, um es zu hören, es ist gewissermaßen nur mit dem Ohr des Hausbesitzers hörbar. Und es ist nicht einmal ständig, wie sonst solche Geräusche zu sein pflegen, es macht große Pausen, das geht offenbar auf Anstauungen des Luftstroms zurück. Ich beginne die Untersuchung, aber es gelingt mir nicht, die Stelle, wo man eingreifen müßte, zu finden, ich mache zwar einige Grabungen, aber nur aufs Geratewohl; natürlich ergibt sich so nichts und die große Arbeit des Grabens und die noch größere des Zuschüttens und Ausgleichens ist vergeblich. Ich komme gar nicht dem Ort des Geräusches näher, immer unverändert dünn klingt es in regelmäßigen Pausen, einmal wie Zischen, einmal aber wie Pfeifen. Nun, ich könnte es auch vorläufig auf sich beruhen lassen, es ist zwar sehr störend, aber an der von mir angenommenen Herkunft des Geräusches kann kaum ein Zweifel sein, es wird sich also kaum verstärken, im Gegenteil, es kann auch geschehen, daß – bisher habe ich allerdings niemals so lange gewartet – solche Geräusche im Laufe der Zeit durch die weitere Arbeit der kleinen Bohrer von selbst verschwinden, und, abgesehen davon, oft bringt ein Zufall leicht auf die Spur der Störung, während systematisches Suchen lange versagen kann. So tröste ich mich und wollte lieber weiter durch die Gänge schweifen und die Plätze besuchen, von denen ich noch viele nicht einmal wiedergesehen habe und dazwischen immer ein wenig mich auf dem Burgplatz tummeln, aber es läßt mich doch nicht, ich muß weiter suchen. Viel Zeit, viel Zeit, die besser verwendet werden könnte, kostet mich das kleine Volk. Bei solchen Gelegenheiten ist es gewöhnlich das technische Problem, das mich lockt, ich stelle mir zum Beispiel nach dem Geräusch, das mein Ohr in allen seinen Feinheiten zu unterscheiden die Eignung hat, ganz genau aufzeichenbar, die Veranlassung vor, und nun drängt es mich nachzuprüfen, ob die Wirklichkeit dem entspricht. Mit gutem Grund, denn solange hier eine Feststellung nicht erfolgt ist, kann ich mich auch nicht sicher fühlen, selbst wenn es sich nur darum handeln würde, zu wissen, wohin ein Sandkorn, das eine Wand herabfällt, rollen wird. Und gar ein solches Geräusch, das ist in dieser Hinsicht eine gar nicht unwichtige Angelegenheit. Aber wichtig oder unwichtig, wie sehr ich auch suche, ich finde nichts, oder vielmehr ich finde zuviel. Gerade auf meinem Lieblingsplatz mußte dies geschehen, denke ich, gehe recht weit von dort weg, fast in die Mitte des Weges zum nächsten Platz, das ganze ist eigentlich ein Scherz, so als wollte ich beweisen, daß nicht etwa gerade mein Lieblingsplatz allein mir diese Störung bereitet hat, sondern daß es Störungen auch anderwärts gibt, und ich fange lächelnd an zu horchen, höre aber bald zu lächeln auf, denn wahrhaftig, das gleiche Zischen gibt es auch hier. Es ist ja nichts, manchmal glaube ich, niemand außer mir würde es hören, ich höre es freilich jetzt mit dem durch die Übung geschärften Ohr immer deutlicher, obwohl es in Wirklichkeit überall ganz genau das gleiche Geräusch ist, wie ich mich durch Vergleichen überzeugen kann. Es wird auch nicht stärker, wie ich erkenne, wenn ich, ohne direkt an der Wand zu horchen, mitten im Gang lausche. Dann kann ich überhaupt nur mit Anstrengung, ja mit Versenkung hie und da den Hauch eines Lautes mehr erraten als hören. Aber gerade dieses Gleichbleiben an allen Orten stört mich am meisten, denn es läßt sich mit meiner ursprünglichen Annahme nicht in Übereinstimmung bringen. Hätte ich den Grund des Geräusches richtig erraten, hätte es in größter Stärke von einem bestimmten Ort, der eben zu finden gewesen wäre, ausstrahlen und dann immer kleiner werden müssen. Wenn aber meine Erklärung nicht zutraf, was war es sonst? Es bestand doch die Möglichkeit, daß es zwei Geräuschzentren gab, daß ich bis jetzt nur weit von den Zentren gehorcht hatte und daß, wenn ich mich dem einen Zentrum näherte, zwar seine Geräusche zunahmen, aber infolge Abnehmens der Geräusche des anderen Zentrums das Gesamtergebnis für das Ohr immer ein annähernd gleiches blieb. Fast glaubte ich schon, wenn ich genau hinhorchte, Klangunterschiede, die der neuen Annahme entsprachen, wenn auch nur sehr undeutlich, zu erkennen. Jedenfalls mußte ich das Versuchsgebiet viel weiter ausdehnen, als ich es bisher getan hatte. Ich gehe deshalb den Gang abwärts bis zum Burgplatz und beginne dort zu horchen. – Sonderbar, das gleiche Geräusch auch hier. Nun, es ist ein Geräusch, erzeugt durch die Grabungen irgendwelcher nichtiger Tiere, die die Zeit meiner Abwesenheit in

infamer Weise ausgenützt haben, jedenfalls liegt ihnen eine gegen
mich gerichtete Absicht fern, sie sind nur mit ihrem Werk beschäftigt und, solange ihnen nicht ein Hindernis in den Weg kommt,
halten sie die einmal genommene Richtung ein, das alles weiß ich,
trotzdem ist es mir unbegreiflich und erregt mich und verwirrt
mir den für die Arbeit sehr notwendigen Verstand, daß sie es gewagt haben, bis an den Burgplatz heranzugehen. Ich will in der
Hinsicht nicht unterscheiden: war es die immerhin bedeutende
Tiefe, in welcher der Burgplatz liegt, war es seine große Ausdehnung und die ihr entsprechende starke Luftbewegung, welche die
Grabenden abschreckte, oder war einfach die Tatsache, daß es der
Burgplatz war, durch irgendwelche Nachrichten bis an ihren
stumpfen Sinn gedrungen? Grabungen hatte ich jedenfalls bisher
in den Wänden des Burgplatzes nicht beobachtet. Tiere kamen
zwar, angezogen von den kräftigen Ausdünstungen, in Mengen
her, hier hatte ich meine feste Jagd, aber sie hatten sich irgendwo
oben in meine Gänge durchgegraben und kamen dann, beklom-
men zwar, aber mächtig angezogen, die Gänge herabgelaufen.
Nun aber bohrten sie also auch in den Gängen. Hätte ich doch wenigstens die wichtigsten Pläne meines Jünglings- und früheren
Mannesalters ausgeführt oder vielmehr, hätte ich die Kraft gehabt,
sie auszuführen, denn an dem Willen hat es nicht gefehlt. Einer
dieser Lieblingspläne war es gewesen, den Burgplatz loszulösen
von der ihn umgebenden Erde, das heißt, seine Wände nur in einer
etwa meiner Höhe entsprechenden Dicke zu belassen, darüber
hinaus aber rings um den Burgplatz bis auf ein kleines, von der
Erde leider nichtloslösbares Fundament einen Hohlraum im
Ausmaß der Wand zu schaffen. In diesem Hohlraum hatte ich mir
immer, und wohl kaum mit Unrecht, den schönsten Aufenthalts-
ort vorgestellt, den es für mich geben konnte. Auf dieser Rundung hängen, hinauf sich ziehen, hinab zu gleiten, sich überschla-
gen und wieder Boden unter den Füßen haben, und alle diese
Spiele förmlich auf dem Körper des Burgplatzes spielen und doch
nicht in seinem eigentlichen Raum; den Burgplatz meiden können, die Augen ausruhen lassen können von ihm, die Freude, ihn
zu sehen, auf eine spätere Stunde verschieben und doch ihn nicht
entbehren müssen, sondern ihn förmlich fest zwischen den Krallen halten, etwas was unmöglich ist, wenn man nur den einen gewöhnlichen offenen Zugang zu ihm hat; vor allem aber ihn bewa-

chen können, für die Entbehrung seines Anblicks also derart entschädigt werden, daß man gewiß, wenn man zwischen dem Aufenthalt im Burgplatz oder im Hohlraum zu wählen hätte, den
Hohlraum wählte für alle Zeit seines Lebens, nur immer dort auf-
und abzuwandern und den Burgplatz zu schützen. Dann gäbe es
keine Geräusche in den Wänden, keine frechen Grabungen bis an
den Platz heran, dann wäre dort der Friede gewährleistet und ich
wäre sein Wächter; nicht die Grabungen des kleinen Volkes hätte
ich mit Widerwillen zu behorchen, sondern mit Entzücken, etwas,
was mir jetzt völlig entgeht: das Rauschen der Stille auf dem
Burgplatz.

Aber alles dieses Schöne besteht nun eben nicht und ich muß an
meine Arbeit, fast muß ich froh sein, daß sie nun auch in direkter
Beziehung zum Burgplatz steht, denn das beflügelt mich. Ich
brauche freilich, wie sich immer mehr herausstellt, alle meine
Kräfte zu dieser Arbeit, die zuerst eine ganz geringfügige schien.
Ich horche jetzt die Wände des Burgplatzes ab, und wo ich horche,
hoch und tief, an den Wänden oder am Boden, an den Eingängen
oder im Innern, überall, überall das gleiche Geräusch. Und wieviel
Zeit, wieviel Anspannung erfordert dieses lange Horchen auf das
pausenweise Geräusch. Einen kleinen Trost zur Selbsttäuschung
kann man, wenn man will, darin finden, daß man hier auf dem
Burgplatz, wenn man das Ohr vom Erdboden entfernt, zum Unterschied von den Gängen wegen der Größe des Platzes gar nichts
hört. Nur zum Ausruhen, zum Selbstbesinnen mache ich häufig
diese Versuche, horche angestrengt und bin glücklich, nichts zu
hören. Aber im übrigen, was ist denn geschehen? Vor dieser Erscheinung versagen meine ersten Erklärungen völlig. Aber auch
andere Erklärungen, die sich mir anbieten, muß ich ablehnen. Man
könnte daran denken, daß das, was ich höre, eben das Kleinzeug
selbst bei seiner Arbeit ist. Das würde aber allen Erfahrungen widersprechen; was ich nie gehört habe, obwohl es immer vorhanden war, kann ich doch nicht plötzlich zu hören anfangen. Meine
Empfindlichkeit gegen Störungen ist vielleicht im Bau größer
geworden mit den Jahren, aber das Gehör ist doch keineswegs
schärfer geworden. Es ist eben das Wesen des Kleinzeugs, daß
man es nicht hört. Hätte ich es denn sonst jemals geduldet? Auf die
Gefahr hin zu verhungern hätte ich es ausgerottet. Aber vielleicht,
auch dieser Gedanke schleicht sich mir ein, handelt es sich hier um

ein Tier, das ich noch nicht kenne. Möglich wäre es. Zwar beobachte ich schon lange und sorgfältig genug das Leben hier unten, aber die Welt ist mannigfaltig und an schlimmen Überraschungen fehlt es niemals. Aber es wäre ja nicht ein einzelnes Tier, es müßte eine große Herde sein, die plötzlich in mein Gebiet eingefallen wäre, eine große Herde kleiner Tiere, die zwar, da sie überhaupt hörbar sind, über dem Kleinzeug stehen, aber es doch nur wenig überragen, denn das Geräusch ihrer Arbeit ist an sich nur gering. Es könnten also unbekannte Tiere sein, eine Herde auf der Wanderschaft, die nur vorüberziehen, die mich stören, aber deren Zug bald ein Ende nehmen wird. So könnte ich also eigentlich warten und müßte schließlich keine überflüssige Arbeit tun. Aber wenn es fremde Tiere sind, warum bekomme ich sie nicht zu sehen? Nun habe ich schon viele Grabungen gemacht, um eines von ihnen zu fassen, aber ich finde keines. Es fällt mir ein, daß es vielleicht ganz winzige Tiere sind und viel kleiner als die, welche ich kenne, und daß nur das Geräusch, welches sie machen, ein größeres ist. Ich untersuche deshalb die ausgegrabene Erde, ich werfe die Klumpen in die Höhe, daß sie in allerkleinste Teilchen zerfallen, aber die Lärmmacher sind nicht darunter. Ich sehe langsam ein, daß ich durch solche kleine Zufallgrabungen nichts erreichen kann, ich durchwühle damit nur die Wände meines Baues, scharre hier und dort in Eile, habe keine Zeit, die Löcher zuzuschütten, an vielen Stellen sind schon Erdhaufen, die den Weg und Ausblick verstellen. Freilich stört mich das alles nur nebenbei, ich kann jetzt weder wandern, noch umherschauen, noch ruhen, öfters bin ich schon für ein Weilchen in irgendeinem Loch bei der Arbeit eingeschlafen, die eine Pfote eingekrallt oben in der Erde, von der ich im letzten Halbschlaf ein Stück niederreißen wollte. Ich werde nun meine Methode ändern. Ich werde in der Richtung zum Geräusch hin einen regelrechten großen Graben bauen und nicht früher zu graben aufhören, bis ich, unabhängig von allen Theorien, die wirkliche Ursache des Geräusches finde. Dann werde ich sie beseitigen, wenn es in meiner Kraft ist, wenn aber nicht, werde ich wenigstens Gewißheit haben. Diese Gewißheit wird mir entweder Beruhigung oder Verzweiflung bringen, aber wie es auch sein wird, dieses oder jenes; es wird zweifellos und berechtigt sein. Dieser Entschluß tut mir wohl. Alles, was ich bisher getan habe, kommt mir übereilt vor; in der Aufregung der Rückkehr, noch nicht frei von den Sorgen der Oberwelt, noch nicht völlig aufgenommen in den Frieden des Baues, überempfindlich dadurch gemacht, daß ich ihn solange hatte entbehren müssen, habe ich mich durch eine zugegebenermaßen sonderbare Erscheinung um jede Besinnung bringen lassen. Was ist denn? Ein leichtes Zischen, in langen Pausen nur hörbar, ein Nichts, an das man sich, ich will nicht sagen, gewöhnen könnte; nein, gewöhnen könnte man sich daran nicht, das man aber, ohne vorläufig geradezu etwas dagegen zu unternehmen, eine Zeitlang beobachten könnte, das heißt, alle paar Stunden gelegentlich hinhorchen und das Ergebnis geduldig registrieren, aber nicht, wie ich, das Ohr die Wände entlang schleifen und fast bei jedem Hörbarwerden des Geräusches die Erde aufreißen, nicht um eigentlich etwas zu finden, sondern um etwas der inneren Unruhe Entsprechendes zu tun. Das wird jetzt anders werden, hoffe ich. Und hoffe es auch wieder nicht, – wie ich mit geschlossenen Augen, wütend über mich selbst, mir eingestehe – denn die Unruhe zittert in mir noch genau so wie seit Stunden und wenn mich der Verstand nicht zurückhielte, würde ich wahrscheinlich am liebsten an irgendeiner Stelle, gleichgültig, ob dort etwas zu hören ist oder nicht, stumpfsinnig, trotzig, nur des Grabens wegen zu graben anfangen, schon fast ähnlich dem Kleinzeug, welches entweder ganz ohne Sinn gräbt oder nur, weil es die Erde frißt. Der neue vernünftige Plan lockt mich und lockt mich nicht. Es ist nichts gegen ihn einzuwenden, ich wenigstens weiß keinen Einwand, er muß, soweit ich es verstehe, zum Ziele führen. Und trotzdem glaube ich ihm im Grunde nicht, glaube ihm so wenig, daß ich nicht einmal die möglichen Schrecken seines Ergebnisses fürchte, nicht einmal an ein schreckliches Ergebnis glaube ich; ja, es scheint mir, ich hätte schon seit dem ersten Auftreten des Geräusches an ein solches konsequentes Graben gedacht, und nur weil ich kein Vertrauen dazu hatte, bisher damit nicht begonnen. Trotzdem werde ich natürlich den Graben beginnen, es bleibt mir keine andere Möglichkeit, aber ich werde nicht gleich beginnen, ich werde die Arbeit ein wenig aufschieben. Wenn der Verstand wieder zu Ehren kommen soll, soll es ganz geschehen, ich werde mich nicht in diese Arbeit stürzen. Jedenfalls werde ich vorher die Schäden gutmachen, die ich durch meine Wühlarbeit dem Bau verursacht habe; das wird nicht wenig Zeit kosten, aber es ist notwendig; wenn der neue Graben wirklich zu einem Ziele führen sollte, wird er wahrscheinlich lang werden, und wenn er zu keinem Ziele führen sollte, wird er endlos sein, jedenfalls bedeutet diese Arbeit ein längeres Fernbleiben vom Bau, kein so schlimmes wie jenes auf der Oberwelt, ich kann die Arbeit wenn ich will unterbrechen und zu Besuch nach Hause gehen, und selbst wenn ich das nicht tue, wird die Luft des Burgplatzes zu mir hinwehen und bei der Arbeit mich umgeben, aber eine Entfernung vom Bau und die Preisgabe an ein ungewisses Schicksal bedeutet es dennoch, deshalb will ich hinter mir den Bau in guter Ordnung zurücklassen, es soll nicht heißen, daß ich, der ich um seine Ruhe kämpfte, selbst sie gestört und sie nicht gleich wiederhergestellt habe. So beginne ich denn damit, die Erde in die Löcher zurückzuscharren, eine Arbeit, die ich genau kenne, die ich unzähligemal fast ohne das Bewußtsein einer Arbeit getan habe und die ich, besonders was das letzte Pressen und Glätten betrifft – es ist gewiß kein bloßes Selbstlob, es ist einfach Wahrheit – unübertrefflich auszuführen imstande bin. Diesmal aber wird es mir schwer, ich bin zu zerstreut, immer wieder mitten in der Arbeit drücke ich das Ohr an die Wand und horche und lasse gleichgültig unter mir die kaum gehobene Erde wieder in den Hang zurückkrieseln. Die letzten Verschönerungsarbeiten, die eine stärkere Aufmerksamkeit erfordern, kann ich kaum leisten. Häßliche Buckel, störende Risse bleiben, nicht zu reden davon, daß sich auch im ganzen der alte Schwung einer derart geflickten Wand nicht wieder einstellen will. Ich suche mich damit zu trösten, daß es nur eine vorläufige Arbeit ist. Wenn ich zurückkomme, der Friede wieder verschafft ist, werde ich alles endgültig verbessern, im Fluge wird sich das dann alles machen lassen. Ja, im Märchen geht alles im Fluge und zu den Märchen gehört auch dieser Trost. Besser wäre es, gleich jetzt vollkommene Arbeit zu tun, viel nützlicher, als sie immer wieder zu unterbrechen, sich auf Wanderschaft durch die Gänge zu begeben und neue Geräuschstellen festzustellen, was wahrhaftig sehr leicht ist, denn es erfordert nichts, als an einem beliebigen Ort stehenzubleiben und zu horchen. Und noch weitere unnütze Entdeckungen mache ich. Manchmal scheint es mir, als habe das Geräusch aufgehört, es macht ja lange Pausen, manchmal überhört man ein solches Zischen, allzusehr klopft das eigene Blut im Ohr, dann schließen sich zwei Pausen zu einer zusammen und ein Weilchen lang glaubt man, das Zischen sei für immer zu Ende.

Man horcht nicht mehr weiter, man springt auf, das ganze Leben macht eine Umwälzung, es ist, als öffne sich die Quelle, aus welcher die Stille des Baues strömt. Man hütet sich, die Entdeckung gleich nachzuprüfen, man sucht jemanden, dem man sie vorher unangezweifelt anvertrauen könne, man galoppiert deshalb zum Burgplatz, man erinnert sich, da man mit allem, was man ist, zu neuem Leben erwacht ist, daß man schon lange nichts gegessen hat, man reißt irgend etwas von den unter der Erde halb verschütteten Vorräten hervor und schlingt daran noch, während man zu dem Ort der unglaublichen Entdeckung zurückläuft, man will sich zuerst nur nebenbei, nur flüchtig während des Essens von der Sache nochmals überzeugen, man horcht, aber das flüchtige Hinhorchen zeigt sofort, daß man sich schmählich geirrt hat, unerschüttert zischt es dort weit in der Ferne. Und man speit das Essen aus und möchte es in den Boden stampfen und man geht zu seiner Arbeit zurück, weiß gar nicht, zu welcher; irgendwo, wo es nötig zu sein scheint, und solcher Orte gibt es genug, fängt man mechanisch etwas zu tun an, so als sei nur der Aufseher gekommen und man müsse ihm eine Komödie vorspielen. Aber kaum hat man ein Weilchen derart gearbeitet, kann es geschehen, daß man eine neue Entdeckung macht. Das Geräusch scheint stärker geworden, nicht viel stärker natürlich, hier handelt es sich immer nur um feinste Unterschiede, aber ein wenig stärker doch, deutlich dem Ohre erkennbar. Und dieses Stärkerwerden scheint ein Näherkommen, noch viel deutlicher als man das Stärkerwerden hört, sieht man förmlich den Schritt, mit dem es näher kommt. Man springt von der Wand zurück, man sucht mit einem Blick alle Möglichkeiten zu übersehen, welche diese Entdeckung zur Folge haben wird. Man hat das Gefühl, als hätte man den Bau niemals eigentlich zur Verteidigung gegen einen Angriff eingerichtet, die Absicht hatte man, aber entgegen aller Lebenserfahrung schien einem die Gefahr eines Angriffs und daher die Einrichtungen der Verteidigung fernliegend – oder nicht fernliegend (wie wäre das möglich!), aber im Rang tief unter den Einrichtungen für ein friedliches Leben, denen man deshalb im Bau überall den Vorzug gab. Vieles hätte in jener Richtung eingerichtet werden können, ohne den Grundplan zu stören, es ist in einer unverständlichen Weise versäumt worden. Ich habe viel Glück gehabt in allen diesen Jahren, das Glück hat mich verwöhnt, unruhig war ich gewesen, aber Unruhe innerhalb des Glücks führt zu nichts.

Was jetzt zunächst zu tun wäre, wäre eigentlich, den Bau genau auf die Verteidigung und auf alle bei ihr vorstellbaren Möglichkeiten hin zu besichtigen, einen Verteidigungs- und einen zugehörigen Bauplan auszuarbeiten und dann mit der Arbeit gleich, frisch wie ein Junger, zu beginnen. Das wäre die notwendige Arbeit, für die es, nebenbei gesagt, natürlich viel zu spät ist, aber die notwendige Arbeit wäre es, und keineswegs die Grabung irgendeines großen Forschungsgrabens, der eigentlich nur den Zweck hat, verteidigungslos mich mit allen meinen Kräften auf das Aufsuchen der Gefahr zu verlegen, in der närrischen Befürchtung, sie könne nicht bald genug selbst herankommen. Ich verstehe plötzlich meinen früheren Plan nicht. Ich kann in dem ehemals verständigen nicht den geringsten Verstand finden, wieder lasse ich die Arbeit und lasse auch das Horchen, ich will jetzt keine weiteren Verstärkungen entdecken, ich habe genug der Entdeckungen, ich lasse alles, ich wäre schon zufrieden, wenn ich mir den inneren Widerstreit beruhigte. Wieder lasse ich mich von meinen Gängen wegführen, komme in immer entferntere, seit meiner Rückkehr noch nicht gesehene, von meinen Scharrpfoten noch völlig unberührte, deren Stille aufwacht bei meinem Kommen und sich über mich senkt. Ich gebe mich nicht hin, ich eile hindurch, ich weiß gar nicht, was ich suche, wahrscheinlich nur Zeitaufschub. Ich irre soweit ab, daß ich bis zum Labyrinth komme, es lockt mich, an der Moosdecke zu horchen, so ferne Dinge, für den Augenblick so ferne, haben mein Interesse. Ich dringe bis hinauf vor und horche. Tiefe Stille; wie schön es hier ist, niemand kümmert sich dort um meinen Bau, jeder hat seine Geschäfte, die keine Beziehung zu mir haben, wie habe ich es angestellt, das zu erreichen. Hier an der Moosdecke ist vielleicht jetzt die einzige Stelle an meinem Bau, wo ich stundenlang vergebens horchen kann. – Eine völlige Umkehrung der Verhältnisse im Bau, der bisherige Ort der Gefahr ist ein Ort des Friedens geworden, der Burgplatz aber ist hineingerissen worden in den Lärm der Welt und ihrer Gefahren. Noch schlimmer, auch hier ist in Wirklichkeit kein Frieden, hier hat sich nichts verändert, ob still, ob lärmend, die Gefahr lauert wie früher über dem Moos, aber ich bin unempfindlich gegen sie geworden, allzusehr in Anspruch genommen bin ich von dem Zischen in meinen Wänden. Bin ich davon in Anspruch genommen? Es wird stärker, es kommt näher, ich aber schlängle mich durch das Labyrinth und lagere mich hier oben unter dem Moos, es ist ja fast, als überließe ich dem Zischer schon das Haus, zufrieden, wenn ich nur hier oben ein wenig Ruhe habe. Dem Zischer? Habe ich etwa eine neue bestimmte Meinung über die Ursache des Geräusches? Das Geräusch stammt doch wohl von den Rinnen, welche das Kleinzeug gräbt? Ist das nicht meine bestimmte Meinung? Von ihr scheine ich doch noch nicht abgegangen zu sein. Und wenn es nicht direkt von den Rinnen stammt, so irgendwie indirekt. Und wenn es gar nicht mit ihnen zusammenhängen sollte, dann läßt sich von vornherein wohl gar nichts annehmen und man muß warten, bis man die Ursache vielleicht findet oder sie selbst sich zeigt. Mit Annahmen spielen könnte man freilich auch noch jetzt, es ließe sich zum Beispiel sagen, daß irgendwo in der Ferne ein Wassereinbruch stattgefunden hat und das, was mir Pfeifen oder Zischen scheint, wäre dann eigentlich ein Rauschen. Aber abgesehen davon, daß ich in dieser Hinsicht gar keine Erfahrungen habe – das Grundwasser, das ich zuerst gefunden habe, habe ich gleich abgeleitet und es ist nicht wiedergekommen in diesem sandigen Boden –, abgesehen davon ist es eben ein Zischen und in ein Rauschen nicht umzudeuten. Aber was helfen alle Mahnungen zur Ruhe, die Einbildungskraft will nicht stillstehen und ich halte tatsächlich dabei zu glauben – es ist zwecklos, sich das selbst abzuleugnen –, das Zischen stamme von einem Tier und zwar nicht von vielen und kleinen, sondern von einem einzigen großen. Es spricht manches dagegen. Daß das Geräusch überall zu hören ist und immer in gleicher Stärke, und überdies regelmäßig bei Tag und Nacht. Gewiß, zuerst müßte man eher dazu neigen, viele kleine Tiere anzunehmen, da ich sie aber bei meinen Grabungen hätte finden müssen und nichts gefunden habe, bleibt nur die Annahme der Existenz des großen Tieres, zumal das, was der Annahme zu widersprechen scheint, bloß Dinge sind, welche das Tier nicht unmöglich, sondern nur über alle Vorstellbarkeit hinaus gefährlich machen. Nur deshalb habe ich mich gegen die Annahme gewehrt. Ich lasse von dieser Selbsttäuschung ab. Schon lange spiele ich mit dem Gedanken, daß es deshalb selbst auf große Entfernung hin zu hören ist, weil es rasend arbeitet, es gräbt sich so schnell durch die Erde, wie ein Spaziergänger im freien Gange geht, die Erde zittert bei seinem Graben, auch wenn es schon vorüber ist, dieses Nachzittern und das Geräusch der Arbeit selbst vereinigen sich in der großen Entfernung und ich, der ich nur das letzte Verebben des Geräusches höre, höre es überall gleich. Dabei wirkt mit, daß das Tier nicht auf mich zugeht, darum ändert sich das Geräusch nicht, es liegt vielmehr ein Plan vor, dessen Sinn ich nicht durchschaue, ich nehme nur an, daß das Tier, wobei ich gar nicht behaupten will, daß es von mir weiß, mich einkreist, wohl einige Kreise hat es schon um meinen Bau gezogen, seit ich es beobachte. – Viel zu denken gibt mir die Art des Geräusches, das Zischen oder Pfeifen. Wenn ich in meiner Art in der Erde kratze und scharre, ist es doch ganz anders anzuhören. Ich kann mir das Zischen nur so erklären, daß das Hauptwerkzeug des Tieres nicht seine Krallen sind, mit denen es vielleicht nur nachhilft, sondern seine Schnauze oder sein Rüssel, die allerdings, abgesehen von ihrer ungeheuren Kraft, wohl auch irgendwelche Schärfen haben. Wahrscheinlich bohrt es mit einem einzigen mächtigen Stoß den Rüssel in die Erde und reißt ein großes Stück heraus, während dieser Zeit höre ich nichts, das ist die Pause, dann aber zieht es wieder Luft ein zum neuen Stoß. Dieses Einziehen der Luft, das ein die Erde erschütternder Lärm sein muß, nicht nur wegen der Kraft des Tieres, sondern auch wegen seiner Eile, seines Arbeitseifers, diesen Lärm höre ich dann als leises Zischen. Gänzlich unverständlich bleibt mir allerdings seine Fähigkeit, unaufhörlich zu arbeiten; vielleicht enthalten die kleinen Pausen auch die Gelegenheit für ein winziges Ausruhen, aber zu einem wirklichen großen Ausruhen ist es scheinbar noch nicht gekommen, Tag und Nacht gräbt es immer in gleicher Kraft und Frische, seinen eiligst auszuführenden Plan vor Augen, den zu verwirklichen es alle Fähigkeiten besitzt. Nun, einen solchen Gegner habe ich nicht erwarten können. Aber abgesehen von seinen Eigentümlichkeiten ereignet sich jetzt doch nur etwas, was ich eigentlich immer zu befürchten gehabt hätte, etwas, wogegen ich hätte immer Vorbereitungen treffen sollen: Es kommt jemand heran! Wie kam es nur, daß so lange Zeit alles still und glücklich verlief? Wer hat die Wege der Feinde gelenkt, daß sie den großen Bogen machten um meinen Besitz? Warum wurde ich so lange beschützt, um jetzt so geschreckt zu werden? Was waren alle kleinen Gefahren, mit deren Durchdenken ich die Zeit hinbrachte gegen diese eine! Hoffte ich als Besitzer des Baues die Übermacht zu haben gegen jeden, der käme? Eben als Besitzer dieses großen empfindlichen Werkes bin ich wohlverstanden gegenüber jedem ernsteren Angriff wehrlos. Das Glück seines Besitzes hat mich verwöhnt, die Empfindlichkeit des Baues hat mich empfindlich gemacht, seine Verletzungen schmerzen mich, als wären es die meinen. Eben dieses hätte ich voraussehen müssen, nicht nur an meine eigene Verteidigung denken – und wie leichthin und ergebnislos habe ich selbst das getan –, sondern an die Verteidigung des Baues. Es müßte vor allem Vorsorge dafür getroffen sein, daß einzelne Teile des Baues, und möglichst viele einzelne Teile, wenn sie von jemandem angegriffen werden, durch Erdverschüttungen, die in kürzester Zeit erzielbar sein müßten, von den weniger gefährdeten Teilen getrennt werden und zwar durch solche Erdmassen, und derart wirkungsvoll getrennt werden könnten, daß der Angreifer gar nicht ahnte, daß dahinter erst der eigentliche Bau ist. Noch mehr, diese Erdverschüttungen müßten geeignet sein, nicht nur den Bau zu verbergen, sondern auch den Angreifer zu begraben. Nicht den kleinsten Anlauf zu etwas derartigem habe ich gemacht, nichts, gar nichts ist in dieser Richtung geschehen, leichtsinnig wie ein Kind bin ich gewesen, meine Mannesjahre habe ich mit kindlichen Spielen verbracht, selbst mit den Gedanken an die Gefahren habe ich nur gespielt, an die wirklichen Gefahren wirklich zu denken, habe ich versäumt. Und an Mahnungen hat es nicht gefehlt.

Etwas, was an das jetzige heranreichen würde, ist allerdings nicht geschehen, aber doch immerhin etwas ähnliches in den Anfangszeiten des Baues. Der Hauptunterschied war eben, daß es die Anfangszeiten des Baues waren... Ich arbeitete damals, förmlich als kleiner Lehrling, noch am ersten Gang, das Labyrinth war erst in grobem Umriß entworfen, einen kleinen Platz hatte ich schon ausgehöhlt, aber er war im Ausmaß und in der Wandbehandlung ganz mißlungen; kurz, alles war derartig am Anfang, daß es überhaupt nur als Versuch gelten konnte, als etwas, das man, wenn einmal die Geduld reißt, ohne großes Bedauern plötzlich liegen lassen könnte. Da geschah es, daß ich einmal in der Arbeitspause – ich habe in meinem Leben immer zu viel Arbeitspausen gemacht – zwischen meinen Erdhaufen lag und plötzlich ein Geräusch in der Ferne hörte. Jung wie ich war, wurde ich dadurch mehr neugierig als ängstlich. Ich ließ die Arbeit und verlegte mich aufs Horchen, immerhin horchte ich und lief nicht oben unter das Moos, um mich dort zu strecken und nicht horchen zu müssen. Wenigstens horchte ich. Ich konnte recht wohl unterscheiden, daß es sich um ein Graben handelte, ähnlich dem meinen, etwas schwächer klang es wohl, aber wieviel davon der Entfernung zuzusprechen war, konnte man nicht wissen. Ich war gespannt, aber sonst kühl und ruhig. Vielleicht bin ich in einem fremden Bau, dachte ich, und der Besitzer gräbt sich jetzt an mich heran. Hätte sich die Richtigkeit dieser Annahme herausgestellt, wäre ich, da ich niemals eroberungssüchtig oder angriffslustig gewesen bin, weggezogen, um anderswo zu bauen. Aber freilich, ich war noch jung und hatte noch keinen Bau, ich konnte noch kühl und ruhig sein. Auch der weitere Verlauf der Sache brachte mir keine wesentliche Aufregung, nur zu deuten war er nicht leicht. Wenn der, welcher dort grub, wirklich zu mir hinstrebte, weil er mich graben gehört hatte, so war es, wenn er, wie es jetzt tatsächlich geschah, die Richtung änderte, nicht festzustellen, ob er dies tat, weil ich durch meine Arbeitspause ihm jeden Anhaltspunkt für seinen Weg nahm, oder vielmehr, weil er selbst seine Absicht änderte. Vielleicht aber hatte ich mich überhaupt getäuscht und er hatte sich niemals geradezu gegen mich gerichtet, jedenfalls verstärkte sich das Geräusch noch eine Zeitlang, so als nähere er sich, ich Junger wäre damals vielleicht gar nicht damit unzufrieden gewesen, den Graber plötzlich aus der Erde hervortreten zu sehen, es geschah aber nichts dergleichen, von einem bestimmten Punkte an begann sich das Graben abzuschwächen, es wurde leiser und leiser, so als schwenke der Graber allmählich von seiner ersten Richtung ab und auf einmal brach er ganz ab, als habe er sich jetzt zu einer völlig entgegengesetzten Richtung entschlossen und rücke geradewegs von mir weg in die Ferne. Lange horchte ich ihm noch in die Stille nach, ehe ich wieder zu arbeiten begann. Nun, diese Mahnung war deutlich genug, aber bald vergaß ich sie und auf meine Baupläne hat sie kaum einen Einfluß gehabt.

Zwischen damals und heute liegt mein Mannesalter; ist es aber nicht so, als läge gar nichts dazwischen? Noch immer mache ich eine große Arbeitspause und horche an der Wand und der Graber hat neuerlich seine Absicht geändert, er hat Kehrt gemacht, er kommt zurück von seiner Reise, er glaubt, er hätte mir inzwischen genug Zeit gelassen, mich für seinen Empfang einzurichten. Aber auf meiner Seite ist alles weniger eingerichtet, als es damals war, der große Bau steht da, wehrlos, und ich bin kein kleiner Lehrling mehr, sondern ein alter Baumeister und, was ich an Kräften noch habe, versagt mir, wenn es zur Entscheidung kommt, aber wie alt ich auch bin, es scheint mir, daß ich recht gern noch älter wäre, als ich bin, so alt, daß ich mich gar nicht mehr erheben könnte von meinem Ruhelager unter dem Moos. Denn in Wirklichkeit ertrage ich es hier doch nicht, erhebe mich und jage, als hätte ich mich hier statt mit Ruhe mit neuen Sorgen erfüllt, wieder hinunter ins Haus. – Wie standen die Dinge zuletzt? Das Zischen war schwächer geworden? Nein, es war stärker geworden. Ich horche an zehn beliebigen Stellen und merke die Täuschung deutlich, das Zischen ist gleichgeblieben, nichts hat sich geändert. Dort drüben gehen keine Veränderungen vor sich, dort ist man ruhig und über die Zeit erhaben, hier aber rüttelt jeder Augenblick am Horcher. Und ich gehe wieder den langen Weg zum Burgplatz zurück, alles ringsherum scheint mir erregt, scheint mich anzusehen, scheint dann auch gleich wieder wegzusehen, um mich nicht zu stören, und strengt sich doch wieder an, von meinen Mienen die rettenden Entschlüsse abzulesen. Ich schüttle den Kopf, ich habe noch keine. Auch zum Burgplatz gehe ich nicht, um dort irgendeinen Plan auszuführen. Ich komme an der Stelle vorüber, wo ich den Forschungsgraben hatte anlegen wollen, ich prüfe sie nochmals, es wäre eine gute Stelle gewesen, der Graben hätte in der Richtung geführt, in welcher die meisten kleinen Luftzuführungen liegen, die mir die Arbeit sehr erleichtert hätten, vielleicht hätte ich gar nicht sehr weit graben müssen, hätte mich gar nicht herangraben müssen an den Ursprung des Geräusches, vielleicht hätte das Horchen an den Zuführungen genügt. Aber keine Überlegung ist stark genug, um mich zu dieser Grabungsarbeit aufzumuntern. Dieser Graben soll mir Gewißheit bringen? Ich bin so weit, daß ich Gewißheit gar nicht haben will. Auf dem Burgplatz wähle ich ein schönes Stück enthäuteten roten Fleisches aus und verkrieche mich damit in einen der Erdhaufen, dort wird jedenfalls Stille sein, soweit es hier überhaupt eigentliche Stille noch gibt. Ich lecke und nasche am Fleisch, denke abwechselnd einmal an das fremde Tier, das in der Ferne seinen Weg zieht, und dann wieder daran, daß ich, solange ich noch die Möglichkeit habe, ausgiebigst meine Vorräte genießen sollte. Dieses letztere ist wahrscheinlich der einzige ausführbare Plan, den ich habe. Im übrigen suche ich den Plan des Tieres zu enträtseln. Ist es auf Wanderschaft oder arbeitet es an seinem eigenen Bau? Ist es auf Wanderschaft, dann wäre vielleicht eine Verständigung mit ihm möglich. Wenn es wirklich bis zu mir durchbricht, gebe ich ihm einiges von meinen Vorräten und es wird weiterziehen. Wohl, es wird weiterziehen. In meinen Erdhaufen kann ich natürlich von allem träumen, auch von Verständigung, obwohl ich genau weiß, daß es etwas derartiges nicht gibt, und daß wir in dem Augenblick, wenn wir einander sehen, ja wenn wir einander nur in der Nähe ahnen, gleich besinnungslos, keiner früher, keiner später, mit einem neuen anderen Hunger, auch wenn wir sonst völlig satt sind, Krallen und Zähne gegeneinander auftun werden. Und wie immer so auch hier mit vollem Recht, denn wer, wenn er auch auf Wanderschaft ist, würde angesichts des Baues seine Reise- und Zukunftspläne nicht ändern? Aber vielleicht gräbt das Tier in seinem eigenen Bau, dann kann ich von einer Verständigung nicht einmal träumen. Selbst wenn es ein so sonderbares Tier wäre, daß sein Bau eine Nachbarschaft vertragen würde, mein Bau verträgt sie nicht, zumindest eine hörbare Nachbarschaft verträgt er nicht. Nun scheint das Tier freilich sehr weit entfernt, wenn es sich nur noch ein wenig weiter zurückziehen würde, würde wohl auch das Geräusch verschwinden, vielleicht könnte dann noch alles gut werden wie in den alten Zeiten, es wäre dann nur eine böse, aber wohltätige Erfahrung, sie würde mich zu den verschiedensten Verbesserungen anregen; wenn ich Ruhe habe und die Gefahr nicht unmittelbar drängt, bin ich noch zu allerlei ansehnlicher Arbeit sehr wohl fähig, vielleicht verzichtet das Tier angesichts der ungeheuren Möglichkeiten, die es bei seiner Arbeitskraft zu haben scheint, auf die Ausdehnung seines Baues in der Richtung gegen den meinen und entschädigt sich auf einer anderen Seite dafür. Auch das läßt sich natürlich nicht durch Verhandlungen erreichen, sondern nur durch den eigenen Verstand des Tieres oder durch einen Zwang, der von meiner Seite ausgeübt würde. In beider Hinsicht wird entscheidend sein, ob und was das Tier von mir weiß. Je mehr ich darüber nachdenke, desto unwahrscheinlicher scheint es mir, daß das Tier mich überhaupt gehört hat, es ist möglich, wenn auch mir unvorstellbar, daß es sonst irgendwelche Nachrichten über mich hat, aber gehört hat es mich wohl nicht. Solange ich nichts von ihm wußte, kann es mich überhaupt nicht gehört haben, denn da verhielt ich mich still, es gibt nichts Stilleres als das Wiedersehen mit dem Bau, dann, als ich die Versuchsgrabungen machte, hätte es mich wohl hören können, obwohl meine Art zu graben sehr wenig Lärm macht; wenn es mich aber gehört hätte, hätte doch auch ich etwas davon bemerken müssen, es hätte doch wenigstens in der Arbeit öfters innehalten müssen und horchen. – Aber alles blieb unverändert.——

DER RIESENMAULWURF

Diejenigen, ich gehöre zu ihnen, die schon einen kleinen gewöhnlichen Maulwurf widerlich finden, wären wahrscheinlich vom Widerwillen getötet worden, wenn sie den Riesenmaulwurf gesehen hätten, der vor einigen Jahren in der Nähe eines kleinen Dorfes beobachtet worden ist, das dadurch eine gewisse vorübergehende Berühmtheit erlangt hat. Jetzt ist es allerdings schon längst wieder in Vergessenheit geraten und teilt damit nur die Ruhmlosigkeit der ganzen Erscheinung, die vollständig unerklärt geblieben ist, die man aber zu erklären sich auch nicht sehr bemüht hat und die infolge einer unbegreiflichen Nachlässigkeit jener Kreise, die sich darum hätten kümmern sollen und die sich tatsächlich angestrengt um viel geringfügigere Dinge kümmern, ohne genauere Untersuchung vergessen worden ist. Darin, daß das Dorf weit von der Eisenbahn abliegt, kann jedenfalls keine Entschuldigung dafür gefunden werden. Viele Leute kamen aus Neugierde von weither, sogar aus dem Ausland, nur diejenigen, die mehr als Neugierde hätten zeigen sollen, die kamen nicht. Ja, hätten nicht einzelne ganz einfache Leute, Leute, deren gewöhnliche Tagesarbeit ihnen kaum ein ruhiges Aufatmen gestattete, hätten nicht diese Leute uneigennützig sich der Sache angenommen, das Gerücht von der Erscheinung wäre wahrscheinlich kaum über den nächsten Umkreis hinausgekommen. Es muß zugegeben werden, daß selbst das Gerücht, das sich doch sonst kaum aufhalten läßt, in diesem Falle geradezu schwerfällig war; hätte man es nicht förmlich gestoßen, es hätte sich nicht verbreitet. Aber auch das war gewiß kein Grund, sich mit der Sache nicht zu beschäftigen, im Gegenteil, auch diese Erscheinung hätte noch untersucht werden müssen. Statt dessen überließ man die einzige schriftliche Behandlung des Falles dem alten Dorflehrer, der zwar ein ausgezeichneter Mann in seinem Berufe war, aber dessen Fähigkeiten ebensowenig wie seine Vorbildung es ihm ermöglichten, eine gründliche und weiterhin verwertbare Beschreibung, geschweige denn eine Erklärung zu liefern. Die kleine Schrift wurde gedruckt und an die damaligen Besucher des Dorfes viel verkauft, sie fand auch einige Anerkennung, aber der Lehrer war klug genug einzusehen, daß seine vereinzelten, von niemandem unterstützten Bemühungen im Grunde wertlos waren. Wenn er dennoch in ihnen nicht nachließ und die Sache, obwohl sie ihrer Natur nach von Jahr zu Jahr verzweifelter wurde, zu seiner Lebensaufgabe machte, so beweist das einerseits, wie groß die Wirkung war, welche die Erscheinung ausüben konnte, und andererseits, welche Anstrengung und Überzeugungstreue sich in einem alten, unbeachteten Dorflehrer vorfinden kann. Daß er aber unter der abweisenden Haltung der maßgebenden Persönlichkeiten schwer gelitten hat, beweist ein kleiner Nachtrag, den er seiner Schrift folgen ließ, allerdings erst nach einigen Jahren, aber zu einer Zeit, als sich kaum jemand mehr erinnern konnte, worum es sich hier gehandelt hatte. In diesem Nachtrag führt er, vielleicht nicht durch Geschicklichkeit, aber durch Ehrlichkeit überzeugend, Klage über die Verständnislosigkeit, die ihm bei Leuten begegnet ist, wo man sie am wenigsten hätte erwarten sollen. Von diesen Leuten sagt er treffend: »Nicht ich, aber sie reden wie alte Dorflehrer.« Und er führt unter anderem den Ausspruch eines Gelehrten an, zu dem er eigens in seiner Sache gefahren ist. Der Name des Gelehrten ist nicht genannt, aber aus verschiedenen Nebenumständen läßt sich erraten, wer es gewesen ist. Nachdem der Lehrer große Schwierigkeiten überwunden hatte, überhaupt Einlaß zu erlangen, merkte er schon bei der Begrüßung, daß der Gelehrte in einem unüberwindbaren Vorurteil in betreff seiner Sache befangen war. In welcher Zerstreutheit er dem langen Bericht des Lehrers zuhörte, den dieser an der Hand seiner Schrift erstattete, zeigte sich in der Bemerkung, die er nach einiger scheinbarer Überlegung machte: »Die Erde ist doch in Ihrer Gegend besonders schwarz und schwer. Nun, sie gibt deshalb auch den Maulwürfen besonders fette Nahrung und sie werden ungewöhnlich groß.« »Aber so groß doch nicht«, rief der Lehrer und maß, in seiner Wut ein wenig übertreibend, zwei Meter an der Wand ab. »O doch«, antwortete der Gelehrte, dem das Ganze offenbar sehr spaßhaft vorkam. Mit diesem Bescheide fuhr der Lehrer nach Hause zurück. Er erzählt, wie ihn am Abend im Schneefall auf der Landstraße seine Frau und seine sechs Kinder erwartet hätten und wie er ihnen das endgültige Mißlingen seiner Hoffnungen bekennen mußte.

Als ich von dem Verhalten des Gelehrten gegenüber dem Lehrer las, kannte ich noch gar nicht die Hauptschrift des Lehrers. Aber ich entschloß mich, sofort alles, was ich über den Fall in Erfahrung bringen konnte, selbst zu sammeln und zusammenzustellen. Da ich dem Gelehrten nicht die Faust vor das Gesicht halten konnte, sollte wenigstens meine Schrift den Lehrer verteidigen oder, besser ausgedrückt, nicht so sehr den Lehrer als die gute Absicht eines ehrlichen, aber einflußlosen Mannes. Ich gestehe, ich bereute später diesen Entschluß, denn ich fühlte bald, daß seine Ausführung mich in eine wunderbare Lage bringen mußte. Einerseits war auch mein Einfluß bei weitem nicht hinreichend, um den Gelehrten oder gar die öffentliche Meinung zugunsten des Lehrers umzustimmen, andererseits aber mußte der Lehrer merken, daß mir an seiner Hauptabsicht, dem Nachweis der Erscheinung des großen Maulwurfes, weniger lag als an der Verteidigung seiner Ehrenhaftigkeit, die ihm wiederum selbstverständlich und keiner Verteidigung bedürftig schien. Es mußte also dahin kommen, daß ich, der ich mich dem Lehrer verbinden wollte, bei ihm kein Verständnis fand, und wahrscheinlich, statt zu helfen, für mich einen neuen Helfer brauchen würde, dessen Auftreten wohl sehr unwahrscheinlich war. Außerdem bürdete ich mir mit meinem Entschluß eine große Arbeit auf. Wollte ich überzeugen, so durfte ich mich nicht auf den Lehrer berufen, der ja nicht hatte überzeugen können. Die Kenntnis seiner Schrift hätte mich nur beirrt und ich vermied es daher, sie vor Beendigung meiner eigenen Arbeit zu lesen. Ja, ich trat nicht einmal mit dem Lehrer in Verbindung. Allerdings erfuhr er durch Mittelspersonen von meinen Untersuchungen, aber er wußte nicht, ob ich in seinem Sinne arbeitete oder gegen ihn. Ja, er vermutete wahrscheinlich sogar das letztere, wenn er es später auch leugnete, denn ich habe Beweise darüber, daß er mir verschiedene Hindernisse in den Weg gelegt hat. Das konnte er sehr leicht, denn ich war ja gezwungen, alle Untersuchungen, die er schon durchgeführt hatte, nochmals vorzunehmen und er konnte mir daher immer zuvorkommen. Das war aber der einzige Vorwurf, der meiner Methode mit Recht gemacht werden konnte, übrigens ein unausweichlicher Vorwurf, der aber durch die Vorsicht, ja Selbstverleugnung meiner Schlußfolgerungen sehr entkräftet wurde. Sonst aber war meine Schrift von jeder Einflußnahme des Lehrers frei, vielleicht hatte ich in diesem Punkte sogar allzu große Peinlichkeit bewiesen, es war durchaus so, als hätte

bisher niemand den Fall untersucht, als wäre ich der erste, der die
Augen- und Ohrenzeugen verhörte, der erste, der die Angaben
aneinanderreihte, der erste, der Schlüsse zog. Als ich später die
Schrift des Lehrers las – sie hatte einen sehr umständlichen Titel:
»Ein Maulwurf, so groß, wie ihn noch niemand gesehen hat« –,
fand ich tatsächlich, daß wir in wesentlichen Punkten nicht über-
einstimmten, wenn wir auch beide die Hauptsache, nämlich die
Existenz des Maulwurfs, bewiesen zu haben glaubten. Immerhin
verhinderten jene einzelnen Meinungsverschiedenheiten die Entstehung eines freundschaftlichen Verhältnisses zum Lehrer, das
ich eigentlich trotz allem erwartet hatte. Es entwickelte sich fast
eine gewisse Feindseligkeit von seiner Seite. Er blieb zwar immer
bescheiden und demütig mir gegenüber, aber desto deutlicher
konnte man seine wirkliche Stimmung merken. Er war nämlich
der Meinung, daß ich ihm mit der Sache durchaus geschadet habe,
und daß mein Glaube, ich hätte ihm genützt oder nützen können,
im besten Fall Einfältigkeit, wahrscheinlich aber Anmaßung oder
Hinterlist sei. Vor allem wies er öfters darauf hin, daß alle seine
bisherigen Gegner ihre Gegnerschaft überhaupt nicht oder bloß
unter vier Augen oder wenigstens nur mündlich gezeigt hätten,
während ich es für nötig gehalten hätte, alle meine Aussetzungen
sofort drucken zu lassen. Außerdem hätten die wenigen Gegner,
welche sich wirklich mit der Sache, wenn auch nur oberflächlich,
beschäftigt hätten, doch wenigstens seine, des Lehrers Meinung,
also die hier maßgebende Meinung angehört, ehe sie sich selber
geäußert hätten, ich aber hätte aus unsystematisch gesammelten
und zum Teil mißverstandenen Angaben Ergebnisse hervorge-
bracht, die, selbst wenn sie in der Hauptsache richtig waren, doch
unglaubwürdig wirken mußten, und zwar sowohl auf die Menge
als auch auf die Gebildeten. Der schwächste Schein der Unglaubwürdigkeit wäre aber das Schlimmste, was hier geschehen konnte.
Auf diese, wenn auch verhüllt vorgebrachten, Vorwürfe hätte ich
ihm leicht antworten können – so stellte zum Beispiel gerade seine
Schrift wohl den Höhepunkt der Unglaubwürdigkeit dar –, weniger leicht aber war es, gegen seinen sonstigen Verdacht anzukämpfen, und das war der Grund, warum ich mich überhaupt im
ganzen ihm gegenüber sehr zurückhielt. Er glaubte nämlich im
geheimen, daß ich ihn um den Ruhm hatte bringen wollen, der er-

ste öffentliche Fürsprecher des Maulwurfs zu sein. Nun war ja für seine Person gar kein Ruhm vorhanden, sondern nur eine Lächerlichkeit, die sich aber auch auf einen immer kleineren Kreis einschränkte und um die ich mich gewiß nicht bewerben wollte. Außerdem aber hatte ich in der Einleitung zu meiner Schrift ausdrücklich erklärt, daß der Lehrer für alle Zeiten als Entdecker des Maulwurfs zu gelten habe – der Entdecker aber war er nicht einmal – und daß nur die Anteilnahme am Schicksal des Lehrers mich zur Abfassung der Schrift gedrängt habe. »Der Zweck dieser Schrift ist es«, – so schloß ich allzu pathetisch, aber es entsprach meiner damaligen Erregung – »der Schrift des Lehrers zur verdienten Verbreitung zu helfen. Gelingt dies, dann soll mein Name, der vorübergehend und nur äußerlich in diese Angelegenheit verwickelt wird, sofort aus ihr gelöscht werden.« Ich wehrte also geradezu jede größere Beteiligung an der Sache ab; es war fast, als hätte ich irgendwie den unglaublichen Vorwurf des Lehrers vorausgeahnt. Trotzdem fand er gerade in dieser Stelle die Handhabe gegen mich, und ich leugne nicht, daß eine scheinbare Spur von Berechtigung in dem, was er sagte oder vielmehr andeutete, enthalten war, wie mir überhaupt einigemal auffiel, daß er in mancher Hinsicht mir gegenüber fast mehr Scharfsinn zeigte als in seiner Schrift. Er behauptete nämlich, meine Einleitung sei doppelzüngig. Wenn mir wirklich nur daran lag, seine Schrift zu verbreiten, warum befaßte ich mich nicht ausschließlich mit ihm und seiner Schrift, warum zeigte ich nicht ihre Vorzüge, ihre Unwiderlegbarkeit, warum beschränkte ich mich nicht darauf, die Bedeutung der Entdeckung hervorzuheben und begreiflich zu machen, warum drängte ich mich vielmehr unter vollständiger Vernachlässigung der Schrift in die Entdeckung selbst. War sie etwa nicht schon getan? Blieb etwa in dieser Hinsicht noch etwas zu tun übrig? Wenn ich aber wirklich glaubte, die Entdeckung noch einmal machen zu müssen, warum sagte ich mich dann in der Einleitung von der Entdeckung so feierlich los? Das hätte heuchlerische Bescheidenheit sein können, aber es war etwas Ärgeres. Ich entwertete die Entdeckung, ich machte auf sie aufmerksam nur zu dem Zweck, sie zu entwerten, während er sie doch erforscht und beiseite gelegt hatte. Es war vielleicht rings um diese Sache ein wenig stiller geworden, nun machte ich wieder Lärm, machte aber gleichzeitig die Lage des Lehrers schwieriger, als sie jemals gewesen war. Was bedeutete denn für den Lehrer die Verteidigung seiner Ehrenhaftigkeit! An der Sache, nur an der Sache lag ihm. Diese aber verriet ich, weil ich sie nicht verstand, weil ich sie nicht richtig einschätzte, weil ich keinen Sinn für sie hatte. Sie ging himmelhoch über meinen Verstand hinaus. Er saß vor mir und sah mich mit seinem alten, faltigen Gesicht ruhig an, und doch war nur dieses seine Meinung. Allerdings war es nicht richtig, daß ihm nur an der Sache lag, er war sogar recht ehrgeizig und wollte auch Geld gewinnen, was mit Rücksicht auf seine zahlreiche Familie sehr begreiflich war. Trotzdem schien ihm mein Interesse an der Sache vergleichsweise so gering, daß er glaubte, sich als vollständig uneigennützig hinstellen zu dürfen, ohne eine allzu große Unwahrheit zu sagen. Und es genügte tatsächlich nicht einmal für meine innere Befriedigung, wenn ich mir sagte, daß die Vorwürfe des Mannes im Grunde nur darauf zurückgehen, daß er gewissermaßen seinen Maulwurf mit beiden Händen festhält und jeden, der ihm nur mit dem Finger nahe kommen will, einen Verräter nennt. Es war nicht so, sein Verhalten war nicht durch Geiz, wenigstens nicht durch Geiz allein zu erklären, eher durch die Gereiztheit, welche seine großen Anstrengungen und deren vollständige Erfolglosigkeit in ihm hervorgerufen hatten. Aber auch die Gereiztheit erklärte nicht alles. Vielleicht war mein Interesse an der Sache wirklich zu gering. An Fremden war für den Lehrer Interesselosigkeit schon etwas Gewöhnliches, er litt darunter im allgemeinen, aber nicht mehr im einzelnen. Hier aber hatte sich endlich einer gefunden, der sich der Sache in außerordentlicher Weise annahm, und selbst dieser begriff die Sache nicht. Einmal in diese Richtung gedrängt, wollte ich gar nicht leugnen. Ich bin kein Zoologe, vielleicht hätte ich mich für diesen Fall, wenn ich ihn selbst entdeckt hätte, bis auf den Herzensgrund ereifert, aber ich hatte ihn doch nicht entdeckt. Ein so großer Maulwurf ist gewiß eine Merkwürdigkeit, aber die dauernde Aufmerksamkeit der ganzen Welt darf man nicht dafür verlangen, besonders wenn die Existenz des Maulwurfs nicht vollständig einwandfrei festgestellt ist und man ihn jedenfalls nicht vorführen kann. Und ich gestand auch ein, daß ich mich wahrscheinlich für den Maulwurf selbst, wenn ich der Entdecker gewesen wäre, niemals so eingesetzt hätte, wie ich es für den Lehrer gern und freiwillig tat.

Nun hätte sich wahrscheinlich die Nichtübereinstimmung zwischen mir und dem Lehrer bald aufgelöst, wenn meine Schrift Erfolg gehabt hätte. Aber gerade dieser Erfolg blieb aus. Vielleicht war sie nicht gut, nicht überzeugend genug geschrieben, ich bin Kaufmann, die Abfassung einer solchen Schrift geht vielleicht über den mir gesetzten Kreis noch weiter hinaus, als dies beim Lehrer der Fall war, obwohl ich allerdings in allen hierfür nötigen Kenntnissen den Lehrer bei weitem übertraf. Auch ließ sich der Mißerfolg noch anders deuten, der Zeitpunkt des Erscheinens war vielleicht ungünstig. Die Entdeckung des Maulwurfes, die nicht hatte durchdringen können, lag einerseits nicht so weit zurück, als daß man sie vollständig vergessen hätte und durch meine Schrift also etwa überrascht worden wäre, andererseits aber war Zeit genug vergangen, um das geringe Interesse, das ursprünglich vorhanden gewesen war, gänzlich zu erschöpfen. Jene, die sich überhaupt über meine Schrift Gedanken machten, sagten sich mit einer Trostlosigkeit, die schon vor Jahren diese Diskussion beherrscht hatte, daß nun wohl wieder die nutzlosen Anstrengungen für diese öde Sache beginnen sollen, und manche verwechselten sogar meine Schrift mit der des Lehrers. In einer führenden landwirtschaftlichen Zeitschrift fand sich folgende Bemerkung, glücklicherweise nur zum Schluß und klein gedruckt: »Die Schrift über den Riesenmaulwurf ist uns wieder zugeschickt worden. Wir erinnern uns, schon einmal vor Jahren über sie herzlich gelacht zu haben. Sie ist seitdem nicht klüger geworden und wir nicht dümmer. Bloß lachen können wir nicht zum zweitenmal. Dagegen fragen wir unsere Lehrervereinigungen, ob ein Dorfschullehrer nicht nützlichere Arbeit finden kann, als Riesenmaulwürfen nachzujagen.« Eine unverzeihliche Verwechslung! Man hatte weder die erste, noch die zweite Schrift gelesen, und die zwei armseligen in der Eile aufgeschnappten Worte Riesenmaulwurf und Dorfschullehrer genügten schon den Herren, um sich als Vertreter anerkannter Interessen in Szene zu setzen. Dagegen hätte gewiß Verschiedenes mit Erfolg unternommen werden können, aber die mangelnde Verständigung mit dem Lehrer hielt mich davon ab. Ich versuchte vielmehr, die Zeitschrift vor ihm geheimzuhalten, so lange es mir möglich war. Aber er entdeckte sie sehr bald, ich erkannte es schon aus einer Bemerkung in einem Brief, in dem er mir seinen Besuch für die Weihnachtsfeiertage in Aussicht stellte. Er schrieb dort: »Die Welt ist schlecht und man macht es ihr leicht«, womit er ausdrücken wollte, daß ich zu der schlechten Welt gehöre, mich aber mit der mir innewohnenden Schlechtigkeit nicht begnüge, sondern es der Welt auch noch leicht mache, das heißt, tätig bin, um die allgemeine Schlechtigkeit hervorzulocken und ihr zum Sieg zu verhelfen. Nun, ich hatte schon die nötigen Entschlüsse gefaßt, konnte ihn ruhig erwarten und ruhig zusehen, wie er ankam, sogar weniger höflich grüßte als sonst, sich stumm mir gegenübersetzte, sorgfältig aus der Brusttasche seines eigentümlich wattierten Rockes die Zeitschrift hervorzog und sie aufgeschlagen vor mich hinschob. »Ich kenne es«, sagte ich und schob die Zeitschrift ungelesen wieder zurück. »Sie kennen es«, sagte er seufzend, er hatte die alte Lehrergewohnheit, fremde Antworten zu wiederholen. »Ich werde das natürlich nicht ohne Abwehr hinnehmen«, fuhr er fort, tippte aufgeregt mit dem Finger auf die Zeitschrift und sah mich dabei scharf an, als wäre ich der entgegengesetzten Meinung; eine Ahnung dessen, was ich sagen wollte, hatte er wohl; ich habe auch sonst nicht so sehr aus seinen Worten, als aus sonstigen Zeichen zu bemerken geglaubt, daß er oft eine sehr richtige Empfindung für meine Absichten hatte, ihr aber nicht nachgab und sich ablenken ließ. Das, was ich ihm damals sagte, kann ich fast wortgetreu wiedergeben, da ich es kurz nach der Unterredung notiert habe. »Tut, was Ihr wollt«, sagte ich, »unsere Wege scheiden sich von heute ab. Ich glaube, daß es Euch weder unerwartet, noch ungelegen kommt. Die Notiz hier in der Zeitschrift ist nicht die Ursache meines Entschlusses, sie hat ihn bloß endgültig befestigt; die eigentliche Ursache liegt darin, daß ich ursprünglich glaubte, Euch durch mein Auftreten nützen zu können, während ich jetzt sehen muß, daß ich Euch in jeder Richtung geschadet habe. Warum es sich so gewendet hat, weiß ich nicht, die Gründe für Erfolg und Mißerfolg sind immer vieldeutig, sucht nicht nur jene Deutungen hervor, die gegen mich sprechen. Denkt an Euch, auch Ihr hattet die besten Absichten und doch Mißerfolg, wenn man das Ganze ins Auge faßt. Ich meine es nicht im Scherz, es geht ja gegen mich selbst, wenn ich sage, daß auch die Verbindung mit mir leider zu Euren Mißerfolgen zählt. Daß ich mich jetzt von der Sache zurückziehe, ist weder Feigheit noch Verrat. Es geschieht sogar nicht ohne Selbstüberwindung; wie sehr ich Eure Person achte, geht schon aus meiner Schrift hervor, Ihr seid mir in gewisser Hinsicht ein Lehrer geworden, und sogar der Maulwurf wurde mir fast lieb. Trotzdem trete ich beiseite, Ihr seid der Entdecker, und wie ich es auch anstellen wollte, ich hindere immer, daß der mögliche Ruhm Euch trifft, während ich den Mißerfolg anziehe und auf Euch weiterleite. Wenigstens ist dies Eure Meinung. Genug davon. Die einzige Buße, die ich auf mich nehmen kann, ist, daß ich Euch um Verzeihung bitte und wenn Ihr es verlangt, das Geständnis, das ich Euch hier gemacht habe, auch öffentlich, zum Beispiel in dieser Zeitschrift, wiederhole.«

Das waren damals meine Worte, sie waren nicht ganz aufrichtig, aber das Aufrichtige war ihnen leicht zu entnehmen. Meine Erklärung wirkte auf ihn so, wie ich es ungefähr erwartet hatte. Die meisten alten Leute haben Jüngeren gegenüber etwas Täuschendes, etwas Lügnerisches in ihrem Wesen, man lebt ruhig neben ihnen fort, glaubt das Verhältnis gesichert, kennt die vorherrschenden Meinungen, bekommt fortwährend Bestätigungen des Friedens, hält alles für selbstverständlich und plötzlich, wenn sich doch etwas Entscheidendes ereignet und die so lange vorbereitete Ruhe wirken sollte, erheben sich diese alten Leute wie Fremde, haben tiefere, stärkere Meinungen, entfalten förmlich jetzt erst ihre Fahne und man liest darauf mit Schrecken den neuen Spruch. Dieser Schrecken stammt vor allem daher, weil das, was die Alten jetzt sagen, wirklich viel berechtigter, sinnvoller, und als ob es eine Steigerung des Selbstverständlichen gäbe, noch selbstverständlicher ist. Das unübertrefflich Lügnerische daran aber ist, daß sie das, was sie jetzt sagen, im Grunde immer gesagt haben. Ich muß mich tief in diesen Dorfschullehrer eingebohrt haben, daß er mich jetzt nicht ganz überraschte. »Kind«, sagte er, legte seine Hand auf die meine und rieb sie freundschaftlich, »wie kamt Ihr denn überhaupt auf den Gedanken, Euch auf diese Sache einzulassen? – Gleich als ich zum erstenmal davon hörte, sprach ich mit meiner Frau darüber.« Er rückte vom Tische ab, breitete die Arme aus und blickte zu Boden, als stehe dort unten winzig seine Frau und er spreche mit ihr. »›So viele Jahre‹, sagte ich zu ihr, ›kämpfen wir allein, jetzt aber scheint in der Stadt ein hoher Gönner für uns einzutreten, ein städtischer Kaufmann, namens Soundso. Jetzt sollten wir uns doch sehr freuen, nicht? Ein Kaufmann in der Stadt bedeutet nicht wenig; wenn ein lumpiger Bauer uns glaubt und es ausspricht, so kann uns das nichts helfen, denn was ein Bauer macht, ist immer unanständig, ob er nun sagt: Der alte Dorfschullehrer hat recht, oder ob er etwa unpassenderweise ausspuckt, beides ist in der Wirkung einander gleich. Und stehen statt des einen Bauern zehntausend Bauern auf, so ist die Wirkung womöglich noch schlechter. Ein Kaufmann in der Stadt ist dagegen etwas anderes, ein solcher Mann hat Verbindungen, selbst das, was er nur nebenbei sagt, spricht sich in weiteren Kreisen herum, neue Gönner nehmen sich der Sache an, einer sagt zum Beispiel: Auch von Dorfschullehrern kann man lernen, und am nächsten Tag flüstern es sich schon eine Menge von Leuten zu, von denen man es, nach ihrem Äußeren zu schließen, niemals annehmen würde. Jetzt finden sich Geldmittel für die Sache, einer sammelt und die anderen zahlen ihm das Geld in die Hand, man meint, der Dorfschullehrer müsse aus dem Dorf hervorgeholt werden, man kommt, kümmert sich nicht um sein Aussehen, nimmt ihn in die Mitte und, da sich die Frau und die Kinder an ihn hängen, nimmt man auch sie mit. Hast du schon Leute aus der Stadt beobachtet? Das zwitschert unaufhörlich. Ist eine Reihe von ihnen beisammen, so geht das Zwitschern von rechts nach links und wieder zurück und auf und ab. Und so heben sie uns zwitschernd in den Wagen, man hat kaum Zeit, allen zuzunicken. Der Herr auf dem Kutschbock rückt seinen Zwicker zurecht, schwingt die Peitsche und wir fahren. Alle winken zum Abschied dem Dorfe zu, so als ob wir noch dort wären und nicht mitten unter ihnen säßen. Aus der Stadt kommen einige Wagen mit besonders Ungeduldigen uns entgegen. Wie wir uns nähern, stehen sie von ihren Sitzen auf und strecken sich, um uns zu sehen. Der, welcher Geld gesammelt hat, ordnet alles und ermahnt zur Ruhe. Es ist schon eine große Wagenreihe, wie wir in der Stadt einfahren. Wir haben geglaubt, daß die Begrüßung schon vorüber ist, aber nun vor dem Gasthof beginnt sie erst. In der Stadt sammeln sich eben auf einen Aufruf gleich sehr viele Leute an. Worum sich der eine kümmert, kümmert sich gleich auch der andere. Sie nehmen einander mit ihrem Atem die Meinungen weg und eignen sich sie an. Nicht alle diese Leute können mit dem Wagen fahren, sie warten vor dem Gasthof, andere könnten zwar fahren, aber sie tun es aus Selbstbewußtsein nicht. Auch diese warten. Es ist unbegreiflich, wie der, welcher Geld gesammelt hat, den Überblick über alles behält.‹«

Ich hatte ihm ruhig zugehört; ja, ich war während der Rede immer ruhiger geworden. Auf dem Tisch hatte ich alle Exemplare meiner Schrift, so viele ich ihrer noch besaß, aufgehäuft. Es fehlten nur sehr wenige, denn ich hatte in der letzten Zeit durch ein Rundschreiben alle ausgeschickten Exemplare zurückgefordert und hatte auch die meisten erhalten. Von vielen Seiten war mir übrigens sehr höflich geschrieben worden, daß man sich gar nicht erinnere, eine solche Schrift erhalten zu haben und daß man sie, wenn sie etwa doch gekommen sein sollte, bedauerlicherweise verloren haben müsse. Auch so war es richtig, ich wollte im Grunde nichts anderes. Nur einer bat mich, die Schrift als Kuriosum behalten zu dürfen, und verpflichtete sich, sie im Sinne meines Rundschreibens während der nächsten zwanzig Jahre niemandem zu zeigen. Dieses Rundschreiben hatte der Dorfschullehrer noch gar nicht gesehen. Ich freute mich, daß seine Worte es mir leicht machten, es ihm zu zeigen. Ich konnte dies aber auch sonst ohne Sorge tun, weil ich bei der Abfassung sehr vorsichtig vorgegangen war und das Interesse des Dorfschullehrers und seiner Sache niemals außer acht gelassen hatte. Die Hauptsätze des Schreibens lauteten nämlich: »Ich bitte nicht deshalb um Rückgabe der Schrift, weil ich etwa von den in der Schrift vertretenen Meinungen abgekommen bin oder sie vielleicht in einzelnen Teilen als irrig oder auch nur als unbeweisbar ansehen würde. Meine Bitte hat lediglich persönliche, allerdings sehr zwingende Gründe; auf meine Stellung zur Sache läßt sie jedoch nicht die allergeringsten Rückschlüsse zu. Ich bitte dies besonders zu beachten, und wenn es beliebt, auch zu verbreiten.«

Vorläufig hielt ich dieses Rundschreiben noch mit den Händen verdeckt und sagte: »Wollt Ihr mir Vorwürfe machen, weil es nicht so gekommen ist? Warum wollt Ihr das tun? Verbittern wir uns doch nicht das Auseinandergehen. Und versucht endlich einzusehen, daß Ihr zwar eine Entdeckung gemacht habt, daß aber diese Entdeckung nicht etwa alles andere überragt und daß infolgedessen auch das Unrecht, das Euch geschieht, nicht ein alles andere überragendes Unrecht ist. Ich kenne nicht die Satzungen der gelehrten Gesellschaften, aber ich glaube nicht, daß Euch selbst im günstigsten Falle ein Empfang bereitet worden wäre, der nur annähernd an jenen herangereicht hätte, wie Ihr ihn vielleicht Eurer armen Frau beschrieben habt. Wenn ich selbst etwas von der Wirkung der Schrift erhoffte, so glaubte ich, daß vielleicht ein Professor auf unseren Fall aufmerksam gemacht werden könnte, daß er irgendeinen jungen Studenten beauftragen würde, der Sache nachzugehen, daß dieser Student zu Euch gefahren und dort Eure und meine Untersuchungen nochmals in seiner Weise überprüfen würde, und daß er schließlich, wenn ihm das Ergebnis erwähnenswert schiene – hier ist festzuhalten, daß alle jungen Studenten voll Zweifel sind –, daß er dann eine eigene Schrift herausgeben würde, in welcher das, was Ihr geschrieben habt, wissenschaftlich begründet wäre. Jedoch selbst dann, wenn sich diese Hoffnung erfüllt hätte, wäre noch nicht viel erreicht gewesen. Die Schrift des Studenten, die einen so sonderbaren Fall verteidigt hätte, wäre vielleicht lächerlich gemacht worden. Ihr seht hier an dem Beispiel der landwirtschaftlichen Zeitschrift, wie leicht das geschehen kann, und wissenschaftliche Zeitschriften sind in dieser Hinsicht noch rücksichtsloser. Es ist auch verständlich, die Professoren tragen viel Verantwortung vor sich, vor der Wissenschaft, vor der Nachwelt, sie können sich nicht jeder neuen Entdeckung gleich an die Brust werfen. Wir andern sind ihnen gegenüber darin im Vorteil. Aber ich sehe von dem ab und will jetzt annehmen, daß die Schrift des Studenten sich durchgesetzt hätte. Was wäre dann geschehen? Euer Name wäre wohl einigemal in Ehren genannt worden, er hätte wahrscheinlich auch Eurem Stand genützt, man hätte gesagt: ›Unsere Dorfschullehrer haben offene Augen‹, und die Zeitschrift hier hätte, wenn Zeitschriften Gedächtnis und Gewissen hätten, Euch öffentlich abbitten müssen, es hätte sich dann auch ein wohlwollender Professor gefunden, um ein Stipendium für Euch zu erwirken, es ist auch wirklich möglich, daß man versucht hätte, Euch in die Stadt zu ziehen, Euch eine Stelle an einer städtischen Volksschule zu verschaffen und Euch so Gelegenheit zu geben, die wissenschaftlichen Hilfsmittel, welche die Stadt bietet, für Eure weitere Ausbildung zu verwerten. Wenn ich aber offen sein soll, so muß ich sagen, ich glaube, man hätte es nur versucht. Man hätte Euch hierher berufen, Ihr wäret auch gekommen, und zwar als gewöhnlicher Bittsteller, wie es Hunderte gibt, ohne allen festlichen Empfang, man hätte mit Euch gesprochen, hätte Euer ehrliches Streben anerkannt, hätte aber doch auch gleichzeitig gesehen, daß Ihr ein alter Mann seid, daß in diesem Alter der Beginn eines wissenschaftlichen Studiums aussichtslos ist und daß Ihr vor allem mehr zufällig als planmäßig zu Eurer Entdeckung gelangt seid und über diesen Einzelfall hinaus nicht einmal weiter zu arbeiten beabsichtigt. Man hätte Euch aus diesen Gründen wohl im Dorf gelassen. Eure Entdeckung allerdings wäre weitergeführt worden, denn so klein ist sie nicht, daß sie, einmal zur Anerkennung gekommen, jemals vergessen werden könnte. Aber Ihr hättet nicht mehr viel von ihr erfahren, und was Ihr erfahren hättet, hättet Ihr kaum verstanden. Jede Entdeckung wird gleich in die Gesamtheit der Wissenschaften geleitet und hört damit gewissermaßen auf, Entdeckung zu sein, sie geht im Ganzen auf und verschwindet, man muß schon einen wissenschaftlich geschulten Blick haben, um sie dann noch zu erkennen. Sie wird gleich an Leitsätze geknüpft, von deren Dasein wir noch gar nicht gehört haben, und im wissenschaftlichen Streit wird sie an diesen Leitsätzen bis in die Wolken hinaufgerissen. Wie wollen wir das begreifen? Wenn wir gelehrten Diskussionen zuhören, glauben wir zum Beispiel, es handle sich um die Entdeckung, aber unterdessen handelt es sich um ganz andere Dinge, und ein nächstes Mal glauben wir, es handle sich um anderes, nicht um die Entdeckung, nun handelt es sich aber gerade um sie.

Versteht Ihr das? Ihr wäret im Dorf geblieben, hättet mit dem erhaltenen Geld Euere Familie ein wenig besser ernähren und kleiden dürfen, aber Eure Entdeckung wäre Euch entzogen gewesen, ohne daß Ihr Euch mit irgendwelcher Berechtigung dagegen hättet wehren können, denn erst in der Stadt kam sie zu ihrer wirklichen Geltung. Und man wäre vielleicht gegen Euch gar nicht undankbar gewesen, man hätte etwa über der Stelle, wo die Entdeckung gemacht worden ist, ein kleines Museum bauen lassen, es wäre eine Sehenswürdigkeit des Dorfes geworden, Ihr wäret der Schlüsselbewahrer gewesen und, um es auch an äußeren Ehrenzeichen nicht fehlen zu lassen, hätte man Euch eine kleine, an der Brust zu tragende Medaille verliehen, wie sie die Diener der wissenschaftlichen Institute zu tragen pflegen. Das alles wäre möglich gewesen; war es aber das, was Ihr wolltet?«

Ohne sich mit einer Antwort aufzuhalten, wandte er ganz richtig ein: »Und das suchtet Ihr also für mich zu erreichen?«

»Vielleicht«, sagte ich, »ich habe damals nicht so sehr aus Überlegungen gehandelt, als daß ich Euch jetzt bestimmt antworten könnte. Ich wollte Euch helfen, es ist aber mißlungen und ist sogar das Mißlungenste, was ich jemals getan habe. Darum will ich jetzt davon zurücktreten und es ungeschehen machen, soweit meine Kräfte reichen.«

»Nun gut«, sagte der Dorfschullehrer, nahm seine Pfeife heraus und begann, sie mit dem Tabak zu stopfen, den er lose in allen Taschen mit sich trug. »Ihr habt Euch freiwillig der undankbaren Sache angenommen und tretet jetzt auch freiwillig zurück. Es ist alles ganz richtig!« »Ich bin nicht starrköpfig«, sagte ich. »Findet Ihr an meinem Vorschlag vielleicht etwas auszusetzen?« »Nein, gar nichts«, sagte der Dorfschullehrer, und seine Pfeife dampfte schon. Ich vertrug den Geruch seines Tabaks nicht und stand deshalb auf und ging im Zimmer herum. Ich war es schon von früheren Besprechungen her gewöhnt, daß der Dorfschullehrer mir gegenüber sehr schweigsam war und sich doch, wenn er einmal gekommen war, aus meinem Zimmer nicht fortrühren wollte. Es hatte mich schon manchmal sehr befremdet; er will noch etwas von mir, hatte ich dann immer gedacht und ihm Geld angeboten, das er auch regelmäßig annahm. Aber weggegangen war er immer erst dann, wenn es ihm beliebte. Gewöhnlich war dann die Pfeife ausgeraucht, er schwenkte sich um den Sessel herum, den er ordentlich und respektvoll an den Tisch rückte, griff nach seinem Knotenstock in der Erde, drückte mir eifrig die Hand und ging. Heute aber war mir sein schweigsames Dasitzen geradezu lästig. Wenn man einmal jemandem den endgültigen Abschied anbietet, wie ich es getan hatte, und dies vom andern als ganz richtig betrachtet wird, dann führt man doch das wenige noch gemeinsam zu Erledigende möglichst schnell zu Ende und bürdet dem anderen nicht zwecklos seine stumme Gegenwart auf. Wenn man den kleinen zähen Alten von rückwärts ansah, wie er an meinem Tische saß, konnte man glauben, es werde überhaupt nicht möglich sein, ihn aus dem Zimmer hinauszubefördern.——

FORSCHUNGEN EINES HUNDES

Wie sich mein Leben verändert hat und wie es sich doch nicht verändert hat im Grunde! Wenn ich jetzt zurückdenke und die Zeiten mir zurückrufe, da ich noch inmitten der Hundeschaft lebte, teilnahm an allem, was sie bekümmert, ein Hund unter Hunden, finde ich bei näherem Zusehen doch, daß hier seit jeher etwas nicht stimmte, eine kleine Bruchstelle vorhanden war, ein leichtes Unbehagen inmitten der ehrwürdigsten volklichen Veranstaltungen mich befiel, ja manchmal selbst im vertrauten Kreise, nein, nicht manchmal, sondern sehr oft, der bloße Anblick eines mir lieben Mithundes, der bloße Anblick, irgendwie neu gesehen, mich verlegen, erschrocken, hilflos, ja mich verzweifelt machte. Ich suchte mich gewissermaßen zu begütigen, Freunde, denen ich es eingestand, halfen mir, es kamen wieder ruhigere Zeiten – Zeiten, in denen zwar jene Überraschungen nicht fehlten, aber gleichmütiger aufgenommen, gleichmütiger ins Leben eingefügt wurden, vielleicht traurig und müde machten, aber im übrigen mich bestehen ließen als einen zwar ein wenig kalten, zurückhaltenden, ängstlichen, rechnerischen, aber alles in allem genommen doch regelrechten Hund. Wie hätte ich auch ohne die Erholungspausen das Alter erreichen können, dessen ich mich jetzt erfreue, wie hätte ich mich durchringen können zu der Ruhe, mit der ich die Schrekken meiner Jugend betrachte und die Schrecken des Alters ertrage, wie hätte ich dazu kommen können, die Folgerungen aus meiner, wie ich zugebe, unglücklichen oder, um es vorsichtiger auszudrücken, nicht sehr glücklichen Anlage zu ziehen und fast völlig ihnen entsprechend zu leben. Zurückgezogen, einsam, nur mit meinen hoffnungslosen, aber mir unentbehrlichen kleinen Untersuchungen beschäftigt, so lebe ich, habe aber dabei von der Ferne den Überblick über mein Volk nicht verloren, oft dringen Nachrichten zu mir und auch ich lasse hie und da von mir hören. Man behandelt mich mit Achtung, versteht meine Lebensweise nicht, aber nimmt sie mir nicht übel, und selbst junge Hunde, die ich hier und da in der Ferne vorüberlaufen sehe, eine neue Generation, an deren Kindheit ich mich kaum dunkel erinnere, versagen mir nicht den ehrerbietigen Gruß.

Man darf eben nicht außer acht lassen, daß ich trotz meinen Sonderbarkeiten, die offen zutage liegen, doch bei weitem nicht völlig aus der Art schlage. Es ist ja, wenn ichs bedenke – und dies zu tun habe ich Zeit und Lust und Fähigkeit –, mit der Hundeschaft überhaupt wunderbar bestellt. Es gibt außer uns Hunden vierlei Arten von Geschöpfen ringsumher, arme, geringe, stumme, nur auf gewisse Schreie eingeschränkte Wesen, viele unter uns Hunden studieren sie, haben ihnen Namen gegeben, suchen ihnen zu helfen, sie zu erziehen, zu veredeln und dergleichen. Mir sind sie, wenn sie mich nicht etwa zu stören versuchen, gleichgültig, ich verwechsle sie, ich sehe über sie hinweg. Eines aber ist zu auffallend, als daß es mir hätte entgehen können, wie wenig sie nämlich mit uns Hunden verglichen, zusammenhalten, wie fremd und stumm und mit einer gewissen Feindseligkeit sie aneinander vorübergehen, wie nur das gemeinste Interesse sie ein wenig äußerlich verbinden kann und wie selbst aus diesem Interesse oft noch Haß und Streit entsteht. Wir Hunde dagegen! Man darf doch wohl sagen, daß wir alle förmlich in einem einzigen Haufen leben, alle, so unterschieden wir sonst durch die unzähligen und tiefgehenden Unterscheidungen, die sich im Laufe der Zeiten ergeben haben. Alle in einem Haufen! Es drängt uns zueinander und nichts kann uns hindern, diesem Drängen genugzutun, alle unsere Gesetze und Einrichtungen, die wenigen, die ich noch kenne und die zahllosen, die ich vergessen habe, gehen zurück auf die Sehnsucht nach dem größten Glück, dessen wir fähig sind, dem warmen Beisammensein. Nun aber das Gegenspiel hierzu. Kein Geschöpf lebt meines Wissens so weithin zerstreut wie wir Hunde, keines hat so viele, gar nicht übersehbare Unterschiede der Klassen, der Arten, der Beschäftigungen. Wir, die wir zusammenhalten wollen, – und immer wieder gelingt es uns trotz allem in überschwenglichen Augenblicken – gerade wir leben weit von einander getrennt, in eigentümlichen, oft schon dem Nebenhund unverständlichen Berufen, festhaltend an Vorschriften, die nicht die der Hundeschaft sind; ja, eher gegen sie gerichtet. Was für schwierige Dinge das sind, Dinge, an die man lieber nicht rührt – ich verstehe auch diesen Standpunkt, verstehe ihn besser als den meinen –, und doch Dinge, denen ich ganz und gar verfallen bin. Warum tue ich es nicht wie die anderen, lebe einträchtig mit meinem Volke und nehme das, was die Eintracht stört, stillschweigend hin, vernachlässige es als kleinen Fehler in der großen Rechnung, und bleibe immer zugekehrt dem, was glücklich bindet, nicht dem, was, freilich immer wieder unwiderstehlich, uns aus dem Volkskreis zerrt.

Ich erinnere mich an einen Vorfall aus meiner Jugend, ich war damals in einer jener seligen, unerklärlichen Aufregungen, wie sie wohl jeder als Kind erlebt, ich war noch ein ganz junger Hund, alles gefiel mir, alles hatte Bezug zu mir, ich glaubte, daß große Dinge um mich vorgehen, deren Anführer ich sei, denen ich meine Stimme leihen müsse, Dinge, die elend am Boden liegenbleiben müßten, wenn ich nicht für sie lief, für sie meinen Körper schwenkte, nun, Phantasien der Kinder, die mit den Jahren sich verflüchtigen. Aber damals waren sie stark, ich war ganz in ihrem Bann, und es geschah dann auch freilich etwas Außerordentliches, was den wilden Erwartungen Recht zu geben schien. An sich war es nichts Außerordentliches, später habe ich solche und noch merkwürdigere Dinge oft genug gesehen, aber damals traf es mich mit dem starken, ersten, unverwischbaren, für viele folgende richtunggebenden Eindruck. Ich begegnete nämlich einer kleinen Hundegesellschaft, vielmehr, ich begegnete ihr nicht, sie kam auf mich zu. Ich war damals lange durch die Finsternis gelaufen, in Vorahnung großer Dinge – eine Vorahnung, die freilich leicht täuschte, denn ich hatte sie immer –, war lange durch die Finsternis gelaufen, kreuz und quér, blind und taub für alles, geführt von nichts als dem unbestimmten Verlangen, machte plötzlich halt in dem Gefühl, hier sei ich am rechten Ort, sah auf und es war überheller Tag, nur ein wenig dunstig, alles voll durcheinander wogender, berauschender Gerüche, ich begrüßte den Morgen mit wirren Lauten, da – als hätte ich sie heraufbeschworen – traten aus irgendwelcher Finsternis unter Hervorbringung eines entsetzlichen Lärms, wie ich ihn noch nie gehört hatte, sieben Hunde ans Licht. Hätte ich nicht deutlich gesehen, daß es Hunde waren und daß sie selbst diesen Lärm mitbrachten, obwohl ich nicht erkennen konnte, wie sie ihn erzeugten – ich wäre sofort weggelaufen, so aber blieb ich. Damals wußte ich noch fast nichts von der nur dem Hundegeschlecht verliehenen schöpferischen Musikalität, sie war meiner sich erst langsam entwickelnden Beobachtungskraft bisher natürlicherweise entgangen, hatte mich doch die Musik schon seit meiner Säuglingszeit umgeben als ein mir selbstverständliches, unentbehrliches Lebenselement, welches von meinem sonstigen

Leben zu sondern nichts mich zwang, nur in Andeutungen, dem kindlichen Verstand entsprechend, hatte man mich darauf hinzuweisen versucht, um so überraschender, geradezu niederwerfend waren jene sieben großen Musikkünstler für mich. Sie redeten nicht, sie sangen nicht, sie schwiegen im allgemeinen fast mit einer großen Verbissenheit, aber aus dem leeren Raum zauberten sie die Musik empor. Alles war Musik, das Heben und Niedersetzen ihrer Füße, bestimmte Wendungen des Kopfes, ihr Laufen und ihr Ruhen, die Stellungen, die sie zueinander einnahmen, die reigenmäßigen Verbindungen, die sie miteinander eingingen, indem etwa einer die Vorderpfoten auf des anderen Rücken stützte und sie sich dann so ordneten, daß der erste aufrecht die Last aller andern trug, oder indem sie mit ihren nah am Boden hinschleichenden Körpern verschlungene Figuren bildeten und niemals sich irrten; nicht einmal der letzte, der noch ein wenig unsicher war, nicht immer gleich den Anschluß an die andern fand, gewissermaßen im Anschlagen der Melodie manchmal schwankte, aber doch unsicher war nur im Vergleich mit der großartigen Sicherheit der anderen und selbst bei viel größerer, ja bei vollkommener Unsicherheit nichts hätte verderben können, wo die anderen, große Meister, den Takt unerschütterlich hielten. Aber man sah sie ja kaum, man sah sie ja alle kaum. Sie waren hervorgetreten, man hatte sie innerlich begrüßt als Hunde, sehr beirrt war man zwar von dem Lärm, der sie begleitete, aber es waren doch Hunde, Hunde wie ich und du, man beobachtete sie gewohnheitsmäßig, wie Hunde, denen man auf dem Weg begegnet, man wollte sich ihnen nähern, Grüße tauschen, sie waren auch ganz nah, Hunde, zwar viel älter als ich und nicht von meiner langhaarigen wolligen Art, aber doch auch nicht allzu fremd an Größe und Gestalt, recht vertraut vielmehr, viele von solcher oder ähnlicher Art kannte ich, aber während man noch in solchen Überlegungen befangen war, nahm allmählich die Musik überhand, faßte einen förmlich, zog einen hinweg von diesen wirklichen kleinen Hunden und, ganz wider Willen, sich sträubend mit allen Kräften, heulend, als würde einem Schmerz bereitet, durfte man sich mit nichts anderem beschäftigen, als mit der von allen Seiten, von der Höhe, von der Tiefe, von überall her kommenden, den Zuhörer in die Mitte nehmenden, überschüttenden, erdrückenden, über seiner Vernichtung noch in solcher Nähe, daß es schon Ferne war, kaum hörbar noch Fanfaren blasenden Musik. Und wieder wurde man entlassen, weil man schon zu erschöpft, zu vernichtet, zu schwach war, um noch zu hören, man wurde entlassen und sah die sieben kleinen Hunde ihre Prozessionen führen, ihre Sprünge tun, man wollte sie, so ablehnend sie aussahen, anrufen, um Belehrung bitten, sie fragen, was sie denn hier machten – ich war ein Kind und glaubte immer und jeden fragen zu dürfen –, aber kaum setzte ich an, kaum fühlte ich die gute, vertraute, hündische Verbindung mit den sieben, war wieder ihre Musik da, machte mich besinnungslos, drehte mich im Kreis herum, als sei ich selbst einer der Musikanten, während ich doch nur ihr Opfer war, warf mich hierhin und dorthin, so sehr ich auch um Gnade bat, und rettete mich schließlich vor ihrer eigenen Gewalt, indem sie mich in ein Gewirr von Hölzern drückte, das in jener Gegend ringsum sich erhob, ohne daß ich es bisher bemerkt hatte, mich jetzt fest umfing, den Kopf mir niederduckte und mir, mochte dort im Freien die Musik noch donnern, die Möglichkeit gab, ein wenig zu verschnaufen. Wahrhaftig, mehr als über die Kunst der sieben Hunde – sie war mir unbegreiflich, aber auch gänzlich unanknüpfbar außerhalb meiner Fähigkeiten –, wunderte ich mich über ihren Mut, sich dem, was sie erzeugten, völlig und offen auszusetzen, und über ihre Kraft, es, ohne daß es ihnen das Rückgrat brach, ruhig zu ertragen. Freilich erkannte ich jetzt aus meinem Schlupfloch bei genauerer Beobachtung, daß es nicht so sehr Ruhe, als äußerste Anspannung war, mit der sie arbeiteten, diese scheinbar so sicher bewegten Beine zitterten bei jedem Schritt in unaufhörlicher ängstlicher Zuckung, starr wie in Verzweiflung sah einer den anderen an, und die immer wieder bewältigte Zunge hing doch gleich wieder schlapp aus den Mäulern. Es konnte nicht Angst wegen des Gelingens sein, was sie so erregte; wer solches wagte, solches zustande brachte, der konnte keine Angst mehr haben. – Wovor denn Angst? Wer zwang sie denn zu tun, was sie hier taten? Und ich konnte mich nicht mehr zurückhalten, besonders da sie mir jetzt so unverständlich hilfsbedürftig erschienen, und so rief ich durch allen Lärm meine Fragen laut und fordernd hinaus. Sie aber – unbegreiflich! unbegreiflich! – sie antworteten nicht, taten, als wäre ich nicht da. Hunde, die auf Hundeanruf gar nicht antworten, ein Vergehen gegen die guten Sitten, das dem kleinsten wie dem größten Hunde unter keinen Umständen verziehen wird. Waren es etwa doch nicht Hunde? Aber wie sollten es denn nicht Hunde sein, hörte ich doch jetzt bei genauerem Hinhorchen sogar leise Zurufe, mit denen sie einander befeuerten, auf Schwierigkeiten aufmerksam machten, vor Fehlern warnten, sah ich doch den letzten kleinsten Hund, dem die meisten Zurufe galten, öfters nach mir hinschielen, so als hätte er viel Lust, mir zu antworten, bezwänge sich aber, weil es nicht sein dürfe. Aber warum durfte es nicht sein, warum durfte denn das, was unsere Gesetze bedingungslos immer verlangen, diesmal nicht sein? Das empörte sich in mir, fast vergaß ich die Musik. Diese Hunde hier vergingen sich gegen das Gesetz. Mochten es noch so große Zauberer sein, das Gesetz galt auch für sie, das verstand ich Kind schon ganz genau. Und ich merkte von da aus noch mehr. Sie hatten wirklich Grund zu schweigen, vorausgesetzt, daß sie aus Schuldgefühl schwiegen. Denn wie führten sie sich auf, vor lauter Musik hatte ich es bisher nicht bemerkt, sie hatten ja alle Scham von sich geworfen, die elenden taten das gleichzeitig Lächerlichste und Unanständigste, sie gingen aufrecht auf den Hinterbeinen. Pfui Teufel! Sie entblößten sich und trugen ihre Blöße protzig zur Schau: sie taten sich darauf zugute, und wenn sie einmal auf einen Augenblick dem guten Trieb gehorchten und die Vorderbeine senkten, erschraken sie förmlich, als sei es ein Fehler, als sei die Natur ein Fehler, hoben wieder schnell die Beine und ihr Blick schien um Verzeihung dafür zu bitten, daß sie in ihrer Sündhaftigkeit ein wenig hatten innehalten müssen. War die Welt verkehrt? Wo war ich? Was war denn geschehen? Hier durfte ich um meines eigenen Bestandes willen nicht mehr zögern, ich machte mich los aus den umklammernden Hölzern, sprang mit einem Satz hervor und wollte zu den Hunden, ich kleiner Schüler mußte Lehrer sein, mußte ihnen begreiflich machen, was sie taten, mußte sie abhalten vor weiterer Versündigung. »So alte Hunde, so alte Hunde!« wiederholte ich mir immerfort. Aber kaum war ich frei und nur noch zwei, drei Sprünge trennten mich von den Hunden, war es wieder der Lärm, der seine Macht über mich bekam. Vielleicht hätte ich in meinem Eifer sogar ihm, den ich doch nun schon kannte, widerstanden, wenn nicht durch alle seine Fülle, die schrecklich war, aber vielleicht doch zu bekämpfen, ein klarer, strenger, immer sich gleich bleibender, förmlich aus großer Ferne unverändert ankommender Ton, vielleicht die eigentliche Melodie inmitten des Lärms, geklungen und mich in die Knie gezwungen hätte. Ach, was machten doch diese Hunde für eine betörende Musik. Ich konnte nicht weiter, ich wollte sie nicht mehr belehren, mochten sie weiter die Beine spreizen, Sünden begehen und andere zur Sünde des stillen Zuschauens verlocken, ich war ein so kleiner Hund, wer konnte so Schweres von mir verlangen? Ich machte mich noch kleiner, als ich war, ich winselte, hätten mich danach die Hunde um meine Meinung gefragt, ich hätte ihnen vielleicht recht gegeben. Es dauerte übrigens nicht lange und sie verschwanden mit allem Lärm und allem Licht in der Finsternis, aus der sie gekommen waren.

Wie ich schon sagte: dieser ganze Vorfall enthielt nichts Außergewöhnliches, im Verlauf eines langen Lebens begegnet einem mancherlei, was, aus dem Zusammenhang genommen und mit den Augen eines Kindes angesehen, noch viel erstaunlicher wäre. Überdies kann man es natürlich – wie der treffende Ausdruck lautet – ›verreden‹, so wie alles, dann zeigt sich, daß hier sieben Musiker zusammengekommen waren, um in der Stille des Morgens Musik zu machen, daß ein kleiner Hund sich hinverirrt hatte, ein lästiger Zuhörer, den sie durch besonders schreckliche oder erhabene Musik leider vergeblich zu vertreiben suchten. Er störte sie durch Fragen, hätten sie, die schon durch die bloße Anwesenheit des Fremdlings genug gestört waren, auch noch auf diese Belästigung eingehen und sie durch Antworten vergrößern sollen? Und wenn auch das Gesetz befiehlt, jedem zu antworten, ist denn ein solcher winziger, hergelaufener Hund überhaupt ein nennenswerter Jemand? Und vielleicht verstanden sie ihn gar nicht, er bellte ja doch wohl seine Fragen recht unverständlich. Oder vielleicht verstanden sie ihn wohl und antworteten in Selbstüberwindung, aber er, der Kleine, der Musik-Ungewohnte, konnte die Antwort von der Musik nicht sondern. Und was die Hinterbeine betrifft, vielleicht gingen sie wirklich ausnahmsweise nur auf ihnen, es ist eine Sünde, wohl! Aber sie waren allein, sieben Freunde unter Freunden, im vertraulichen Beisammensein, gewissermaßen in den eigenen vier Wänden, gewissermaßen ganz allein, denn Freunde sind doch keine Öffentlichkeit und wo keine Öffentlichkeit ist, bringt sie auch ein kleiner, neugieriger Straßenhund nicht hervor, in diesem Fall aber: ist es hier nicht so, als wäre nichts geschehen? Ganz so ist es nicht, aber nahezu, und die Eltern sollten ihre Kleinen weniger herumlaufen und dafür besser schweigen und das Alter achten lehren.

Ist man soweit, dann ist der Fall erledigt. Freilich, was für die Großen erledigt ist, ist es für die Kleinen noch nicht. Ich lief umher, erzählte und fragte, klagte an und forschte und wollte jeden hinziehen zu dem Ort, wo alles geschehen war, und wollte jedem zeigen, wo ich gestanden war und wo die sieben gewesen und wo und wie sie getanzt und musiziert hatten und, wäre jemand mit mir gekommen, statt daß mich jeder abgeschüttelt und ausgelacht hätte, ich hätte dann wohl meine Sündlosigkeit geopfert und mich auch auf die Hinterbeine zu stellen versucht, um alles genau zu verdeutlichen. Nun, einem Kinde nimmt man alles übel, verzeiht ihm aber schließlich auch alles. Ich aber habe dieses kindhafte Wesen behalten und bin darüber ein alter Hund geworden. So wie ich damals nicht aufhörte, jenen Vorfall, den ich allerdings heute viel niedriger einschätze, laut zu besprechen, in seine Bestandteile zu zerlegen, an den Anwesenden zu messen ohne Rücksicht auf die Gesellschaft, in der ich mich befand, nur immer mit der Sache beschäftigt, die ich lästig fand genau so wie jeder andere, die ich aber – das war der Unterschied – gerade deshalb restlos durch Untersuchung auflösen wollte, um den Blick endlich wieder freizubekommen für das gewöhnliche, ruhige, glückliche Leben des Tages. Ganz so wie damals habe ich, wenn auch mit weniger kindlichen Mitteln – aber sehr groß ist der Unterschied nicht – in der Folgezeit gearbeitet und halte auch heute nicht weiter.

Mit jenem Konzert aber begann es. Ich klage nicht darüber, es ist mein eingeborenes Wesen, das hier wirkt und das sich gewiß, wenn das Konzert nicht gewesen wäre, eine andere Gelegenheit gesucht hätte, um durchzubrechen. Nur daß es so bald geschah, tat mir früher manchmal leid, es hat mich um einen großen Teil meiner Kindheit gebracht, das glückselige Leben der jungen Hunde, das mancher für sich jahrelang auszudehnen imstande ist, hat für mich nur wenige kurze Monate gedauert. Sei's drum. Es gibt wichtigere Dinge als die Kindheit. Und vielleicht winkt mir im Alter, erarbeitet durch ein hartes Leben, mehr kindliches Glück, als ein wirkliches Kind zu ertragen die Kraft hätte, die ich dann aber haben werde.

Ich begann damals meine Untersuchungen mit den einfachsten Dingen, an Material fehlte es nicht, leider, der Überfluß ist es, der mich in dunklen Stunden verzweifeln läßt. Ich begann zu untersuchen, wovon sich die Hundeschaft nährt. Das ist nun, wenn man will, natürlich keine einfache Frage, sie beschäftigt uns seit Urzeiten, sie ist der Hauptgegenstand unseres Nachdenkens, zahllos sind die Beobachtungen und Versuche und Ansichten auf diesem Gebiete, es ist eine Wissenschaft geworden, die in ihren ungeheuren Ausmaßen nicht nur über die Fassungskraft des einzelnen, sondern über jene aller Gelehrten insgesamt geht und ausschließlich von niemandem anderen als von der gesamten Hundeschaft und selbst von dieser nur seufzend und nicht ganz vollständig getragen werden kann, immer wieder abbröckelt in altem, längst besessenem Gut und mühselig ergänzt werden muß, von den Schwierigkeiten und kaum zu erfüllenden Voraussetzungen meiner Forschung ganz zu schweigen. Das alles wende man mir nicht ein, das alles weiß ich, wie nur irgendein Durchschnittshund, es fällt mir nicht ein, mich in die wahre Wissenschaft zu mengen, ich habe alle Ehrfurcht vor ihr, die ihr gebührt, aber sie zu vermehren fehlt es mir an Wissen und Fleiß und Ruhe und – nicht zuletzt, besonders seit einigen Jahren – auch an Appetit. Ich schlinge das Essen hinunter, aber der geringsten vorgängigen geordneten landwirtschaftlichen Betrachtung ist es mir nicht wert. Mir genügt in dieser Hinsicht der Extrakt aller Wissenschaft, die kleine Regel, mit welcher die Mütter die Kleinen von ihren Brüsten ins Leben entlassen: »Mache alles naß, soviel du kannst.« Und ist hier nicht wirklich fast alles enthalten? Was hat die Forschung, von unseren Urvätern angefangen, entscheidend Wesentliches denn hinzuzufügen? Einzelheiten, Einzelheiten und wie unsicher ist alles. Diese Regel aber wird bestehen, solange wir Hunde sind. Sie betrifft unsere Hauptnahrung. Gewiß, wir haben noch andere Hilfsmittel, aber im Notfall und wenn die Jahre nicht zu schlimm sind, könnten wir von dieser Hauptnahrung leben, diese Hauptnahrung finden wir auf der Erde, die Erde aber braucht unser Wasser, nährt sich von ihm, und nur für diesen Preis gibt sie uns unsere Nahrung, deren Hervorkommen man allerdings, dies ist auch nicht zu vergessen, durch bestimmte Sprüche, Gesänge, Bewegungen beschleunigen kann. Das ist aber meiner Meinung nach alles; von dieser Seite her ist über diese Sache grundsätzlich nicht mehr zu sagen. Hierin bin ich auch einig mit der ganzen Mehrzahl der Hundeschaft und von allen in dieser Hinsicht ketzerischen Ansichten wende ich mich streng ab. Wahrhaftig, es geht mir nicht um Besonderheiten, um Rechthaberei, ich bin glücklich, wenn ich mit den Volksgenossen übereinstimmen kann, und in diesem Falle geschieht es. Meine eigenen Unternehmungen gehen aber in anderer Richtung. Der Augenschein lehrt mich, daß die Erde, wenn sie nach den Regeln der Wissenschaft besprengt und bearbeitet wird, die Nahrung hergibt, und zwar in solcher Qualität, in solcher Menge, auf solche Art, an solchen Orten, zu solchen Stunden, wie es die gleichfalls von der Wissenschaft ganz oder teilweise festgestellten Gesetze verlangen. Das nehme ich hin, meine Frage aber ist: »Woher nimmt die Erde diese Nahrung?« Eine Frage, die man im allgemeinen nicht zu verstehen vorgibt und auf die man mir bestenfalls antwortet: »Hast du nicht genug zu essen, werden wir dir von dem unseren geben.« Man beachte diese Antwort. Ich weiß: Es gehört nicht zu den Vorzügen der Hundeschaft, daß wir Speisen, die wir einmal erlangt haben, zur Verteilung bringen. Das Leben ist schwer, die Erde spröde, die Wissenschaft reich an Erkenntnissen, aber arm genug an praktischen Erfolgen; wer Speise hat, behält sie; das ist nicht Eigennutz, sondern das Gegenteil, ist Hundegesetz, ist einstimmiger Volksbeschluß, hervorgegangen aus Überwindung der Eigensucht, denn die Besitzenden sind ja immer in der Minderzahl. Und darum ist jene Antwort: »Hast du nicht genug zu essen, werden wir dir von dem unseren geben« eine ständige Redensart, ein Scherzwort, eine Neckerei. Ich habe das nicht vergessen. Aber eine um so größere Bedeutung hatte es für mich, daß man mir gegenüber, damals als ich mich mit meinen Fragen in der Welt umhertrieb, den Spott beiseite ließ; man gab mir zwar noch immer nichts zu essen – woher hätte man es gleich nehmen sollen –, und wenn man es gerade zufällig hatte, vergaß man natürlich in der Raserei des Hungers jede andere Rücksicht, aber das Angebot meinte man ernst, und hie und da bekam ich dann wirklich eine Kleinigkeit, wenn ich schnell genug dabei war, sie an mich zu reißen. Wie kam es, daß man sich zu mir so besonders verhielt, mich schonte, mich bevorzugte? Weil ich ein magerer, schwacher Hund war, schlecht genährt und zu wenig um Nahrung besorgt? Aber es laufen viele schlecht genährte Hunde herum und man nimmt ihnen selbst die elendste Nahrung vor dem Mund weg, wenn man es kann, oft nicht aus Gier, sondern meist aus Grundsatz. Nein, man bevorzugte mich, ich konnte es nicht so sehr mit Einzelheiten belegen, als daß ich vielmehr den bestimmten Eindruck dessen hatte. Waren es also meine Fragen, über die man sich freute, die man für besonders klug ansah? Nein, man freute sich nicht und hielt sie alle für dumm. Und doch konnten es nur die Fragen sein, die mir die Aufmerksamkeit erwarben. Es war, als wolle man lieber das Ungeheuerliche tun, mir den Mund mit Essen zustopfen – man tat es nicht, aber man wollte es –, als meine Fragen dulden. Aber dann hätte man mich doch besser verjagen können und meine Fragen sich verbitten. Nein, das wollte man nicht, man wollte zwar meine Fragen nicht hören, aber gerade wegen dieser meiner Fragen wollte man mich nicht verjagen. Es war, so sehr ich ausgelacht, als dummes, kleines Tier behandelt, hin- und hergeschoben wurde, eigentlich die Zeit meines größten Ansehens, niemals hat sich später etwas derartiges wiederholt, überall hatte ich Zutritt, nichts wurde mir verwehrt, unter dem Vorwand rauher Behandlung wurde mir eigentlich geschmeichelt. Und alles also doch nur wegen meiner Fragen, wegen meiner Ungeduld, wegen meiner Forschungsbegierde. Wollte man mich damit einlullen, ohne Gewalt, fast liebend mich von einem falschen Wege abbringen, von einem Wege, dessen Falschheit doch nicht so über allem Zweifel stand, daß sie erlaubt hätte, Gewalt anzuwenden? – Auch hielt eine gewisse Achtung und Furcht von Gewaltanwendung ab. Ich ahnte schon damals etwas derartiges, heute weiß ich es genau, viel genauer als die, welche es damals taten, es ist wahr, man hat mich ablocken wollen von meinem Wege. Es gelang nicht, man erreichte das Gegenteil, meine Aufmerksamkeit verschärfte sich. Es stellte sich mir sogar heraus, daß ich es war, der die andern verlocken wollte, und daß mir tatsächlich die Verlockung bis zu einem gewissen Grade gelang. Erst mit Hilfe der Hundeschaft begann ich meine eigenen Fragen zu verstehen. Wenn ich zum Beispiel fragte: Woher nimmt die Erde diese Nahrung, – kümmerte mich denn dabei, wie es den Anschein haben konnte, die Erde, kümmerten mich etwa der Erde Sorgen? Nicht im geringsten, das lag mir, wie ich bald erkannte, völlig fern, mich kümmerten nur die Hunde, gar nichts sonst. Denn was gibt es außer den Hunden? Wen kann man sonst anrufen in der weiten, leeren Welt? Alles Wissen, die Gesamtheit aller Fragen und aller Antworten ist in den Hunden enthalten. Wenn man nur dieses Wissen wirksam, wenn man es nur in den hellen Tag bringen könnte, wenn sie nur nicht so unendlich viel mehr wüßten, als sie zugestehen, als sie sich selbst zugestehen. Noch der

redseligste Hund ist verschlossener, als es die Orte zu sein pflegen,
wo die besten Speisen sind. Man umschleicht den Mithund, man
schäumt vor Begierde, man prügelt sich selbst mit dem eigenen
Schwanz, man fragt, man bittet, man heult, man beißt und erreicht
– und erreicht das, was man auch ohne jede Anstrengung erreichen würde: liebevolles Anhören, freundliche Berührungen, eh-
renvolle Beschnupperungen, innige Umarmungen, mein und
dein Heulen mischt sich in eines, alles ist darauf gerichtet, ein Entzücken, Vergessen und Finden, aber das eine, was man vor allem
erreichen wollte: Eingeständnis des Wissens, das bleibt versagt.
Auf diese Bitte, ob stumm, ob laut, antworten bestenfalls, wenn
man die Verlockung schon aufs äußerste getrieben hat, nur
stumpfe Mienen, schiefe Blicke, verhängte, trübe Augen. Es ist
nicht viel anders, als es damals war, da ich als Kind die Musikerhunde anrief und sie schwiegen.

Nun könnte man sagen: »Du beschwerst dich über deine Mithunde, über ihre Schweigsamkeit hinsichtlich der entscheidenden
Dinge, du behauptest, sie wüßten mehr, als sie eingestehen, mehr,
als sie im Leben gelten lassen wollen, und dieses Verschweigen,
dessen Grund und Geheimnis sie natürlich auch noch mitver-
schweigen, vergifte das Leben, mache es dir unerträglich, du müß-
test es ändern oder es verlassen, mag sein, aber du bist doch selbst
ein Hund, hast auch das Hundewissen, nun sprich es aus, nicht nur
in Form der Frage, sondern als Antwort. Wenn du es aussprichst,
wer wird dir widerstehen? Der große Chor der Hundeschaft wird
einfallen, als hätte er darauf gewartet. Dann hast du Wahrheit,
Klarheit, Eingeständnis, soviel du nur willst. Das Dach dieses
niedrigen Lebens, dem du so Schlimmes nachsagst, wird sich
öffnen und wir werden alle, Hund bei Hund, aufsteigen in die
hohe Freiheit. Und sollte das Letzte nicht gelingen, sollte es
schlimmer werden als bisher, sollte die ganze Wahrheit unerträgli-
cher sein als die halbe, sollte sich bestätigen, daß die Schweigenden
als Erhalter des Lebens im Rechte sind, sollte aus der leisen
Hoffnung, die wir jetzt noch haben, völlige Hoffnungslosigkeit
werden, des Versuches ist das Wort doch wert, da du so, wie du
leben darfst, nicht leben willst. Nun also, warum machst du den
anderen ihre Schweigsamkeit zum Vorwurf und schweigst
selbst?« Leichte Antwort: Weil ich ein Hund bin. Im Wesentlichen
genau so wie die anderen fest verschlossen, Widerstand leistend

den eigenen Fragen, hart aus Angst. Frage ich denn, genau genommen, zumindest seit ich erwachsen bin, die Hundeschaft deshalb, damit sie mir antwortet? Habe ich so törichte Hoffnungen? Sehe ich die Fundamente unseres Lebens, ahne ihre Tiefe, sehe die Arbeiter beim Bau, bei ihrem finstern Werk, und erwarte noch immer, daß auf meine Fragen hin alles dies beendigt, zerstört, verlassen wird? Nein, das erwarte ich wahrhaftig nicht mehr. Ich verstehe sie, ich bin Blut von ihrem Blut, von ihrem armen, immer wieder jungen, immer wieder verlangenden Blut. Aber nicht nur das Blut haben wir gemeinsam, sondern auch das Wissen und nicht nur das Wissen, sondern auch den Schlüssel zu ihm. Ich besitze es nicht ohne die anderen, ich kann es nicht haben ohne ihre Hilfe. – Eisernen Knochen, enthaltend das edelste Mark, kann man nur beikommen durch ein gemeinsames Beißen aller Zähne aller Hunde. Das ist natürlich nur ein Bild und übertrieben; wären alle Zähne bereit, sie müßten nicht mehr beißen, der Knochen würde sich öffnen und das Mark läge frei dem Zugriff des schwächsten Hündchens. Bleibe ich innerhalb dieses Bildes, dann zielen meine Absicht, meine Fragen, meine Forschungen allerdings auf etwas Ungeheuerliches. Ich will diese Versammlung aller Hunde erzwingen, will unter dem Druck ihres Bereitseins den Knochen sich öffnen lassen, will sie dann zu ihrem Leben, das ihnen lieb ist, entlassen und dann allein, weit und breit allein, das Mark einschlürfen. Das klingt ungeheuerlich, ist fast so, als wollte ich mich nicht vom Mark eines Knochens nur, sondern vom Mark der Hundeschaft selbst nähren. Doch es ist nur ein Bild. Das Mark, von dem hier die Rede ist, ist keine Speise, ist das Gegenteil, ist Gift.

Mit meinen Fragen hetze ich nur noch mich selbst, will mich anfeuern durch das Schweigen, das allein ringsum mir noch antwortet. Wie lange wirst du es ertragen, daß die Hundeschaft, wie du dir durch deine Forschungen immer mehr zu Bewußtsein bringst, schweigt und immer schweigen wird? Wie lange wirst du es ertragen, so lautet über allen Einzelfragen meine eigentliche Lebensfrage: sie ist nur an mich gestellt und belästigt keinen andern. Leider kann ich sie leichter beantworten als die Einzelfragen: Ich werde es voraussichtlich aushalten bis zu meinem natürlichen Ende, den unruhigen Fragen widersteht immer mehr die Ruhe des Alters. Ich werde wahrscheinlich schweigend, vom Schweigen umgeben, nahezu friedlich, sterben und ich sehe dem gefaßt entgegen. Ein bewundernswürdig starkes Herz, eine vorzeitig nicht abzunützende Lunge sind uns Hunden wie aus Bosheit mitgegeben, wir widerstehen allen Fragen, selbst den eigenen, Bollwerk des Schweigens, das wir sind.

Immer mehr in letzter Zeit überdenke ich mein Leben, suche den entscheidenden, alles verschuldenden Fehler, den ich vielleicht begangen habe, und kann ihn nicht finden. Und ich muß ihn doch begangen haben, denn hätte ich ihn nicht begangen und hätte trotzdem durch die redliche Arbeit eines langen Lebens das, was ich wollte, nicht erreicht, so wäre bewiesen, daß das, was ich wollte, unmöglich war und völlige Hoffnungslosigkeit würde daraus folgen. Sieh das Werk deines Lebens! Zuerst die Untersuchungen hinsichtlich der Frage: Woher nimmt die Erde die Nahrung für uns? Ein junger Hund, im Grunde natürlich gierig lebenslustig, verzichtete ich auf alle Genüsse, wich allen Vergnügungen im Bogen aus, vergrub vor Verlockungen den Kopf zwischen den Beinen und machte mich an die Arbeit. Es war keine Gelehrtenarbeit, weder was die Gelehrsamkeit, noch was die Methode, noch was die Absicht betrifft. Das waren wohl Fehler, aber entscheidend können sie nicht gewesen sein. Ich habe wenig gelernt, denn ich kam frühzeitig von der Mutter fort, gewöhnte mich bald an Selbständigkeit, führte ein freies Leben, und allzu frühe Selbständigkeit ist dem systematischen Lernen feindlich. Aber ich habe viel gesehen, gehört und mit vielen Hunden der verschiedensten Arten und Berufe gesprochen und alles, wie ich glaube, nicht schlecht aufgefaßt und die Einzelbeobachtungen nicht schlecht verbunden, das hat ein wenig die Gelehrsamkeit ersetzt, außerdem aber ist Selbständigkeit, mag sie für das Lernen ein Nachteil sein, für eigene Forschung ein gewisser Vorzug. Sie war in meinem Falle um so nötiger, als ich nicht die eigentliche Methode der Wissenschaft befolgen konnte, nämlich die Arbeiten der Vorgänger zu benützen und mit den zeitgenössischen Forschern mich zu verbinden. Ich war völlig auf mich allein angewiesen, begann mit dem allerersten Anfang und mit dem für die Jugend beglückenden, für das Alter dann aber äußerst niederdrückenden Bewußtsein, daß der zufällige Schlußpunkt, den ich setzen werde, auch der endgültige sein müsse. War ich wirklich so allein mit meinen Forschungen, jetzt und seit jeher? Ja und nein. Es ist unmöglich, daß nicht immer und auch heute einzelne Hunde hier und dort in meiner Lage waren und sind. So schlimm kann es mit mir nicht stehen. Ich bin kein Haarbreit außerhalb des Hundewesens. Jeder Hund hat wie ich den Drang zu fragen, und ich habe wie jeder Hund den Drang zu schweigen. Jeder hat den Drang zu fragen. Hätte ich denn sonst durch meine Fragen auch nur die leichtesten Erschütterungen erreichen können, die zu sehen mir oft mit Entzücken, übertriebenem Entzücken allerdings, vergönnt war, und hätte ich denn, wenn es sich mit mir nicht so verhielte, nicht viel mehr erreichen müssen. Und daß ich den Drang zu schweigen habe, bedarf leider keines besonderen Beweises. Ich bin also grundsätzlich nicht anders als jeder andere Hund, darum wird mich trotz allen Meinungsverschiedenheiten und Abneigungen im Grunde jeder anerkennen und ich werde es mit jedem Hund nicht anders tun. Nur die Mischung der Elemente ist verschieden, ein persönlich sehr großer, volklich bedeutungsloser Unterschied. Und nun sollte die Mischung dieser immer vorhandenen Elemente innerhalb der Vergangenheit und Gegenwart niemals ähnlich der meinen ausgefallen sein und, wenn man meine Mischung unglücklich nennen will, nicht auch noch viel unglücklicher? Das wäre gegen alle übrige Erfahrung. In den wunderbarsten Berufen sind wir Hunde beschäftigt. Berufe, an die man gar nicht glauben würde, wenn man nicht die vertrauenswürdigsten Nachrichten darüber hätte. Ich denke hier am liebsten an das Beispiel der Lufthunde. Als ich zum erstenmal von einem hörte, lachte ich, ließ es mir auf keine Weise einreden. Wie? Es sollte einen Hund von allerkleinster Art geben, nicht viel größer als mein Kopf, auch im hohen Alter nicht größer, und dieser Hund, natürlich schwächlich, dem Anschein nach ein künstliches, unreifes, übersorgfältig frisiertes Gebilde, unfähig, einen ehrlichen Sprung zu tun, dieser Hund sollte, wie man erzählte, meistens hoch in der Luft sich fortbewegen, dabei aber keine sichtbare Arbeit machen, sondern ruhen. Nein, solche Dinge mir einreden wollen, das hieß doch die Unbefangenheit eines jungen Hundes gar zu sehr ausnützen, glaubte ich. Aber kurz darauf hörte ich von anderer Seite von einem anderen Lufthund erzählen. Hatte man sich vereinigt, mich zum besten zu halten? Dann aber sah ich die Musikerhunde, und von der Zeit an hielt ich es für möglich, kein Vorurteil beschränkte meine Fassungskraft, den unsinnigsten Gerüchten ging ich nach, verfolgte sie, soweit ich konnte, das Unsinnigste erschien mir in diesem unsinnigen Leben wahrscheinlicher als das Sinnvolle und für meine Forschung besonders ergiebig. So auch die Lufthunde. Ich erfuhr vielerlei über sie, es gelang mir zwar bis heute nicht, einen zu sehen, aber von ihrem Dasein bin ich schon längst fest überzeugt und in meinem Weltbild haben sie ihren wichtigen Platz. Wie meistens so auch hier ist es natürlich nicht die Kunst, die mich vor allem nachdenklich macht. Es ist wunderbar, wer kann das leugnen, daß diese Hunde in der Luft zu schweben imstande sind, im Staunen darüber bin ich mit der Hundeschaft einig. Aber viel wunderbarer ist für mein Gefühl die Unsinnigkeit, die schweigende Unsinnigkeit dieser Existenzen. Im allgemeinen wird sie gar nicht begründet, sie schweben in der Luft, und dabei bleibt es, das Leben geht weiter seinen Gang, hie und da spricht man von Kunst und Künstlern, das ist alles. Aber warum, grundgütige Hundeschaft, warum nur schweben die Hunde? Welchen Sinn hat ihr Beruf? Warum ist kein Wort der Erklärung von ihnen zu bekommen? Warum schweben sie dort oben, lassen die Beine, den Stolz des Hundes verkümmern, sind getrennt von der nährenden Erde, säen nicht und ernten doch, werden angeblich sogar auf Kosten der Hundeschaft besonders gut genährt. Ich kann mir schmeicheln, daß ich durch meine Fragen in diese Dinge doch ein wenig Bewegung gebracht habe. Man beginnt zu begründen, eine Art Begründung zusammenzuhaspeln, man beginnt, und wird allerdings auch über diesen Beginn nicht hinausgehen. Aber etwas ist es doch. Und es zeigt sich dabei zwar nicht die Wahrheit – niemals wird man soweit kommen –, aber doch etwas von der tiefen Verwirrung der Lüge. Alle unsinnigen Erscheinungen unseres Lebens und die unsinnigsten ganz besonders lassen sich nämlich begründen. Nicht vollständig natürlich – das ist der teuflische Witz –, aber um sich gegen peinliche Fragen zu schützen, reicht es hin. Die Lufthunde wieder als Beispiel genommen: sie sind nicht hochmütig, wie man zunächst glauben könnte, sie sind vielmehr der Mithunde besonders bedürftig, versucht man sich in ihre Lage zu versetzen, versteht man es. Sie müssen ja, wenn sie es schon nicht offen tun können – das wäre Verletzung der Schweigepflicht –, so doch auf irgendeine andere Art für ihre Lebensweise Verzeihung zu erlangen suchen oder wenigstens von ihr ablenken, sie vergessen machen – sie tun das, wie man mir erzählt, durch eine fast unerträgliche Geschwätzigkeit. Immerfort haben sie zu erzählen, teils von ihren philosophischen Überlegungen, mit denen sie sich, da sie auf körperliche Anstrengung völlig verzichtet haben, fortwährend beschäftigen können, teils von den Beobachtungen, die sie von ihrem erhöhten Standort aus machen. Und obwohl sie sich, was bei einem solchen Lotterleben selbstverständlich ist, durch Geisteskraft nicht sehr auszeichnen, und ihre Philosophie so wertlos ist wie ihre Beobachtungen, und die Wissenschaft kaum etwas davon verwenden kann und überhaupt auf so jämmerliche Hilfsquellen nicht angewiesen ist, trotzdem wird man, wenn man fragt, was die Lufthunde überhaupt wollen, immer wieder zur Antwort bekommen, daß sie zur Wissenschaft viel beitragen. »Das ist richtig«, sagt man darauf, »aber ihre Beiträge sind wertlos und lästig.« Die weitere Antwort ist Achselzucken, Ablenkung, Ärger oder Lachen, und in einem Weilchen, wenn man wieder fragt, erfährt man doch wiederum, daß sie zur Wissenschaft beitragen, und schließlich, wenn man nächstens gefragt wird und sich nicht sehr beherrscht, antwortet man das Gleiche. Und vielleicht ist es auch gut, nicht allzu hartnäckig zu sein und sich zu fügen, die schon bestehenden Lufthunde nicht in ihrer Lebensberechtigung anzuerkennen, was unmöglich ist, aber doch zu dulden. Aber mehr darf man nicht verlangen, das ginge zu weit, und man verlangt es doch. Man verlangt die Duldung immer neuer Lufthunde, die heraufkommen. Man weiß gar nicht genau, woher sie kommen. Vermehren sie sich durch Fortpflanzung? Haben sie denn noch die Kraft dazu, sie sind ja nicht viel mehr als ein schönes Fell, was soll sich hier fortpflanzen? Auch wenn das Unwahrscheinliche möglich wäre, wann sollte es geschehen? Immer sieht man sie doch allein, selbstgenügsam oben in der Luft, und wenn sie einmal zu laufen sich herablassen, geschieht es nur ein kleines Weilchen lang, ein paar gezierte Schritte und immer wieder nur streng allein und in angeblichen Gedanken, von denen sie sich, selbst wenn sie sich anstrengen, nicht losreißen können, wenigstens behaupten sie das. Wenn sie sich aber nicht fortpflanzen, wäre es denkbar, daß sich Hunde finden, welche freiwillig das ebenerdige Leben aufgeben, freiwillig Lufthunde werden und um den Preis der Bequemlichkeit und einer gewissen Kunstfertigkeit dieses öde Leben dort auf den Kissen wählen? Das ist nicht denkbar, weder Fortpflanzung, noch freiwilliger Anschluß ist denkbar. Die Wirklichkeit aber zeigt, daß es doch immer wieder neue Lufthunde gibt; daraus ist zu schließen, daß, mögen auch die Hindernisse unserem Verstande unüberwindbar scheinen, eine einmal vorhandene Hundeart, sei sie auch noch so sonderbar, nicht ausstirbt, zumindest nicht leicht, zumindest nicht ohne daß in jeder Art etwas wäre, das sich erfolgreich wehrt.

Muß ich das, wenn es für eine so abseitige, sinnlose, äußerlich allersonderbarste, lebensunfähige Art wie die der Lufthunde gilt, nicht auch für meine Art annehmen? Dabei bin ich äußerlich gar nicht sonderbar, gewöhnlicher Mittelstand, der wenigstens hier in der Gegend sehr häufig ist, durch nichts besonders hervorragend, durch nichts besonders verächtlich, in meiner Jugend und noch teilweise im Mannesalter, solange ich mich nicht vernachlässigte und viel Bewegung hatte, war ich sogar ein recht hübscher Hund. Besonders meine Vorderansicht wurde gelobt, die schlanken Beine, die schöne Kopfhaltung, aber auch mein grau-weiß-gelbes, nur in den Haarspitzen sich ringelndes Fell war sehr gefällig, das alles ist nicht sonderbar, sonderbar ist nur mein Wesen, aber auch dieses ist, wie ich niemals außer acht lassen darf, im allgemeinen Hundewesen wohl begründet. Wenn nun sogar der Lufthund nicht allein bleibt, hier und dort in der großen Hundewelt immer wieder sich einer findet und sie sogar aus dem Nichts immer wieder neuen Nachwuchs holen, dann kann auch ich der Zuversicht leben, daß ich nicht verloren bin. Freilich ein besonderes Schicksal müssen meine Artgenossen haben, und ihr Dasein wird mir niemals sichtbar helfen, schon deshalb nicht, weil ich sie kaum je erkennen werde. Wir sind die, welche das Schweigen drückt, welche es förmlich aus Lufthunger durchbrechen wollen, den anderen scheint im Schweigen wohl zu sein, zwar hat es nur diesen Anschein, so wie bei den Musikhunden, die scheinbar ruhig musizierten, in Wirklichkeit aber sehr aufgeregt waren, aber dieser Anschein ist stark, man versucht ihm beizukommen, er spottet jeden Angriffs. Wie helfen sich nun meine Artgenossen? Wie sehen ihre Versuche, dennoch zu leben, aus? Das mag verschieden sein. Ich habe es mit meinen Fragen versucht, solange ich jung war. Ich könnte mich also vielleicht an die halten, welche viel fragen, und da hätte ich dann meine Artgenossen. Ich habe auch das eine Zeitlang mit Selbstüberwindung versucht, mit Selbstüberwindung, denn mich kümmern ja vor allem die, welche antworten sollen;

die, welche mir immerfort mit Fragen, die ich meist nicht beantworten kann, dazwischenfahren, sind mir widerwärtig. Und dann, wer fragt denn nicht gern, solange er jung ist, wie soll ich aus den vielen Fragen die richtigen herausfinden? Eine Frage klingt wie die andere, auf die Absicht kommt es an, die aber ist verborgen, oft auch dem Frager. Und überhaupt, das Fragen ist ja eine Eigentümlichkeit der Hundeschaft, alle fragen durcheinander, es ist, als sollte damit die Spur der richtigen Fragen verwischt werden. Nein, unter den Fragern der Jungen finde ich meine Artgenossen nicht, und unter den Schweigern, den Alten, zu denen ich jetzt gehöre, ebensowenig. Aber was wollen denn die Fragen, ich bin ja mit ihnen gescheitert, wahrscheinlich sind meine Genossen viel klüger als ich und wenden ganz andere vortreffliche Mittel an, um dieses Leben zu ertragen, Mittel freilich, die, wie ich aus eigenem hinzufüge, vielleicht ihnen zur Not helfen, beruhigen, einschläfern, artverwandelnd wirken, aber in der Allgemeinheit ebenso ohnmächtig sind, wie die meinen, denn, soviel ich auch ausschaue, einen Erfolg sehe ich nicht. Ich fürchte, an allem anderen werde ich meine Artgenossen eher erkennen als am Erfolg. Wo sind denn aber meine Artgenossen? Ja, das ist die Klage, das ist sie eben. Wo sind sie? Überall und nirgends. Vielleicht ist es mein Nachbar, drei Sprünge weit von mir, wir rufen einander oft zu, er kommt auch zu mir herüber, ich zu ihm nicht. Ist er mein Artgenosse? Ich weiß nicht, ich erkenne zwar nichts dergleichen an ihm, aber möglich ist es. Möglich ist es, aber doch ist nichts unwahrscheinlicher. Wenn er fern ist, kann ich zum Spiel mit Zuhilfenahme aller Phantasie manches mich verdächtig Anheimelnde an ihm herausfinden, steht er dann aber vor mir, sind alle meine Erfindungen zum Lachen. Ein alter Hund, noch etwas kleiner als ich, der ich kaum Mittelgröße habe, braun, kurzhaarig, mit müde hängendem Kopf, mit schlürfenden Schritten, das linke Hinterbein schleppt er überdies infolge einer Krankheit ein wenig nach. So nah wie mit ihm verkehre ich schon seit langem mit niemandem, ich bin froh, daß ich ihn doch noch leidlich ertrage, und wenn er fortgeht, schreie ich ihm die freundlichsten Dinge nach, freilich nicht aus Liebe, sondern zornig auf mich, weil ich ihn, wenn ich ihm nachgehe, doch wieder nur ganz abscheulich finde, wie er sich wegschleicht mit dem nachschleppenden Fuß und dem viel zu niedrigen Hinterteil. Manchmal ist mir, als wollte ich mich selbst verspotten, wenn ich ihn in Gedanken meinen Genossen nenne. Auch in unseren Gesprächen verrät er nichts von irgendeiner Genossenschaft, zwar ist er klug und, für unsere Verhältnisse hier, gebildet genug und ich könnte viel von ihm lernen, aber suche ich Klugheit und Bildung? Wir unterhalten uns gewöhnlich über örtliche Fragen und ich staune dabei, durch meine Einsamkeit in dieser Hinsicht hellsichtiger gemacht, wieviel Geist selbst für einen gewöhnlichen Hund, selbst bei durchschnittlich nicht allzu ungünstigen Verhältnissen nötig ist, um sein Leben zu fristen und sich vor den größten üblichen Gefahren zu schützen. Die Wissenschaft gibt zwar die Regeln; sie aber auch nur von Ferne und in den gröbsten Hauptzügen zu verstehen ist gar nicht leicht, und wenn man sie verstanden hat, kommt erst das eigentlich Schwere, sie nämlich auf die örtlichen Verhältnisse anzuwenden – hier kann kaum jemand helfen, fast jede Stunde gibt neue Aufgaben und jedes neue Fleckchen Erde seine besonderen; daß er für die Dauer irgendwo eingerichtet ist und daß sein Leben nun gewissermaßen von selbst verläuft, kann niemand von sich behaupten, nicht einmal ich, dessen Bedürfnisse sich förmlich von Tag zu Tag verringern. Und alle diese unendliche Mühe – zu welchem Zweck? Doch nur um sich immer weiter zu vergraben im Schweigen und um niemals und von niemand mehr herausgeholt werden zu können.

Man rühmt oft den allgemeinen Fortschritt der Hundeschaft durch die Zeiten und meint damit wohl hauptsächlich den Fortschritt der Wissenschaft. Gewiß, die Wissenschaft schreitet fort, das ist unaufhaltsam, sie schreitet sogar mit Beschleunigung fort, immer schneller, aber was ist daran zu rühmen? Es ist so, als wenn man jemanden deshalb rühmen wollte, weil er mit zunehmenden Jahren älter wird und infolgedessen immer schneller der Tod sich nähert. Das ist ein natürlicher und überdies ein häßlicher Vorgang, an dem ich nichts zu rühmen finde. Ich sehe nur Verfall, wobei ich aber nicht meine, daß frühere Generationen im Wesen besser waren, sie waren nur jünger, das war ihr großer Vorzug, ihr Gedächtnis war noch nicht so überlastet wie das heutige, es war noch leichter, sie zum Sprechen zu bringen, und wenn es auch niemandem gelungen ist, die Möglichkeit war größer, diese größere Möglichkeit ist ja das, was uns beim Anhören jener alten, doch eigentlich einfältigen Geschichten so erregt. Hie und da hören wir

ein andeutendes Wort und möchten fast aufspringen, fühlten wir
nicht die Last der Jahrhunderte auf uns. Nein, was ich auch gegen
meine Zeit einzuwenden habe, die früheren Generationen waren
nicht besser als die neueren, ja in gewissem Sinn waren sie viel
schlechter und schwächer. Die Wunder gingen freilich auch damals nicht frei über die Gassen zum beliebigen Einfangen, aber die
Hunde waren, ich kann es nicht anders ausdrücken, noch nicht so
hündisch wie heute, das Gefüge der Hundeschaft war noch locker,
das wahre Wort hätte damals noch eingreifen, den Bau bestimmen, umstimmen, nach jedem Wunsche ändern, in sein Gegenteil
verkehren können und jenes Wort war da, war zumindest nahe,
schwebte auf der Zungenspitze, jeder konnte es erfahren; wo ist es
heute hingekommen, heute könnte man schon ins Gekröse greifen
und würde es nicht finden. Unsere Generation ist vielleicht verloren, aber sie ist unschuldiger als die damalige. Das Zögern meiner
Generation kann ich verstehen, es ist ja auch gar kein Zögern
mehr, es ist das Vergessen eines vor tausend Nächten geträumten
und tausendmal vergessenen Traumes, wer will uns gerade wegen
des tausendsten Vergessens zürnen? Aber auch das Zögern unserer
Urväter glaube ich zu verstehen, wir hätten wahrscheinlich nicht
anders gehandelt, fast möchte ich sagen: Wohl uns, daß nicht wir
es waren, die die Schuld auf uns laden mußten, daß wir vielmehr in
einer schon von anderen verfinsterten Welt in fast schuldlosem
Schweigen dem Tode zueilen dürfen. Als unsere Urväter abirrten,
dachten sie wohl kaum an ein endloses Irren, sie sahen ja förmlich
noch den Kreuzweg, es war leicht, wann immer zurückzukehren,
und wenn sie zurückzukehren zögerten, so nur deshalb, weil sie
noch eine kurze Zeit sich des Hundelebens freuen wollten, es war
noch gar kein eigentümliches Hundeleben und schon schien es ihnen berauschend schön, wie mußte es erst später werden, wenigstens noch ein kleines Weilchen später, und so irrten sie weiter. Sie
wußten nicht, was wir bei Betrachtung des Geschichtsverlaufes
ahnen können, daß die Seele sich früher wandelt als das Leben und
daß sie, als sie das Hundeleben zu freuen begann, schon eine recht
althündische Seele haben mußten und gar nicht mehr so nahe dem
Ausgangspunkt waren, wie ihnen schien oder wie ihr in allen
Hundefreuden schwelgendes Auge sie glauben machen wollte. –
Wer kann heute noch von Jugend sprechen. Sie waren die eigentlichen jungen Hunde, aber ihr einziger Ehrgeiz war leider darauf ge-

richtet, alte Hunde zu werden, etwas, was ihnen freilich nicht mißlingen konnte, wie alle folgenden Generationen beweisen und unsere, die letzte, am besten.

Über alle diese Dinge rede ich natürlich mit meinem Nachbarn nicht, aber ich muß oft an sie denken, wenn ich ihm gegenübersitze, diesem typischen alten Hund, oder die Schnauze in sein Fell vergrabe, das schon einen Anhauch jenes Geruches hat, den abgezogene Felle haben. Über jene Dinge mit ihm zu reden wäre sinnlos, auch mit jedem anderen. Ich weiß, wie das Gespräch verlaufen würde. Er hätte einige kleine Einwände hie und da, schließlich würde er zustimmen – Zustimmung ist die beste Waffe – und die Sache wäre begraben, warum sie aber überhaupt erst aus ihrem Grab bemühen? Und trotz allem, es gibt doch vielleicht eine über bloße Worte hinausgehende tiefere Übereinstimmung mit meinem Nachbarn. Ich kann nicht aufhören, das zu behaupten, obwohl ich keine Beweise dafür habe und vielleicht dabei nur einer einfachen Täuschung unterliege, weil er eben seit langem der einzige ist, mit dem ich verkehre, und ich mich also an ihn halten muß. »Bist du doch vielleicht mein Genosse auf deine Art? Und schämst dich, weil dir alles mißlungen ist? Sieh, mir ist es ebenso gegangen. Wenn ich allein bin, heule ich darüber, komm, zu zweit ist es süßer«, so denke ich manchmal und sehe ihn dabei fest an. Er senkt dann den Blick nicht, aber auch zu entnehmen ist ihm nichts, stumpf sieht er mich an und wundert sich, warum ich schweige und unsere Unterhaltung unterbrochen habe. Aber vielleicht ist gerade dieser Blick seine Art zu fragen, und ich enttäusche ihn, so wie er mich enttäuscht. In meiner Jugend hätte ich ihn, wenn mir damals nicht andere Fragen wichtiger gewesen wären und ich nicht allein mir reichlich genügt hätte, vielleicht laut gefragt, hätte eine matte Zustimmung bekommen und also weniger als heute, da er schweigt. Aber schweigen nicht alle ebenso? Was hindert mich zu glauben, daß alle meine Genossen sind, daß ich nicht nur hie und da einen Mitforscher hatte, der mit seinen winzigen Ergebnissen versunken und vergessen ist und zu dem ich auf keine Weise mehr gelangen kann durch das Dunkel der Zeiten oder das Gedränge der Gegenwart, daß ich vielmehr in allem seit jeher Genossen habe, die sich alle bemühen nach ihrer Art, alle erfolglos nach ihrer Art, alle schweigend oder listig plappernd nach ihrer Art, wie es die hoffnungslose Forschung mit sich bringt. Dann hätte ich mich aber auch gar nicht absondern müssen, hätte ruhig unter den anderen bleiben können, hätte nicht wie ein unartiges Kind durch die Reihen der Erwachsenen mich hinausdrängen müssen, die ja ebenso hinauswollen wie ich, und an denen mich nur ihr Verstand beirrt, der ihnen sagt, daß niemand hinauskommt und daß alles Drängen töricht ist.

Solche Gedanken sind allerdings deutlich die Wirkung meines Nachbarn, er verwirrt mich, er macht mich melancholisch; und ist für sich fröhlich genug, wenigstens höre ich ihn, wenn er in seinem Bereich ist, schreien und singen, daß es mir lästig ist. Es wäre gut, auch auf diesen letzten Verkehr zu verzichten, nicht vagen Träumereien nachzugehen, wie sie jeder Hundeverkehr, so abgehärtet man zu sein glaubt, unvermeidlich erzeugt, und die kleine Zeit, die mir bleibt, ausschließlich für meine Forschungen zu verwenden. Ich werde, wenn er nächstens kommt, mich verkriechen und schlafend stellen, und das so lange wiederholen, bis er ausbleibt.

Auch ist in meine Forschungen Unordnung gekommen, ich lasse nach, ich ermüde, ich trotte nur noch mechanisch, wo ich begeistert lief. Ich denke zurück an die Zeit, als ich die Frage: »Woher nimmt die Erde unsere Nahrung?« zu untersuchen begann. Freilich lebte ich damals mitten im Volk, drängte mich dorthin, wo es am dichtesten war, wollte alle zu Zeugen meiner Arbeiten machen, diese Zeugenschaft war mir sogar wichtiger als meine Arbeit; da ich ja noch irgendeine allgemeine Wirkung erwartete, erhielt ich natürlich eine große Anfeuerung, die nun für mich Einsamen vorbei ist. Damals aber war ich so stark, daß ich etwas tat, was unerhört ist, allen unsern Grundsätzen widerspricht und an das sich gewiß jeder Augenzeuge von damals als an etwas Unheimliches erinnert. Ich fand in der Wissenschaft, die sonst zu grenzenloser Spezialisierung strebt, in einer Hinsicht eine merkwürdige Vereinfachung. Sie lehrt, daß in der Hauptsache die Erde unsere Nahrung hervorbringt, und gibt dann, nachdem sie diese Voraussetzung gemacht hat, die Methoden an, mit welchen sich die verschiedenen Speisen in bester Art und größter Fülle erreichen lassen. Nun ist es freilich richtig, daß die Erde die Nahrung hervorbringt, daran kann kein Zweifel sein, aber so einfach, wie es gewöhnlich dargestellt wird, jede weitere Untersuchung ausschließend, ist es nicht. Man nehme doch nur die primitivsten

Vorfälle her, die sich täglich wiederholen. Wenn wir gänzlich untätig wären, wie ich es nun schon fast bin, nach flüchtiger Bodenbearbeitung uns zusammenrollten und warteten, was kommt, so
würden wir allerdings, vorausgesetzt, daß sich überhaupt etwas
ergeben würde, die Nahrung auf der Erde finden. Aber das ist
doch nicht der Regelfall. Wer sich nur ein wenig Unbefangenheit
gegenüber der Wissenschaft bewahrt hat – und deren sind freilich
wenige, denn die Kreise, welche die Wissenschaft zieht, werden
immer größer – wird, auch wenn er gar nicht auf besondere Beobachtungen ausgeht, leicht erkennen, daß der Hauptteil der Nahrung, die dann auf der Erde liegt, von oben herabkommt, wir fangen ja je nach unserer Geschicklichkeit und Gier das meiste sogar
ab, ehe es die Erde berührt. Damit sage ich noch nichts gegen die
Wissenschaft, die Erde bringt ja auch diese Nahrung natürlich
hervor. Ob sie die eine aus sich herauszieht oder die andere aus der
Höhe herabruft, ist ja vielleicht kein wesentlicher Unterschied,
und die Wissenschaft, welche festgestellt hat, daß in beiden Fällen
Bodenbearbeitung nötig ist, muß sich vielleicht mit jenen Unterscheidungen nicht beschäftigen, heißt es doch: »Hast du den Fraß
im Maul, so hast du für diesmal alle Fragen gelöst.« Nur scheint es
mir, daß die Wissenschaft sich in verhüllter Form doch wenigstens
teilweise mit diesen Dingen beschäftigt, da sie ja doch zwei
Hauptmethoden der Nahrungsbeschaffung kennt, nämlich die eigentliche Bodenbearbeitung und dann die Ergänzungs-Verfeine-
rungs-Arbeit in Form von Spruch, Tanz und Gesang. Ich finde
darin eine zwar nicht vollständige, aber doch genug deutliche,
meiner Unterscheidung entsprechende Zweiteilung. Die Bodenbearbeitung dient meiner Meinung nach zur Erzielung von beiderlei Nahrung und bleibt immer unentbehrlich, Spruch, Tanz
und Gesang aber betreffen weniger die Bodennahrung im engeren
Sinn, sondern dienen hauptsächlich dazu, die Nahrung von oben
herabzuziehen. In dieser Auffassung bestärkt mich die Tradition.
Hier scheint das Volk die Wissenschaft richtigzustellen, ohne es zu
wissen und ohne daß die Wissenschaft sich zu wehren wagt.
Wenn, wie die Wissenschaft will, jene Zeremonien nur dem Boden dienen sollten, etwa um ihm die Kraft zu geben, die Nahrung
von oben zu holen, so müßten sie sich doch folgerichtig völlig am
Boden vollziehen, dem Boden müßte alles zugeflüstert, vorgesprungen, vorgetanzt werden. Die Wissenschaft verlangt wohl

auch meines Wissens nichts anderes. Und nun das Merkwürdige, das Volk richtet sich mit allen seinen Zeremonien in die Höhe. Es ist dies keine Verletzung der Wissenschaft, sie verbietet es nicht, läßt dem Landwirt darin die Freiheit, sie denkt bei ihren Lehren nur an den Boden, und führt der Landwirt ihre auf den Boden sich beziehenden Lehren aus, ist sie zufrieden, aber ihr Gedankengang sollte meiner Meinung nach eigentlich mehr verlangen. Und ich, der ich niemals tiefer in die Wissenschaft eingeweiht worden bin, kann mir gar nicht vorstellen, wie die Gelehrten es dulden können, daß unser Volk, leidenschaftlich wie es nun einmal ist, die Zaubersprüche aufwärts ruft, unsere alten Volksgesänge in die Lüfte klagt und Sprungtänze aufführt, als ob es sich, den Boden vergessend, für immer emporschwingen wollte. Von der Betonung dieser Widersprüche ging ich aus, ich beschränkte mich, wann immer nach den Lehren der Wissenschaft die Erntezeit sich näherte, völlig auf den Boden, ich scharrte ihn im Tanz, ich verdrehte den Kopf, um nur dem Boden möglichst nahe zu sein. Ich machte mir später eine Grube für die Schnauze und sang so und deklamierte, daß nur der Boden es hörte und niemand sonst neben oder über mir.

Die Forschungsergebnisse waren gering. Manchmal bekam ich das Essen nicht und schon wollte ich jubeln über meine Entdeckung, aber dann kam das Essen doch wieder, so als wäre man zuerst beirrt gewesen durch meine sonderbare Aufführung, erkenne aber jetzt den Vorteil, den sie bringt, und verzichte gern auf meine Schreie und Sprünge. Oft kam das Essen sogar reichlicher als früher, aber dann blieb es doch auch wieder gänzlich aus. Ich machte mit einem Fleiß, der an jungen Hunden bisher unbekannt gewesen war, genaue Aufstellungen aller meiner Versuche, glaubte schon hie und da eine Spur zu finden, die mich weiter führen könnte, aber dann verlief sie sich doch wieder ins Unbestimmte. Es kam mir hierbei unstrittig auch meine ungenügende wissenschaftliche Vorbereitung in die Quere. Wo hatte ich die Bürgschaft, daß zum Beispiel das Ausbleiben des Essens nicht durch mein Experiment, sondern durch unwissenschaftliche Bodenbearbeitung bewirkt war, und traf das zu, dann waren alle meine Schlußfolgerungen haltlos. Unter gewissen Bedingungen hätte ich ein fast ganz präzises Experiment erreichen können, wenn es mir nämlich gelungen wäre, ganz ohne Bodenbearbeitung – einmal nur durch aufwärts gerichtete Zeremonie das Herabkommen des Essens und dann durch ausschließliche Boden-Zeremonie das Ausbleiben des Essens zu erreichen. Ich versuchte auch derartiges, aber ohne festen Glauben und nicht mit vollkommenen Versuchsbedingungen, denn, meiner unerschütterlichen Meinung nach, ist wenigstens eine gewisse Bodenbearbeitung immer nötig und, selbst wenn die Ketzer, die es nicht glauben, recht hätten, ließe es sich doch nicht beweisen, da die Bodenbesprengung unter einem Drang geschieht und sich in gewissen Grenzen gar nicht vermeiden läßt. Ein anderes, allerdings etwas abseitiges Experiment glückte mir besser und machte einiges Aufsehen. Anschließend an das übliche Abfangen der Nahrung aus der Luft beschloß ich, die Nahrung zwar niederfallen zu lassen, sie aber auch nicht abzufangen. Zu diesem Zwecke machte ich immer, wenn die Nahrung kam, einen kleinen Luftsprung, der aber immer so berechnet war, daß er nicht ausreichte; meistens fiel sie dann doch stumpf-gleichgültig zu Boden und ich warf mich wütend auf sie, in der Wut nicht nur des Hungers, sondern auch der Enttäuschung. Aber in vereinzelten Fällen geschah doch etwas anderes, etwas eigentlich Wunderbares, die Speise fiel nicht, sondern folgte mir in der Luft, die Nahrung verfolgte den Hungrigen. Es geschah nicht lange, eine kurze Strecke nur, dann fiel sie doch oder verschwand gänzlich oder – der häufigste Fall – meine Gier beendete vorzeitig das Experiment und ich fraß die Sache auf. Immerhin, ich war damals glücklich, durch meine Umgebung ging ein Raunen, man war unruhig und aufmerksam geworden, ich fand meine Bekannten zugänglicher meinen Fragen, in ihren Augen sah ich irgendein Hilfe suchendes Leuchten, mochte es auch nur der Widerschein meiner eigenen Blicke sein, ich wollte nichts anderes, ich war zufrieden. Bis ich dann freilich erfuhr – und die anderen erfuhren es mit mir – daß dieses Experiment in der Wissenschaft längst beschrieben ist, viel großartiger schon gelungen als mir, zwar schon lange nicht gemacht werden konnte wegen der Schwierigkeit der Selbstbeherrschung, die es verlangt, aber wegen seiner angeblichen wissenschaftlichen Bedeutungslosigkeit auch nicht wiederholt werden muß. Es beweise nur, was man schon wußte, daß der Boden die Nahrung nicht nur gerade abwärts von oben holt, sondern auch schräg, ja sogar in Spiralen. Da stand ich nun, aber entmutigt war ich nicht, dazu war ich noch zu jung, im Gegenteil, ich wurde dadurch aufgemuntert zu der vielleicht größten Leistung meines Lebens. Ich glaubte der

wissenschaftlichen Entwertung meines Experimentes nicht, aber hier hilft kein Glauben, sondern nur der Beweis, und den wollte ich antreten und wollte damit auch dieses ursprünglich etwas abseitige Experiment ins volle Licht, in den Mittelpunkt der Forschung stellen. Ich wollte beweisen, daß, wenn ich vor der Nahrung zurückwich, nicht der Boden sie schräg zu sich herabzog, sondern ich es war, der sie hinter mir her lockte. Dieses Experiment konnte ich allerdings nicht weiter ausbauen, den Fraß vor sich zu sehen und dabei wissenschaftlich zu experimentieren, das hielt man für die Dauer nicht aus. Aber ich wollte etwas anderes tun, ich wollte, solange ichs aushielt, völlig fasten, allerdings dabei auch jeden Anblick der Nahrung, jede Verlockung vermeiden. Wenn ich mich so zurückzog, mit geschlossenen Augen liegenblieb, Tag und Nacht, weder um das Aufheben, noch um das Abfangen der Nahrung mich kümmerte und, wie ich nicht zu behaupten wagte, aber leise hoffte, ohne alle sonstigen Maßnahmen, nur auf die unvermeidliche unrationelle Bodenbesprengung und stilles Aufsagen der Sprüche und Lieder hin (den Tanz wollte ich unterlassen, um mich nicht zu schwächen) die Nahrung von oben selbst herabkäme und, ohne sich um den Boden zu kümmern, an mein Gebiß klopfen würde, um eingelassen zu werden, – wenn dies geschah, dann war die Wissenschaft zwar nicht widerlegt, denn sie hat genug Elastizität für Ausnahmen und Einzelfälle, aber was würde das Volk sagen, das glücklicherweise nicht so viel Elastizität hat? Denn es würde das ja auch kein Ausnahmefall von der Art sein, wie sie die Geschichte überliefert, daß etwa einer wegen körperlicher Krankheit oder wegen Trübsinns sich weigert, die Nahrung vorzubereiten, zu suchen, aufzunehmen und dann die Hundeschaft in Beschwörungsformeln sich vereinigt und dadurch ein Abirren der Nahrung von ihrem gewöhnlichen Weg geradewegs in das Maul des Kranken erreicht. Ich dagegen war in voller Kraft und Gesundheit, mein Appetit so prächtig, daß er mich tagelang hinderte, an etwas anderes zu denken als an ihn, ich unterzog mich, mochte man es glauben oder nicht, dem Fasten freiwillig, war selbst imstande, für das Herabkommen der Nahrung zu sorgen und wollte es auch tun, brauchte aber auch keine Hilfe der Hundeschaft und verbat sie mir sogar auf das entschiedenste.
Ich suchte mir einen geeigneten Ort in einem entlegenen Gebüsch, wo ich keine Eßgespräche, kein Schmatzen und Knochenknacken

hören würde, fraß mich noch einmal völlig satt und legte mich dann hin. Ich wollte womöglich die ganze Zeit mit geschlossenen Augen verbringen; solange kein Essen kommen sollte, würde es für mich ununterbrochen Nacht sein, mochte es Tage und Wochen dauern. Dabei durfte ich allerdings, das war eine große Erschwerung, wenig oder am besten gar nicht schlafen, denn ich mußte ja nicht nur die Nahrung herabbeschwören, sondern auch auf der Hut sein, daß ich die Ankunft der Nahrung nicht etwa verschlafe, andererseits wiederum war Schlaf sehr willkommen, denn schlafend würde ich viel länger hungern können als im Wachen. Aus diesen Gründen beschloß ich, die Zeit vorsichtig einzuteilen und viel zu schlafen, aber immer nur ganz kurze Zeit. Ich erreichte dies dadurch, daß ich den Kopf im Schlaf immer auf einen schwachen Ast stützte, der bald einknickte und mich dadurch weckte. So lag ich, schlief oder wachte, träumte oder sang still für mich hin. Die erste Zeit verging ereignislos, noch war es vielleicht dort, woher die Nahrung kommt, irgendwie unbemerkt geblieben, daß ich mich hier gegen den üblichen Verlauf der Dinge stemmte, und so blieb alles still. Ein wenig störte mich in meiner Anstrengung die Befürchtung, daß die Hunde mich vermissen, bald auffinden und etwas gegen mich unternehmen würden. Eine zweite Befürchtung war, daß auf die bloße Besprengung hin der Boden, obwohl es ein nach der Wissenschaft unfruchtbarer Boden war, die sogenannte Zufallsnahrung hergeben und ihr Geruch mich verführen würde. Aber vorläufig geschah nichts dergleichen, und ich konnte weiterhungern. Abgesehen von diesen Befürchtungen war ich zunächst ruhig, wie ich es an mir noch nie bemerkt hatte. Obwohl ich hier eigentlich an der Aufhebung der Wissenschaft arbeitete, erfüllte mich Behagen und fast die sprichwörtliche Ruhe des wissenschaftlichen Arbeiters. In meinen Träumereien erlangte ich von der Wissenschaft Verzeihung, es fand sich in ihr auch ein Raum für meine Forschungen, trostreich klang es mir in den Ohren, daß ich, mögen auch meine Forschungen noch so erfolgreich werden, und besonders dann, keineswegs für das Hundeleben verloren sei, die Wissenschaft sei mir freundlich geneigt, sie selbst werde die Deutung meiner Ergebnisse vornehmen und dieses Versprechen bedeute schon die Erfüllung selbst, ich würde, während ich mich bisher im Innersten ausgestoßen fühlte und die Mauern meines Volkes berannte wie ein Wilder, in großen Ehren aufgenommen werden, die ersehnte Wärme versammelter Hundeleiber werde mich umströmen, hochgezwungen würde ich auf den Schultern meines Volkes schwanken. Merkwürdige Wirkung des ersten Hungers. Meine Leistung erschien mir so groß, daß ich aus Rührung und aus Mitleid mit mir selbst dort in dem stillen Gebüsch zu weinen anfing, was allerdings nicht ganz verständlich war, denn wenn ich den verdienten Lohn erwartete, warum weinte ich dann? Wohl nur aus Behaglichkeit. Immer nur, wenn mir behaglich war, selten genug, habe ich geweint. Danach ging es freilich bald vorüber. Die schönen Bilder verflüchtigten sich allmählich mit dem Ernsterwerden des Hungers, es dauerte nicht lange und ich war, nach schneller Verabschiedung aller Phantasien und aller Rührung, völlig allein mit dem in den Eingeweiden brennenden Hunger. »Das ist der Hunger«, sagte ich mir damals unzähligemal, so als wollte ich mich glauben machen, Hunger und ich seien noch immer zweierlei und ich könnte ihn abschütteln wie einen lästigen Liebhaber, aber in Wirklichkeit waren wir höchst schmerzlich Eines, und wenn ich mir erklärte: »Das ist der Hunger«, so war es eigentlich der Hunger, der sprach und sich damit über mich lustig machte. Eine böse, böse Zeit! Mich schauert, wenn ich an sie denke, freilich nicht nur wegen des Leides, das ich damals durchlebt habe, sondern vor allem deshalb, weil ich damals nicht fertig geworden bin, weil ich dieses Leiden noch einmal werde durchkosten müssen, wenn ich etwas erreichen will, denn das Hungern halte ich noch heute für das letzte und stärkste Mittel meiner Forschung. Durch das Hungern geht der Weg, das Höchste ist nur der höchsten Leistung erreichbar, wenn es erreichbar ist, und diese höchste Leistung ist bei uns freiwilliges Hungern. Wenn ich also jene Zeiten durchdenke – und für mein Leben gern wühle ich in ihnen – durchdenke ich auch die Zeiten, die mir drohen. Es scheint, daß man fast ein Leben verstreichen lassen muß, ehe man sich von einem solchen Versuch erholt, meine ganzen Mannesjahre trennen mich von jenem Hungern, aber erholt bin ich noch nicht. Ich werde, wenn ich nächstens das Hungern beginne, vielleicht mehr Entschlossenheit haben als früher, infolge meiner größeren Erfahrung und besseren Einsicht in die Notwendigkeit des Versuches, aber meine Kräfte sind geringer, noch von damals her, zumindest werde ich schon ermatten in der bloßen Erwartung der bekannten Schrecken. Mein schwächerer Appetit wird mir nicht helfen, er entwertet nur ein wenig den Versuch und wird mich wahrscheinlich noch zwingen, länger zu hungern, als es damals nötig gewesen wäre. Über diese und andere Voraussetzungen glaube ich mir klar zu sein, an Vorversuchen hat es ja nicht gefehlt in dieser langen Zwischenzeit, oft genug habe ich das Hungern förmlich angebissen, war aber noch nicht stark zum Äußersten, und die unbefangene Angriffslust der Jugend ist natürlich für immer dahin. Sie schwand schon damals inmitten des Hungerns. Mancherlei Überlegungen quälten mich. Drohend erschienen mir unsere Urväter. Ich halte sie zwar, wenn ich es auch öffentlich nicht zu sagen wage, für schuld an allem, sie haben das Hundeleben verschuldet, und ich konnte also ihren Drohungen leicht mit Gegendrohungen antworten, aber vor ihrem Wissen beuge ich mich, es kam aus Quellen, die wir nicht mehr kennen, deshalb würde ich auch, so sehr es mich gegen sie anzukämpfen drängt, niemals ihre Gesetze geradezu überschreiten, nur durch die Gesetzeslücken, für die ich eine besondere Witterung habe, schwärme ich aus. Hinsichtlich des Hungerns berufe ich mich auf das berühmte Gespräch, im Laufe dessen einer unserer Weisen die Absicht aussprach, das Hungern zu verbieten, worauf ein Zweiter davon abriet mit der Frage: »Wer wird denn jemals hungern?« und der Erste sich überzeugen ließ und das Verbot zurückhielt. Nun entsteht aber wieder die Frage: »Ist nun das Hungern nicht eigentlich doch verboten?« Die große Mehrzahl der Kommentatoren verneint sie, sieht das Hungern für freigegeben an, hält es mit dem zweiten Weisen und befürchtet deshalb auch von einer irrtümlichen Kommentierung keine schlimmen Folgen. Dessen hatte ich mich wohl vergewissert, ehe ich mit dem Hungern begann. Nun aber, als ich mich im Hunger krümmte, schon in einiger Geistesverwirrung immerfort bei meinen Hinterbeinen Rettung suchte und sie verzweifelt leckte, kaute, aussaugte, bis zum After hinauf, erschien mir die allgemeine Deutung jenes Gespräches ganz und gar falsch, ich verfluchte die kommentatorische Wissenschaft, ich verfluchte mich, der ich mich von ihr hatte irreführen lassen, das Gespräch enthielt ja, wie ein Kind erkennen mußte, freilich mehr als nur ein einziges Verbot des Hungerns, der erste Weise wollte das Hungern verbieten, was ein Weiser will, ist schon geschehen, das Hungern war also verboten, der zweite Weise stimmte ihm nicht nur zu, sondern hielt das Hungern sogar für unmöglich, wälzte also auf das erste Verbot noch ein zweites, das Verbot der Hundenatur selbst, der Erste erkannte dies an und hielt das ausdrückliche Verbot zurück, das heißt, er gebot den Hunden nach Darlegung alles dessen, Einsicht zu üben und sich selbst das Hungern zu verbieten. Also ein dreifaches Verbot statt des üblichen einen, und ich hatte es verletzt. Nun hätte ich ja wenigstens jetzt verspätet gehorchen und zu hungern aufhören können, aber mitten durch den Schmerz ging auch eine Verlockung weiter zu hungern, und ich folgte ihr lüstern, wie einem unbekannten Hund. Ich konnte nicht aufhören, vielleicht war ich auch schon zu schwach, um aufzustehen und in bewohnte Gegenden mich zu retten. Ich wälzte mich hin und her auf der Waldstreu, schlafen konnte ich nicht mehr, ich hörte überall Lärm, die während meines bisherigen Lebens schlafende Welt schien durch mein Hungern erwacht zu sein, ich bekam die Vorstellung, daß ich nie mehr werde fressen können, denn dadurch müßte ich die freigelassen lärmende Welt wieder zum Schweigen bringen, und das würde ich nicht imstande sein, den größten Lärm allerdings hörte ich in meinem Bauche, ich legte oft das Ohr an ihn und mußte entsetzte Augen gemacht haben, denn ich konnte kaum glauben, was ich hörte. Und da es nun zu arg wurde, schien der Taumel auch meine Natur zu ergreifen, sie machte sinnlose Rettungsversuche, ich begann Speisen zu riechen, auserlesene Speisen, die ich längst nicht mehr gegessen hatte, Freuden meiner Kindheit; ja, ich roch den Duft der Brüste meiner Mutter; ich vergaß meinen Entschluß, Gerüchen Widerstand leisten zu wollen, oder richtiger, ich vergaß ihn nicht; mit dem Entschluß, so als sei es ein Entschluß, der dazu gehöre, schleppte ich mich nach allen Seiten, immer nur ein paar Schritte und schnupperte, so als möchte ich die Speise nur, um mich vor ihr zu hüten. Daß ich nichts fand, enttäuschte mich nicht, die Speisen waren da, nur waren sie immer ein paar Schritte zu weit, die Beine knickten mir vorher ein. Gleichzeitig allerdings wußte ich, daß gar nichts da war, daß ich die kleinen Bewegungen nur machte aus Angst vor dem endgültigen Zusammenbrechen auf einem Platz, den ich nicht mehr verlassen würde. Die letzten Hoffnungen schwanden, die letzten Verlockungen, elend würde ich hier zugrunde gehen, was sollten meine Forschungen, kindliche Versuche aus kindlich glücklicher Zeit, hier und jetzt war Ernst, hier hätte die Forschung ihren Wert beweisen können, aber wo war sie? Hier war nur ein hilflos ins Leere schnappender Hund, der zwar noch krampfhaft eilig, ohne es zu wissen, immerfort den Boden besprengte, aber in seinem Gedächtnis aus dem ganzen Wust der Zaubersprüche nicht das Geringste mehr auftreiben konnte, nicht einmal das Verschen, mit dem sich die Neugeborenen unter ihre Mutter ducken. Es war mir, als sei ich hier nicht durch einen kurzen Lauf von den Brüdern getrennt, sondern unendlich weit fort von allen, und als stürbe ich eigentlich gar nicht durch Hunger, sondern infolge meiner Verlassenheit. Es war doch ersichtlich, daß sich niemand um mich kümmerte, niemand unter der Erde, niemand auf ihr, niemand in der Höhe, ich ging an ihrer Gleichgültigkeit zugrunde, ihre Gleichgültigkeit sagte: er stirbt, und so würde es geschehen. Und stimmte ich nicht bei? Sagte ich nicht das Gleiche? Hatte ich nicht diese Verlassenheit gewollt? Wohl, ihr Hunde, aber nicht um hier so zu enden, sondern um zur Wahrheit hinüber zu kommen, aus dieser Welt der Lüge, wo sich niemand findet, von dem man Wahrheit erfahren kann, auch von mir nicht, eingeborenem Bürger der Lüge. Vielleicht war die Wahrheit nicht allzuweit, und ich also nicht so verlassen, wie ich dachte, nicht von den anderen verlassen, nur von mir, der ich versagte und starb.

Doch man stirbt nicht so eilig, wie ein nervöser Hund glaubt. Ich fiel nur in Ohnmacht, und als ich aufwachte und die Augen erhob, stand ein fremder Hund vor mir. Ich fühlte keinen Hunger, ich war sehr kräftig, in den Gelenken federte es meiner Meinung nach, wenn ich auch keinen Versuch machte, es durch Aufstehen zu erproben. Ich sah an und für sich nicht mehr als sonst, ein schöner, aber nicht allzu ungewöhnlicher Hund stand vor mir, das sah ich, nichts anderes, und doch glaubte ich, mehr an ihm zu sehen als sonst. Unter mir lag Blut, im ersten Augenblick dachte ich, es sei Speise, ich merkte aber gleich, daß es Blut war, das ich ausgebrochen hatte. Ich wandte mich davon ab und dem fremden Hunde zu. Er war mager, hochbeinig, braun, hie und da weiß gefleckt und hatte einen schönen, starken forschenden Blick. »Was machst du hier?« sagte er. »Du mußt von hier fortgehen.« »Ich kann jetzt nicht fortgehen«, sagte ich, ohne weitere Erklärung, denn wie hätte ich ihm alles erklären sollen, auch schien er in Eile zu sein. »Bitte, geh fort«, sagte er, und hob unruhig ein Bein nach dem anderen. »Laß mich«, sagte ich, »geh und kümmere dich nicht um mich, die anderen kümmern sich auch nicht um mich.« »Ich bitte dich um deinetwillen«, sagte er. »Bitte mich aus welchem Grund du willst«, sagte ich. »Ich kann nicht gehen, selbst wenn ich wollte.« »Daran fehlt es nicht«, sagte er lächelnd. »Du kannst gehen. Eben weil du schwach zu sein scheinst, bitte ich dich, daß du jetzt langsam fortgehst, zögerst du, wirst du später laufen müssen.« »Laß das meine Sorge sein«, sagte ich. »Es ist auch meine«, sagte er, traurig wegen meiner Hartnäckigkeit, und wollte nun offenbar mich aber vorläufig schon hier lassen, aber die Gelegenheit benützen und sich liebend an mich heranzumachen. Zu anderer Zeit hätte ich es gerne geduldet von dem Schönen, damals aber, ich begriff es nicht, faßte mich ein Entsetzen davor. »Weg!« schrie ich, um so lauter, als ich mich anders nicht verteidigen konnte. »Ich lasse dich ja«, sagte er langsam zurücktretend. »Du bist wunderbar. Gefalle ich dir denn nicht?« »Du wirst mir gefallen, wenn du fortgehst, und mich in Ruhe läßt«, sagte ich, aber ich war meiner nicht mehr so sicher, wie ich ihn glauben machen wollte. Irgendetwas sah oder hörte ich an ihm mit meinen durch das Hungern geschärften Sinnen, es war erst in den Anfängen, es wuchs, es näherte sich und ich wußte schon, dieser Hund hat allerdings die Macht dich fortzutreiben, wenn du dir jetzt auch noch nicht vorstellen kannst, wie du dich jemals wirst erheben können. Und ich sah ihn, der auf meine grobe Antwort nur sanft den Kopf geschüttelt hatte, mit immer größerer Begierde an. »Wer bist du?« fragte ich. »Ich bin ein Jäger«, sagte er. »Und warum willst du mich nicht hier lassen?« fragte ich. »Du störst mich«, sagte er, »ich kann nicht jagen, wenn du hier bist.« »Versuche es«, sagte ich, »vielleicht wirst du noch jagen können.« »Nein«, sagte er, »es tut mir leid, aber du mußt fort.« »Laß heute das Jagen!« bat ich. »Nein«, sagte er, »ich muß jagen.« »Ich muß fortgehen, du mußt jagen«, sagte ich, »lauter Müssen. Verstehst du es, warum wir müssen?« »Nein«, sagte er, »es ist daran aber auch nichts zu verstehen, es sind selbstverständliche, natürliche Dinge.« »Doch nicht«, sagte ich, »es tut dir ja leid, daß du mich verjagen mußt, und dennoch tust du es.« »So ist es«, sagte er. »So ist es«, wiederholte ich ärgerlich, »das ist keine Antwort. Welcher Verzicht fiele dir leichter, der Verzicht auf die Jagd oder darauf, mich wegzutreiben?« »Der Verzicht auf die Jagd«, sagte er ohne Zögern. »Nun also«, sagte ich, »hier ist doch ein Widerspruch.« »Was für ein Wi-

derspruch denn?« sagte er, »du lieber kleiner Hund, verstehst du
denn wirklich nicht, daß ich muß? Verstehst du denn das Selbstverständliche nicht?« Ich antwortete nichts mehr, denn ich merkte –
und neues Leben durchfuhr mich dabei, Leben wie es der Schrekken gibt –, ich merkte an unfaßbaren Einzelheiten, die vielleicht
niemand außer mir hätte merken können, daß der Hund aus der
Tiefe der Brust zu einem Gesange anhob. »Du wirst singen«, sagte
ich. »Ja«, sagte er ernst, »ich werde singen, bald, aber noch nicht.«
»Du beginnst schon«, sagte ich. »Nein«, sagte er, »noch nicht.
Aber mach dich bereit.« »Ich höre es schon, obwohl du es leug-
nest«, sagte ich zitternd. Er schwieg. Und ich glaubte damals,
etwas zu erkennen, was kein Hund je vor mir erfahren hat, wenigstens findet sich in der Überlieferung nicht die leiseste Andeutung
dessen, und ich versenkte eilig in unendlicher Angst und Scham
das Gesicht in der Blutlache vor mir. Ich glaubte nämlich zu erkennen, daß der Hund schon sang, ohne es noch zu wissen, ja
mehr noch, daß die Melodie, von ihm getrennt, nach eigenem Gesetz durch die Lüfte schwebte und über ihn hinweg, als gehöre er
nicht dazu, nur nach mir, nach mir hin zielte. – Heute leugne ich
natürlich alle derartigen Erkenntnisse und schreibe sie meiner damaligen Überreiztheit zu, aber wenn es auch ein Irrtum war, so hat
er doch eine gewisse Großartigkeit, ist die einzige, wenn auch nur
scheinbare Wirklichkeit, die ich aus der Hungerzeit in diese Welt
herübergerettet habe, und sie zeigt zumindest, wie weit bei völligem Außer-sich-sein wir gelangen können. Und ich war wirklich
völlig außer mir. Unter gewöhnlichen Umständen wäre ich
schwerkrank gewesen, unfähig, mich zu rühren, aber der Melodie,
die nun bald der Hund als die seine zu übernehmen schien, konnte
ich nicht widerstehen. Immer stärker wurde sie: ihr Wachsen hatte
vielleicht keine Grenzen und schon jetzt sprengte sie mir fast das
Gehör. Das Schlimmste aber war, daß sie nur meinetwegen vorhanden zu sein schien, diese Stimme, vor deren Erhabenheit der
Wald verstummte, nur meinetwegen; wer war ich, der ich noch
immer hier zu bleiben wagte und mich vor ihr breitmachte in
meinem Schmutz und Blut? Schlotternd erhob ich mich, sah an
mir hinab; so etwas wird doch nicht laufen, dachte ich noch, aber
schon flog ich, von der Melodie gejagt, in den herrlichsten Sprüngen dahin. Meinen Freunden erzählte ich nichts, gleich bei meiner
Ankunft hätte ich wahrscheinlich alles erzählt, aber da war ich zu

schwach, später schien es mir wieder nicht mitteilbar. Andeutungen, die zu unterdrücken ich mich nicht bezwingen konnte, verloren sich spurlos in den Gesprächen. Körperlich erholte ich mich übrigens in wenigen Stunden, geistig trage ich noch heute die Folgen.

Meine Forschungen aber erweiterte ich auf die Musik der Hunde. Die Wissenschaft war gewiß auch hier nicht untätig, die Wissenschaft von der Musik ist, wenn ich gut berichtet bin, vielleicht noch umfangreicher als jene von der Nahrung, und jedenfalls fester begründet. Es ist das dadurch zu erklären, daß auf diesem Gebiet leidenschaftsloser gearbeitet werden kann als auf jenem, und daß es sich hier mehr um bloße Beobachtungen und Systematisierungen handelt, dort dagegen vor allem um praktische Folgerungen. Damit hängt zusammen, daß der Respekt vor der Musikwissenschaft größer ist als vor der Nahrungswissenschaft, die erstere aber niemals so tief ins Volk eindringen konnte wie die zweite. Auch ich stand der Musikwissenschaft, ehe ich die Stimme im Wald gehört hatte, fremder gegenüber als irgendeiner anderen. Zwar hatte mich schon das Erlebnis mit den Musikhunden auf sie hingewiesen, aber ich war damals noch zu jung. Auch ist es nicht leicht, an diese Wissenschaft auch nur heranzukommen, sie gilt als besonders schwierig und schließt sich vornehm gegen die Menge ab. Auch war zwar die Musik bei jenen Hunden das zunächst Auffallendste gewesen, aber wichtiger als die Musik schien mir ihr verschwiegenes Hundewesen, für ihre schreckliche Musik fand ich vielleicht überhaupt keine Ähnlichkeit anderswo, ich konnte sie eher vernachlässigen, aber ihr Wesen begegnete mir von damals an in allen Hunden überall. In das Wesen der Hunde einzudringen, schienen mir aber Forschungen über die Nahrung am geeignetsten und ohne Umweg zum Ziele führend. Vielleicht hatte ich darin Unrecht. Ein Grenzgebiet der beiden Wissenschaften lenkte allerdings schon damals meinen Verdacht auf sich. Es ist die Lehre von dem die Nahrung herabrufenden Gesang. Wieder ist es hier für mich sehr störend, daß ich auch in die Musikwissenschaft niemals ernstlich eingedrungen bin und mich in dieser Hinsicht bei weitem nicht einmal zu den von der Wissenschaft immer besonders verachteten Halbgebildeten rechnen kann. Dies muß mir immer gegenwärtig bleiben. Vor einem Gelehrten würde ich, ich habe leider dafür Beweise, auch in der leichtesten wissenschaftlichen Prüfung sehr schlecht bestehen. Das hat natürlich, von den schon erwähnten Lebensumständen abgesehen, seinen Grund zunächst in meiner wissenschaftlichen Unfähigkeit, geringer Denkkraft, schlechtem Gedächtnis und vor allem in dem Außerstandesein, das wissenschaftliche Ziel mir immer vor Augen zu halten. Das alles gestehe ich mir offen ein, sogar mit einer gewissen Freude. Denn der tiefere Grund meiner wissenschaftlichen Unfähigkeit scheimt mir ein Instinkt und wahrlich kein schlechter Instinkt zu sein. Wenn ich bramarbasieren wollte, könnte ich sagen, daß gerade dieser Instinkt meine wissenschaftlichen Fähigkeiten zerstört hat, denn es wäre doch eine zumindest sehr merkwürdige Erscheinung, daß ich, der ich in den gewöhnlichen täglichen Lebensdingen, die gewiß nicht die einfachsten sind, einen erträglichen Verstand zeige, und vor allem, wenn auch nicht die Wissenschaft so doch die Gelehrten sehr gut verstehe, was an meinen Resultaten nachprüfbar ist, von vornherein unfähig gewesen sein sollte, die Pfote auch nur zur ersten Stufe der Wissenschaft zu erheben. Es war der Instinkt, der mich vielleicht gerade um der Wissenschaft willen, aber einer anderen Wissenschaft als sie heute geübt wird, einer allerletzten Wissenschaft, die Freiheit höher schätzen ließ als alles andere. Die Freiheit! Freilich, die Freiheit, wie sie heute möglich ist, ist ein kümmerliches Gewächs. Aber immerhin Freiheit, immerhin ein Besitz. –

AUFZEICHNUNGEN AUS DEM JAHRE 1920

Er ist bei keinem Anlaß genügend vorbereitet, kann sich deshalb aber nicht einmal Vorwürfe machen, denn wo wäre in diesem Leben, das so quälend in jedem Augenblick Bereitsein verlangt, Zeit sich vorzubereiten, und selbst wenn Zeit wäre, könnte man sich denn vorbereiten, ehe man die Aufgabe kennt, das heißt, kann man überhaupt eine natürliche, eine nicht nur künstlich zusammengestellte Aufgabe bestehen? Deshalb ist er auch schon längst unter den Rädern, merkwürdiger- aber auch tröstlicherweise war er darauf am wenigsten vorbereitet.

Alles, was er tut, kommt ihm zwar außerordentlich neu vor, aber auch entsprechend dieser unmöglichen Fülle des Neuen außerordentlich dilettantisch, kaum einmal erträglich, unfähig historisch zu werden, die Kette der Geschlechter sprengend, die bisher immer wenigstens zu ahnende Musik der Welt zum erstenmal bis in alle Tiefen hinunter abbrechend. Manchmal hat er in seinem Hochmut mehr Angst um die Welt als um sich.

Mit einem Gefängnis hätte er sich abgefunden. Als Gefangener enden – das wäre eines Lebens Ziel. Aber es war ein Gitterkäfig. Gleichgültig, herrisch, wie bei sich zu Hause strömte durch das Gitter aus und ein der Lärm der Welt, der Gefangene war eigentlich frei, er konnte an allem teilnehmen, nichts entging ihm draußen, selbst verlassen hätte er den Käfig können, die Gitterstangen standen ja meterweit auseinander, nicht einmal gefangen war er.

Er hat das Gefühl, daß er sich dadurch, daß er lebt, den Weg verstellt. Aus dieser Behinderung nimmt er dann wieder den Beweis dafür, daß er lebt.

Sein eigener Stirnknochen verlegt ihm den Weg, an seiner eigenen Stirn schlägt er sich die Stirn blutig.

Er fühlt sich auf dieser Erde gefangen, ihm ist eng, die Trauer, die Schwäche, die Krankheiten, die Wahnvorstellungen der Gefangenen brechen bei ihm aus, kein Trost kann ihn trösten, weil es eben nur Trost ist, zarter kopfschmerzender Trost gegenüber der groben Tatsache des Gefangenseins. Fragt man ihn aber, was er eigentlich haben will, kann er nicht antworten, denn er hat – das ist einer seiner stärksten Beweise – keine Vorstellung von Freiheit.

Manche leugnen den Jammer durch Hinweis auf die Sonne, er leugnet die Sonne durch Hinweis auf den Jammer.

Die selbstquälerische, schwerfällige, oft lange stockende, im Grunde doch unaufhörliche Wellenbewegung alles Lebens, des fremden und eigenen, quält ihn, weil sie unaufhörlichen Zwang des Denkens mit sich bringt. Manchmal scheint ihm, daß diese Qual den Ereignissen vorhergeht. Als er hört, daß seinem Freund ein Kind geboren werden soll, erkennt er, daß er dafür schon als früher Denker gelitten hat.

Er sieht zweierlei: das Erste ist die ruhige, mit Leben erfüllte, ohne ein gewisses Behagen unmögliche Betrachtung, Erwägung, Untersuchung, Ergießung. Deren Zahl und Möglichkeit ist endlos, selbst eine Mauerassel braucht eine verhältnismäßig große Ritze, um unterzukommen, für jene Arbeiten aber ist überhaupt kein Platz nötig, selbst dort, wo nicht die geringste Ritze ist, können sie, einander durchdringend, noch zu Tausenden und Abertausenden leben. Das ist das Erste. Das Zweite aber ist der Augenblick, in dem man vorgerufen Rechenschaft geben soll, keinen Laut hervorbringt, zurückgeworfen wird in die Betrachtungen usw., jetzt aber mit der Aussichtslosigkeit vor sich unmöglich mehr darin plätschern kann, sich schwer macht und mit einem Fluch versinkt.

Es handelt sich um folgendes: Ich saß einmal vor vielen Jahren, gewiß traurig genug, auf der Lehne des Laurenziberges. Ich prüfte die Wünsche, die ich für das Leben hatte. Als wichtigster oder als reizvollster ergab sich der Wunsch, eine Ansicht des Lebens zu gewinnen (und – das war allerdings notwendig verbunden – schriftlich die anderen von ihr überzeugen zu können), in der das

Leben zwar sein natürliches schweres Fallen und Steigen bewahre, aber gleichzeitig mit nicht minderer Deutlichkeit als ein Nichts, als ein Traum, als ein Schweben erkannt werde. Vielleicht ein schöner Wunsch, wenn ich ihn richtig gewünscht hätte. Etwa als Wunsch, einen Tisch mit peinlich ordentlicher Handwerksmäßigkeit zusammenzuhämmern und dabei gleichzeitig nichts zu tun, und zwar nicht so, daß man sagen könnte: »Ihm ist das Hämmern ein Nichts«, sondern »Ihm ist das Hämmern ein wirkliches Hämmern und gleichzeitig auch ein Nichts«, wodurch ja das Hämmern noch kühner, noch entschlossener, noch wirklicher und, wenn du willst, noch irrsinniger geworden wäre.

Aber er konnte gar nicht so wünschen, denn sein Wunsch war kein Wunsch, er war nur eine Verteidigung, eine Verbürgerlichung des Nichts, ein Hauch von Munterkeit, den er dem Nichts geben wollte, in das er zwar damals kaum die ersten bewußten Schritte tat, das er aber schon als sein Element fühlte. Es war damals eine Art Abschied, den er von der Scheinwelt der Jugend nahm, sie hatte ihn übrigens niemals unmittelbar getäuscht, sondern nur durch die Reden aller Autoritäten ringsherum täuschen lassen. So hatte sich die Notwendigkeit des ›Wunsches‹ ergeben.

Er beweist nur sich selbst, sein einziger Beweis ist er selbst, alle Gegner besiegen ihn sofort, aber nicht dadurch, daß sie ihn widerlegen (er ist unwiderlegbar), sondern dadurch, daß sie sich beweisen.

Menschliche Vereinigungen beruhen darauf, daß einer durch sein starkes Dasein andere an sich unwiderlegbare Einzelne widerlegt zu haben scheint. Das ist für diese Einzelnen süß und trostreich, aber es fehlt an Wahrheit und daher immer an Dauer.

Er war früher Teil einer monumentalen Gruppe. Um irgendeine erhöhte Mitte standen in durchdachter Anordnung Sinnbilder des Soldatenstandes, der Künste, der Wissenschaften, der Handwerke. Einer von diesen Vielen war er. Nun ist die Gruppe längst aufgelöst oder wenigstens er hat sie verlassen und bringt sich allein durchs Leben. Nicht einmal seinen alten Beruf hat er mehr, ja er hat sogar vergessen, was er damals darstellte. Wohl gerade durch dieses Vergessen ergibt sich eine gewisse Traurigkeit, Unsicherheit, Unruhe, ein gewisses die Gegenwart trübendes Verlangen nach den vergangenen Zeiten. Und doch ist dieses Verlangen ein wichtiges Element der Lebenskraft oder vielleicht sie selbst.

Er lebt nicht wegen seines persönlichen Lebens, er denkt nicht wegen seines persönlichen Denkens. Ihm ist, als lebe und denke er unter der Nötigung einer Familie, die zwar selbst überreich an Lebens- und Denkkraft ist, für die er aber noch irgendeinem ihm unbekannten Gesetz eine formelle Notwendigkeit bedeutet. Wegen dieser unbekannten Familie und dieser unbekannten Gesetze kann er nicht entlassen werden.

Die Erbsünde, das alte Unrecht, das der Mensch begangen hat, besteht in dem Vorwurf, den der Mensch macht und von dem er nicht abläßt, daß ihm ein Unrecht geschehen ist, daß an ihm die Erbsünde begangen wurde.

Vor der Auslage von Casinelli drückten sich zwei Kinder herum, ein etwa sechs Jahre alter Junge, ein sieben Jahre altes Mädchen, reich angezogen, sprachen von Gott und von Sünden. Ich blieb hinter ihnen stehen. Das Mädchen, vielleicht katholisch, hielt nur das Belügen Gottes für eine eigentliche Sünde. Kindlich hartnäckig fragte der Junge, vielleicht ein Protestant, was das Belügen der Menschen oder das Stehlen sei. »Auch eine sehr große Sünde«, sagte das Mädchen, »aber nicht die größte, nur die Sünden an Gott sind die größten, für die Sünden an Menschen haben wir die Beichte. Wenn ich beichte, steht gleich wieder der Engel hinter mir, wenn ich nämlich eine Sünde begehe, kommt der Teufel hinter mich, nur sieht man ihn nicht.« Und des halben Ernstes müde, drehte sie sich zum Spaß auf den Hacken um und sagte: »Siehst du, niemand ist hinter mir.« Ebenso drehte sich der Junge um und sah dort mich. »Siehst du«, sagte er ohne Rücksicht darauf, daß ich es hören müßte, oder auch ohne daran zu denken, »hinter mir steht der Teufel.« »Den sehe ich auch«, sagte das Mädchen, »aber den meine ich nicht.«

Er will keinen Trost, aber nicht deshalb, weil er ihn nicht will, – wer wollte ihn nicht, sondern, weil Trost suchen heißt: dieser Arbeit sein Leben widmen, am Rande seiner Existenz, fast außerhalb ihrer immer zu leben, kaum mehr zu wissen, für wen man Trost sucht, und daher nicht einmal imstande zu sein, wirksamen Trost zu finden, wirksamen, nicht etwa wahren, den es nicht gibt.

Er wehrt sich gegen die Fixierung durch den Mitmenschen. Der Mensch sieht, selbst wenn er unfehlbar wäre, im anderen nur jenen Teil, für den seine Blickkraft und Blickart reicht. Er hat, wie jeder, aber in äußerster Übertreibung, die Sucht, sich so einzuschränken, wie ihn der Blick des Mitmenschen zu sehen die Kraft hat. Hätte Robinson den höchsten oder richtiger den sichtbarsten Punkt der Insel niemals verlassen, aus Trost oder Demut oder Furcht oder Unkenntnis oder Sehnsucht, so wäre er bald zugrunde gegangen; da er aber ohne Rücksicht auf die Schiffe und ihre schwachen Fernrohre seine ganze Insel zu erforschen und ihrer sich zu freuen begann, erhielt er sich am Leben und wurde in einer allerdings dem Verstand notwendigen Konsequenz schließlich doch gefunden.

»Du machst aus deiner Not eine Tugend.«
»Erstens tut das jeder, und zweitens tue gerade ich es nicht. Ich lasse meine Not Not bleiben, ich lege die Sümpfe nicht trocken, sondern lebe in ihrem fiebrigen Dunst.«
»Daraus eben machst du deine Tugend.«
»Wie jeder, ich sagte es schon. Im übrigen tue ich es nur deinetwegen. Damit du freundlich zu mir bleibst, nehme ich Schaden an meiner Seele.«

Alles ist ihm erlaubt, nur das Sichvergessen nicht, womit allerdings wieder alles verboten ist, bis auf das eine, für das Ganze augenblicklich Notwendige.

Die Enge des Bewußtseins ist eine soziale Forderung.
Alle Tugenden sind individuell, alle Laster sozial. Was als soziale Tugend gilt, etwa Liebe, Uneigennützigkeit, Gerechtigkeit, Opfermut, sind nur ›erstaunlich‹ abgeschwächte soziale Laster.

Der Unterschied zwischen dem ›Ja‹ und ›Nein‹, das er seinen Zeitgenossen sagt, und jenem, das er eigentlich zu sagen hätte, dürfte dem vom Tod und Leben entsprechen, ist auch nur ebenso ahnungsweise für ihn faßbar.

Die Ursache dessen, daß das Urteil der Nachwelt über den Einzelnen richtiger ist als das der Zeitgenossen, liegt im Toten. Man entfaltet sich in seiner Art erst nach dem Tode, erst wenn man allein ist. Das Totsein ist für den Einzelnen wie der Samstagabend für den Kaminfeger, sie waschen den Ruß vom Leibe. Es wird sichtbar, ob die Zeitgenossen ihm oder er den Zeitgenossen mehr geschadet hat, im letzteren Fall war er ein großer Mann.

Die Kraft zum Verneinen, dieser natürlichsten Äußerung des immerfort sich verändernden, erneuernden, absterbenden auflebenden menschlichen Kämpferorganismus, haben wir immer, den Mut aber nicht, während doch Leben Verneinen ist, also Verneinung Bejahung.

Mit seinen absterbenden Gedanken stirbt er nicht. Das Absterben ist nur eine Erscheinung innerhalb der inneren Welt (die bestehen bleibt, selbst wenn auch sie nur ein Gedanke wäre), eine Naturerscheinung wie jede andere, weder fröhlich noch traurig.

Die Strömung, gegen die er schwimmt, ist so rasend, daß man in einer gewissen Zerstreutheit manchmal verzweifelt ist über die öde Ruhe, inmitten welcher man plätschert, so unendlich weit ist man nämlich in einem Augenblick des Versagens zurückgetrieben worden.

Er hat Durst und ist von der Quelle nur durch ein Gebüsch getrennt. Er ist aber zweigeteilt, ein Teil übersieht das Ganze, sieht, daß er hier steht und die Quelle daneben ist, ein zweiter Teil aber merkt nichts, hat höchstens eine Ahnung dessen, daß der erste Teil alles sieht. Da er aber nichts merkt, kann er nicht trinken.

Er ist weder kühn noch leichtsinnig. Aber auch ängstlich ist er nicht. Ein freies Leben würde ihn nicht ängstigen. Nun hat sich ein solches Leben für ihn nicht ergeben, aber auch das macht ihm keine Sorgen, wie er sich überhaupt um sich selbst keine Sorgen macht. Es gibt aber einen ihm gänzlich unbekannten Jemand, der sich um ihn – nur um ihn – große fortwährende Sorgen macht. Diese ihn betreffenden Sorgen des Jemand, besonders das Fortwährende dieser Sorgen, verursachen ihm manchmal in stiller Stunde quälende Kopfschmerzen.

Am Sicherheben hindert ihn eine gewisse Schwere, ein Gefühl des Gesichertseins für jeden Fall, die Ahnung eines Lagers, das ihm bereitet ist und nur ihm gehört; am Stilleliegen aber hindert ihn eine Unruhe, die ihn vom Lager jagt, es hindert ihn das Gewissen, das endlos schlagende Herz, die Angst vor dem Tod und das Verlangen ihn zu widerlegen, alles das läßt ihn nicht ruhen und er erhebt sich wieder. Dieses Auf und Ab und einige auf diesen Wegen gemachte zufällige, flüchtige, abseitige Beobachtungen sind sein Leben.

Er hat zwei Gegner: Der erste bedrängt ihn von hinten, vom Ursprung her. Der zweite verwehrt ihm den Weg nach vorn. Er kämpft mit beiden. Eigentlich unterstützt ihn der erste im Kampf mit dem Zweiten, denn er will ihn nach vorn drängen und ebenso unterstützt ihn der zweite im Kampf mit dem Ersten; denn er treibt ihn doch zurück. So ist es aber nur theoretisch. Denn es sind ja nicht nur die zwei Gegner da, sondern auch noch er selbst, und wer kennt eigentlich seine Absichten? Immerhin ist es sein Traum, daß er einmal in einem unbewachten Augenblick – dazu gehört allerdings eine Nacht, so finster wie noch keine war – aus der Kampflinie ausspringt und wegen seiner Kampfeserfahrung zum Richter über seine miteinander kämpfenden Gegner erhoben wird.

DER GRUFTWÄCHTER

*Kleines Arbeitszimmer, hohes Fenster, davor ein kahler Baumwipfel.
Fürst (am Schreibtisch, im Stuhl zurückgelehnt, aus dem Fenster blik-
kend), Kammerherr (weißer Vollbart, jugendlich in ein enges Jackett
gezwängt, an der Wand neben der Mitteltür).
Pause.*

FÜRST *sich vom Fenster abwendend*: Nun?

KAMMERHERR: Ich kann es nicht empfehlen, Hoheit.

FÜRST: Warum?

KAMMERHERR: Ich kann im Augenblick meine Bedenken nicht genau formulieren. Es ist bei weitem nicht alles, was ich sagen
will, wenn ich jetzt nur den allgemein menschlichen Spruch an-
führe: Man soll die Toten ruhen lassen.

FÜRST: Das ist auch meine Ansicht.

KAMMERHERR: Dann habe ich es nicht richtig verstanden.

FÜRST: So scheint es.

Pause.

FÜRST: Das Einzige, was Sie in der Sache beirrt, ist vielleicht nur
die Sonderbarkeit, daß ich die Anordnung nicht ohne weiters
getroffen, sondern vorher Ihnen angekündigt habe.

KAMMERHERR: Die Ankündigung legt mir allerdings eine größere
Verantwortung auf, der zu entsprechen ich mich bemühen
muß.

FÜRST: Nichts von Verantwortung!

Pause.

FÜRST: Also nochmals. Bisher wurde die Gruft im Friedrichspark
von einem Wächter bewacht, der am Eingang des Parkes ein
Häuschen hat, in dem er wohnt. War an diesem Ganzen etwas
auszusetzen?

KAMMERHERR: Gewiß nicht. Die Gruft ist über vierhundert Jahre
alt und so lange wird sie auch in dieser Weise bewacht.

FÜRST: Es könnte ein Mißbrauch sein. Es ist aber kein Mißbrauch?

KAMMERHERR: Es ist eine notwendige Einrichtung.

FÜRST: Also eine notwendige Einrichtung. Nun bin ich so lange hier auf dem Landschloß, bekomme Einblick in Einzelheiten, die bisher Fremden anvertraut waren – sie bewähren sich schlecht und recht –, und habe gefunden: Der Wächter oben im Park genügt nicht, es muß vielmehr auch ein Wächter unten in der Gruft wachen. Es wird vielleicht kein angenehmes Amt sein. Aber erfahrungsgemäß finden sich für jeden Posten bereitwillige und geeignete Leute.

KAMMERHERR: Natürlich wird alles, was Hoheit anordnen, ausgeführt werden, auch wenn die Notwendigkeit der Anordnung nicht begriffen wird.

FÜRST *auffahrend*: Notwendigkeit! Ist denn die Wache am Parktor notwendig? Der Friedrichspark ist ein Teil des Schloßparkes, ist von ihm ganz umfaßt, der Schloßpark selbst ist reichlich, sogar militärisch bewacht. Wozu also die besondere Bewachung des Friedrichsparks? Ist sie nicht eine bloße Formalität? Ein freundliches Sterbelager für den armseligen Greis, der dort die Wache besorgt?

KAMMERHERR: Es ist eine Formalität, aber eine notwendige. Bezeugung der Ehrfurcht vor den großen Toten.

FÜRST: Und eine Wache in der Gruft selbst?

KAMMERHERR: Sie hätte meiner Meinung nach einen polizeilichen Nebensinn, sie wäre wirkliche Bewachung unwirklicher, dem Menschlichen entrückter Dinge.

FÜRST: Diese Gruft ist in meiner Familie die Grenze zwischen dem Menschlichen und dem Anderen, und an diese Grenze will ich eine Wache stellen. Über die, wie Sie sich ausdrücken, polizeiliche Notwendigkeit dessen, können wir den Wächter selbst verhören. Ich habe ihn kommen lassen. *Läutet.*

KAMMERHERR: Es ist, wenn ich mir die Bemerkung erlauben darf, ein verwirrter Greis, schon außer Rand und Band.

FÜRST: Ist es so, dann wäre dies nur ein weiterer Beweis für die Notwendigkeit einer Verstärkung der Wache in meinem Sinn.

Diener.

FÜRST: Der Gruftwächter!

Der Diener führt den Wächter herein, hält ihn unter dem Arm fest, sonst würde er zusammenstürzen. Alte, rote, weit ihn umschlotternde Festlivree, blankgeputzte Silberknöpfe, verschiedene Ehrenzeichen. Kappe in der Hand. Unter den Blicken der Herren zittert er.

FÜRST: Auf das Ruhebett!
Diener legt ihn hin und geht. Pause. Nur leises Röcheln des Wächters.
FÜRST *wieder im Lehnstuhl*: Hörst du?
WÄCHTER *bemüht sich zu antworten, kann aber nicht, ist zu erschöpft, sinkt wieder zurück.*
FÜRST: Suche dich zu fassen. Wir warten.
KAMMERHERR *zum Fürsten gebeugt*: Worüber könnte dieser Mann Auskunft geben, und gar glaubwürdige oder wichtige Auskunft. Man sollte ihn eiligst ins Bett bringen.
WÄCHTER: Nicht ins Bett – bin noch kräftig – verhältnismäßig – stelle noch meinen Mann.
FÜRST: Es sollte so sein. Du bist ja erst sechzig Jahre alt. Allerdings siehst du sehr schwach aus.
WÄCHTER: Werde mich gleich erholt haben – gleich erholt.
FÜRST: Es war kein Vorwurf. Ich bedauere nur, daß es dir so schlecht geht. Hast du über etwas zu klagen?
WÄCHTER: Schwerer Dienst – schwerer Dienst – klage nicht – aber entkräftet sehr – Ringkämpfe jede Nacht.
FÜRST: Was sagst du?
WÄCHTER: Schwerer Dienst.
FÜRST: Du sagtest noch etwas.
WÄCHTER: Ringkämpfe.
FÜRST: Ringkämpfe? Was für Ringkämpfe denn?
WÄCHTER: Mit den seligen Vorfahren.
FÜRST: Das verstehe ich nicht. Hast du schwere Träume?
WÄCHTER: Keine Träume – schlafe ja keine Nacht.
FÜRST: Dann erzähle also von diesen – diesen Ringkämpfen.
WÄCHTER *schweigt.*
FÜRST *zum Kammerherrn*: Warum schweigt er?
KAMMERHERR *eilt zum Wächter*: Es kann ja jeden Augenblick mit ihm zu Ende sein.
FÜRST *steht beim Tisch.*
WÄCHTER *als ihn der Kammerherr berührt*: Weg, weg weg!
Kämpft mit den Fingern des Kammerherrn, wirft sich dann weinend hin.
FÜRST: Wir quälen ihn.
KAMMERHERR: Womit?
FÜRST: Ich weiß nicht.

KAMMERHERR: Der Weg ins Schloß, die Vorführung, der Anblick Eurer Hoheit, Die Fragestellung – dem allen hat er nicht mehr genug Verstand entgegen zu setzen.

FÜRST *sieht immerfort nach dem Wächter hin*: Das ist es nicht. *Geht zum Ruhebett, beugt sich zum Wächter, nimmt dessen kleinen Schädel zwischen die Hände.* Mußt nicht weinen. Warum weinst du denn? Wir sind dir wohlgesinnt. Ich selbst halte dein Amt nicht für leicht. Gewiß hast du dir Verdienste um mein Haus erworben. Also weine nicht mehr und erzähle.

WÄCHTER: Wenn ich mich aber vor dem Herrn dort so fürchte – *sieht den Kammerherrn drohend, nicht furchtsam an.*

FÜRST *zum Kammerherrn*: Sie müssen fortgehn, wenn er erzählen soll.

KAMMERHERR: Sehen Sie doch, Hoheit, er hat Schaum vor dem Mund, ist schwerkrank.

FÜRST *zerstreut*: Ja, gehen Sie, es dauert nicht lange.
Kammerherr geht.

FÜRST *setzt sich auf den Rand des Ruhebettes.*
Pause.

FÜRST: Warum hast du dich vor ihm gefürchtet.

WÄCHTER *auffallend gesammelt*: Ich habe mich nicht gefürchtet. Vor einem Diener mich fürchten?

FÜRST: Er ist kein Diener. Er ist ein Graf, frei und reich.

WÄCHTER: Doch nur ein Diener, du bist der Herr.

FÜRST: Wenn du es so willst. Du selbst sagtest aber, daß du dich fürchtest.

WÄCHTER: Ich habe Dinge vor ihm zu erzählen, die nur du erfahren sollst. Habe ich nicht schon zu viel vor ihm gesagt?

FÜRST: Wir sind also Vertraute und ich habe dich doch heute zum ersten Mal gesehn.

WÄCHTER: Gesehn zum ersten Mal, aber seit jeher weißt du, daß ich das *gehobener Zeigefinger* wichtigste Hofamt habe. Du hast es ja auch öffentlich anerkannt, indem du mir die Medaille ›Feuerrot‹ verliehen hast. Hier! *Hebt die Medaille vom Rock.*

FÜRST: Nein, das ist eine Medaille für fünfundzwanzigjährige Hofdienste. Die hat dir noch mein Großvater gegeben. Doch werde auch ich dich auszeichnen.

WÄCHTER: Tue, wie es dir gefällt und der Bedeutung meiner Dienste entspricht. Dreißig Jahre diene ich dir als Gruftwächter.

FÜRST: Nicht mir, meine Regierung dauert kaum ein Jahr.

WÄCHTER *in Gedanken*: Dreißig Jahre.

Pause.

WÄCHTER *sich halb zu der Bemerkung des Fürsten zurückfindend*: Nächte dauern dort Jahre.

FÜRST: Aus deinem Amt kam mir noch kein Bericht. Wie ist der Dienst?

WÄCHTER: Gleichförmig jede Nacht. Jede Nacht nahe bis zum Platzen der Halsadern.

FÜRST: Ist es denn nur Nachtdienst? Nachtdienst für dich Alten?

WÄCHTER: Das ist es eben, Hoheit. Es ist Tagdienst. Ein Faulenzerposten. Man sitzt vor der Haustür und hält im Sonnenschein den Mund offen. Manchmal tappt dir der Wächterhund mit den Vorderpfoten aufs Knie und legt sich wieder. Das ist die ganze Abwechslung.

FÜRST: Also.

WÄCHTER *nickend*: Aber er ist in Nachtdienst umgewandelt worden.

FÜRST: Von wem denn?

WÄCHTER: Von den Gruftherren.

FÜRST: Du kennst sie?

WÄCHTER: Ja.

FÜRST: Sie kommen zu dir?

WÄCHTER: Ja.

FÜRST: Auch in der letzten Nacht?

WÄCHTER: Auch.

FÜRST: Wie war es?

WÄCHTER *setzt sich aufrecht*: Wie immer.

FÜRST *steht auf*.

WÄCHTER: Wie immer. Bis Mitternacht ist Ruhe. Ich liege – verzeihe mir – im Bett und rauche die Pfeife. Im Bett nebenan schläft mein Tochterkind. Um Mitternacht klopft es das erste Mal ans Fenster. Ich sehe nach der Uhr. Immer pünktlich. Noch zweimal klopft es, es mischt sich mit den Uhrenschlägen vom Turm und ist nicht schwächer. Das sind nicht menschliche Fingerknöchel. Aber ich kenne das alles und rühre mich nicht. Dann räuspert es sich draußen, es wundert sich, daß ich trotz solchen Klopfens das Fenster nicht öffne. Möge sich die fürstliche Hoheit wundern! Noch immer ist der alte Wächter da! *Zeigt die Faust.*

FÜRST: Du drohst mir?

WÄCHTER *versteht nicht gleich*: Nicht dir. Dem vor dem Fenster!

FÜRST Wer ist es?

WÄCHTER: Er zeigt sich gleich. Mit einem Schlage öffnen sich Fenster und Fensterladen. Knapp habe ich noch Zeit, meinem Tochterkind die Decke über das Gesicht zu werfen. Sturm bläst herein, verlöscht das Licht im Nu. Herzog Friedrich! Sein Gesicht mit Bart und Haar erfüllt mein armes Fenster ganz und gar. Wie hat er sich entwickelt in den Jahrhunderten. Wenn er den Mund zum Reden öffnet, weht ihm der Wind den alten Bart zwischen die Zähne und er beißt in ihn.

FÜRST: Warte, du sagst Herzog Friedrich. Welcher Friedrich?

WÄCHTER: Herzog Friedrich, nur Herzog Friedrich.

FÜRST: Er nennt so seinen Namen?

WÄCHTER *ängstlich*: Nein, er nennt ihn nicht.

FÜRST: Und trotzdem weißt du – *abbrechend*. Erzähle doch weiter!

WÄCHTER: Soll ich weiter erzählen?

FÜRST: Natürlich. Das geht mich ja sehr an, es ist hier ein Fehler in der Arbeitsverteilung. Du warst überlastet.

WÄCHTER *niederkniend*: Nicht mir meinen Posten nehmen, Hoheit. Wenn ich so lange für dich gelebt habe, laß mich jetzt auch für dich sterben! Laß nicht vor mir das Grab vermauern, zu dem ich strebe. Ich diene gern und habe noch Fähigkeit zu dienen. Eine Audienz wie die heutige, ein Ausruhn beim Herrn, gibt mir Kraft für zehn Jahre.

FÜRST *setzt ihn wieder auf das Ruhebett*: Niemand nimmt dir deinen Posten. Wie könnte ich dort deine Erfahrung entbehren! Ich werde aber noch einen Wächter bestimmen und du wirst Oberwächter werden.

WÄCHTER: Genüge ich nicht? Habe ich jemals einen durchgelassen?

FÜRST: In den Friedrichspark?

WÄCHTER: Nein, aus dem Park. Wer will denn hinein? Bleibt einmal einer vor dem Gitter stehen, winke ich mit der Hand aus dem Fenster und er läuft davon. Aber hinaus, hinaus wollen alle. Nach Mitternacht kannst du alle Grabesstimmen um mein Haus versammelt sehn. Ich glaube, nur weil sie sich so aneinanderdrängen, fahren sie nicht sämtlich mit allem, was sie sind,

mir durch das enge Fensterloch herein. Wird es allerdings zu
arg, hole ich die Laterne unter dem Bett heraus, schwenke sie
hoch und sie reißen sich, unverständliche Wesen, mit Lachen
und Jammern auseinander; noch im letzten Busch am Ende des
Parkes höre ich sie dann rauschen. Aber bald sammeln sie sich
wieder.

FÜRST: Und sie sagen ihre Bitte?

WÄCHTER: Zuerst befehlen sie. Herzog Friedrich vor allen. So zu-
versichtlich sind keine Lebendigen. Seit dreißig Jahren, jede
Nacht erwartet er, mich diesmal mürbe zu finden.

FÜRST: Wenn er seit dreißig Jahren kommt, kann es nicht Herzog
Friedrich sein, der erst vor fünfzehn Jahren gestorben ist. Er ist
aber der einzige dieses Namens in der Gruft.

WÄCHTER *zu sehr von dem Erzählten erfaßt*: Das weiß ich nicht, Hoheit, ich habe nicht studiert. Ich weiß nur, wie er beginnt. »Alter
Hund«, beginnt er beim Fenster, »die Herren klopfen und du
bleibst in deinem Schmutzbett.« Gegen Betten haben sie nämlich immer Zorn. Und nun sprechen wir jede Nacht fast dasselbe. Er draußen, ich ihm gegenüber mit dem Rücken an der Tür.
Ich sage: »Ich habe nur Tagdienst.« Der Herr wendet sich und
ruft in den Park: »Er hat nur Tagdienst.« Daraufhin gibt es ein
allgemeines Lachen des versammelten Adels. Dann sagt der
Herzog wieder zu mir: »Es ist doch Tag.« Ich darauf kurz: »Sie
irren.« Der Herzog: »Tag oder Nacht, öffne das Tor.« Ich: »Das
ist gegen meine Dienstordnung.« Und ich zeige mit dem Pfei-
fenstock auf ein Blatt an der Wand. Der Herzog: »Du bist doch
unser Wächter.« Ich: »Euer Wächter, aber von dem regierenden
Fürsten angestellt.« Er: »Unser Wächter, das ist die Hauptsache. Also öffne, und zwar sofort.« Ich: »Nein.« Er: »Narr, du
verlierst deinen Posten. Herzog Leo hat uns für heute eingela-
den.«

FÜRST *schnell*: Ich?

WÄCHTER: Du.

Pause.

WÄCHTER: Wenn ich deinen Namen höre, verliere ich meine Festigkeit. Deshalb habe ich mich gleich aus Vorsicht an die Tür
gelehnt, die mich jetzt fast allein aufrecht hält. Draußen singen
alle deinen Namen. »Wo ist die Einladung?« frage ich schwach.
»Bettvieh«, schreit er, »du zweifelst an meinem herzoglichen

Wort?« Ich sage: »Ich habe keine Weisung und deshalb öffne ich nicht, öffne ich nicht, öffne ich nicht.« »Er öffnet nicht«, ruft der Herzog draußen, »also vorwärts, alle, die ganze Dynastie, gegen das Tor, wir öffnen selbst.« Und im Augenblick ist es vor meinem Fenster leer.

Pause.

FÜRST: Das ist alles?

WÄCHTER: Wie denn? Jetzt erst kommt mein eigentlicher Dienst. Hinaus aus der Tür, herum um das Haus, und schon pralle ich mit dem Herzog zusammen und schon schaukeln wir im Kampf. Er so groß, ich so klein, er so breit, ich so schmal, ich kämpfe nur mit seinen Füßen, aber manchmal hebt er mich und dann kämpfe ich auch oben. Um uns sind alle seine Genossen im Kreis und verlachen mich. Einer, zum Beispiel, schneidet hinten meine Hose auf und nun spielen alle mit meinem Hemdzipfel, während ich kämpfe. Unbegreiflich, warum sie lachen, da ich doch bisher immer gewonnen habe.

FÜRST: Wie ist es aber möglich, daß du gewinnst? Hast du Waffen?

WÄCHTER: Nur in den ersten Jahren nahm ich Waffen mit. Was könnten sie mir ihm gegenüber helfen, sie beschwerten mich nur. Wir kämpfen nur mit den Fäusten, oder eigentlich nur mit der Atemkraft. Und immer bist du in meinen Gedanken.

Pause.

WÄCHTER: Aber niemals zweifle ich an meinem Sieg. Nur manchmal fürchte ich, daß der Herzog mich zwischen seinen Fingern verlieren könnte und er nicht mehr wissen wird, daß er kämpft.

FÜRST: Und wann hast du gesiegt?

WÄCHTER: Wenn es Morgen wird. Dann wirft er mich hin und speit mir nach, das ist sein Bekenntnis der Niederlage. Ich aber muß noch eine Stunde liegen, ehe ich den richtigen Atem erschnappe.

Pause.

FÜRST *steht auf:* Aber sag, weißt du nicht, was sie alle eigentlich wollen?

WÄCHTER: Aus dem Park hinaus.

FÜRST: Warum aber?

WÄCHTER: Das weiß ich nicht.

Fürst: Hast du sie nicht gefragt?

Wächter: Nein.

Fürst: Warum?

Wächter: Ich habe Scheu davor. Wenn du es aber willst, werde ich sie heute fragen.

Fürst *erschrickt, laut*: Heute!

Wächter *sachverständig*: Ja, heute.

Fürst: Und du ahnst auch nicht, was sie wollen?

Wächter *nachdenklich*: Nein.

Pause.

Wächter: Manchmal, vielleicht sollte ich das noch sagen, kommt früh, während ich so ohne Atem liege, ich bin dann auch zu schwach, um die Augen zu öffnen, ein zartes, feucht und haarig anzufühlendes Wesen zu mir, eine Nachzüglerin, Komtessa Isabella. Sie betastet mich an vielen Stellen, greift in den Bart, fährt in ihrer Gänze mir am Hals unterm Kinn vorbei und pflegt zu sagen: »Die andern nicht, aber mich, aber mich laß hinaus.« Ich schüttle den Kopf so viel ich kann. »Zum Fürsten Leo, um ihm die Hand zu reichen.« Ich höre nicht auf, den Kopf zu schütteln. »Aber mich, aber mich«, höre ich noch, dann ist sie weg. Und mein Tochterkind kommt mit Decken, wickelt mich ein und wartet bei mir, bis ich selbst gehen kann. Ein außerordentlich gutes Mädchen.

Fürst: Ein unbekannter Name, Isabella.

Pause.

Fürst: Die Hand mir zu reichen. *Stellt sich zum Fenster, blickt hinaus.*

Diener durch Mitteltür.

Diener: Ihre Hoheit, die gnädige Frau Fürstin lassen bitten.

Fürst *sieht zerstreut den Diener an – zum Wächter*: Warte, bis ich komme. *Links ab.*

Sofort durch Mitteltür Kammerherr, dann durch Tür rechts Obersthofmeister (jüngerer Mann, Offiziersuniform).

Wächter *duckt sich wie vor Gespenstern hinter das Ruhebett und fuchtelt mit den Händen.*

Obersthofmeister: Der Fürst ist weg?

Kammerherr: Ihrem Rat gemäß hat ihn die Frau Fürstin jetzt rufen lassen.

Obersthofmeister: Gut. *Wendet sich plötzlich, beugt sich hinter das*

Ruhebett. Und du, elendes Gespenst, wagst dich wahrhaftig hierher ins fürstliche Schloß. Fürchtest dich nicht vor dem gewaltigen Fußtritt, der dich aus dem Tor hinausbefördern wird?

WÄCHTER: Ich bin, ich bin –

OBERSTHOFMEISTER: Still, zunächst einmal still, ganz still – und hierher in den Winkel gesetzt! *Zum Kammerherrn*: Ich danke Ihnen für die Benachrichtigung von der neuen fürstlichen Laune.

KAMMERHERR: Sie ließen mich fragen.

OBERSTHOFMEISTER: Immerhin. Und nun ein vertrauliches Wort. Absichtlich vor dem Ding dort. Sie, Herr Graf, kokettieren mit der Gegenpartei.

KAMMERHERR: Ist das eine Beschuldigung?

OBERSTHOFMEISTER: Vorläufig eine Befürchtung.

KAMMERHERR: Dann kann ich antworten. Ich kokettiere nicht mit der Gegenpartei, denn ich erkenne sie nicht. Ich fühle die Strömungen, aber ich tauche mich nicht ein. Ich komme noch von der offenen Politik her, die unter Herzog Friedrich galt. Damals war im Hofdienst die einzige Politik, dem Fürsten zu dienen. Da er Junggeselle war, war dies erleichtert, aber es sollte niemals schwer sein.

OBERSTHOFMEISTER: Sehr vernünftig. Nur zeigt die eigene Nase – und sei sie noch so treu – niemals dauernd den richtigen Weg, den zeigt nur der Verstand. Dieser aber muß sich entscheiden. Gesetzt den Fall, der Fürst sei auf Abwegen: dient man ihm, indem man ihn hinunterbegleitet, oder indem man ihn – in aller Ergebenheit – zurückjagt? Ohne Zweifel, indem man ihn zurückjagt.

KAMMERHERR: Sie kamen mit der Fürstin von einem fremden Hof, sind ein halbes Jahr hier und wollen in den komplizierten Hofverhältnissen gleich den Schnitt auf Gut und Böse hin führen?

OBERSTHOFMEISTER: Wer blinzelt, sieht nur Komplikationen. Wer die Augen offen hält, sieht in der ersten Stunde wie nach hundert Jahren das ewig Klare. Hier allerdings das traurig Klare, das sich aber schon in diesen Tagen einer hoffentlich guten Entscheidung nähert.

KAMMERHERR: Ich kann nicht glauben, daß die Entscheidung, die

Sie herbeiführen wollen und von der ich nur die Ankündigung kenne, eine gute sein wird. Ich fürchte, Sie mißverstehen unseren Fürsten, den Hof und alles hier.

OBERSTHOFMEISTER: Ob verstanden oder mißverstanden, der gegenwärtige Zustand ist unerträglich.

KAMMERHERR: Er mag unerträglich sein, aber er kommt aus dem Wesen der Dinge hier und wir würden ihn bis zum Ende tragen.

OBERSTHOFMEISTER: Aber die Fürstin nicht, ich nicht, die zu uns halten, nicht.

KAMMERHERR: Worin sehen Sie denn das Unerträgliche?

OBERSTHOFMEISTER: Gerade angesichts der Entscheidung will ich offen reden. Der Fürst hat eine Doppelgestalt. Die eine beschäftigt sich mit der Regierung und schwankt geistesabwesend vor dem Volk, mißachtet die eigenen Rechte. Die andere sucht zugegebenermaßen sehr präzis nach Verstärkung ihres Fundaments. Sucht sie in der Vergangenheit und dort immerfort tiefer. Was für eine Verkennung der Sachlage! Eine Verkennung, die nicht ohne Größe ist, nur aber in ihrer Fehlerhaftigkeit noch größer als im Anblick. Kann Ihnen denn das entgehen?

KAMMERHERR: Nicht gegen die Beschreibung, nur gegen die Beurteilung wende ich mich.

OBERSTHOFMEISTER: Gegen die Beurteilung? Ich aber habe in der Hoffnung auf Ihre Zustimmung noch milder geurteilt, als es wirklich in meinem Sinn liegt. Ich halte das Urteil noch immer zurück, um Sie zu schonen. Nur dieses: Der Fürst bedarf in Wirklichkeit keiner Verstärkung seines Fundaments. Er gebrauche alle seine gegenwärtigen Machtmittel und er wird finden, daß sie genügen, um alles zu schaffen, was die höchstgespannte Verantwortung vor Gott und den Menschen von ihm fordern kann. Er scheut aber das Gleichgewicht des Lebens, er ist auf dem Wege zum Tyrannen.

KAMMERHERR: Und sein bescheidenes Wesen!

OBERSTHOFMEISTER: Bescheidenheit der einen Gestalt, weil er alle Kräfte für die zweite braucht, welche das Fundament zusammenscharrt, das etwa für den Babylonischen Turm ausreichen soll. Diese Arbeit ist zu hindern, das sollte die einzige Politik jener sein, denen an ihrem persönlichen Bestand, am Fürstentum, an der Fürstin und vielleicht sogar am Fürsten selbst gelegen ist.

KAMMERHERR: »Vielleicht sogar« – Sie sind sehr offenherzig. Ihre Offenherzigkeit macht mich, um die Wahrheit zu sagen, vor der angekündigten Entscheidung zittern. Und ich bedaure es, wie ich es in letzter Zeit immer mehr bedauert habe, dem Fürsten bis zur eigenen Wehrlosigkeit treu zu sein.

OBERSTHOFMEISTER: Alles ist klargestellt. Sie kokettieren nicht mit der Gegenpartei, sondern halten sogar eine Hand hin. Nur eine, das ist anerkennenswert für einen alten Hofbeamten. Doch bleibt Ihre einzige Hoffnung, daß unser großes Beispiel Sie mitreißt.

KAMMERHERR: Was ich dagegen tun kann, werde ich tun.

OBERSTHOFMEISTER: Es ängstigt mich nicht mehr *auf den Wächter zeigend*. Und du, der du so schön still sitzen kannst, hast du alles verstanden, was jetzt gesprochen wurde?

KAMMERHERR: Der Gruftwächter?

OBERSTHOFMEISTER: Der Gruftwächter. Man muß wahrscheinlich aus der Fremde kommen, um ihn zu erkennen. Nicht wahr, mein Junge, altes Käuzchen du. Haben Sie ihn schon einmal am Abend durch den Forst fliegen sehn, von keinem Kunstschützen zu treffen. Aber bei Tage duckt er sich auf einen Wink.

KAMMERHERR: Ich verstehe nicht.

WÄCHTER *fast weinend*: Ihr zankt mit mir, Herr, und ich weiß nicht warum. Laßt mich, bitte, nach Hause gehn. Ich bin doch nichts Schlechtes, sondern der Gruftwächter.

KAMMERHERR: Sie mißtrauen ihm.

OBERSTHOFMEISTER: Mißtrauen? Nein, dazu ist er zu geringfügig. Aber ich will doch meine Hand auf ihn legen. Ich denke nämlich – nennen Sie es Laune oder Aberglauben – daß er nicht nur ein Werkzeug des Schlechten, sondern ganz ehrenhaft selbständiger Arbeiter im Schlechten ist.

KAMMERHERR: Er dient etwa dreißig Jahre ruhig dem Hofe, ohne vielleicht jemals im Schlosse gewesen zu sein.

OBERSTHOFMEISTER: Ach, solche Maulwürfe bauen lange Gänge, ehe sie hervorkommen. *Plötzlich zum Wächter gewendet*: Zunächst weg mit diesem! *Zum Diener*: Du führst ihn in den Friedrichspark, bleibst bei ihm und läßt ihn nicht mehr hinaus, bis auf weiteren Befehl.

WÄCHTER *in großer Angst*: Ich soll auf Seine Hoheit den Fürsten warten.

OBERSTHOFMEISTER: Ein Irrtum. – Pack dich.

KAMMERHERR: Er muß schonend behandelt werden. Es ist ein alter kranker Mann und dem Fürsten ist irgendwie an ihm gelegen.

WÄCHTER *verbeugt sich tief vor dem Kammerherrn.*

OBERSTHOFMEISTER: Wie? *Zum Diener:* Behandle ihn schonend, aber schaff ihn schon endlich hinaus! Flink!

DIENER *will zugreifen.*

KAMMERHERR *tritt dazwischen:* Nein, es muß ein Wagen geholt werden.

OBERSTHOFMEISTER: Das ist die Hofluft. Ich kann kein Korn Salz herausschmecken. Also einen Wagen. Du überführst die Kostbarkeit in einem Wagen. Aber nun endlich aus dem Zimmer mit euch beiden. *Zum Kammerherrn:* Ihr Verhalten sagt mir –

WÄCHTER *fällt auf dem Weg zur Tür mit einem kleinen Schrei nieder.*

OBERSTHOFMEISTER *stampft auf:* Ist es unmöglich, ihn loszuwerden. So nimm ihn doch auf den Arm, wenn es nicht anders geht. Begreife doch endlich, was man von dir will.

KAMMERHERR: Der Fürst!

DIENER *öffnet die Tür links.*

OBERSTHOFMEISTER: Ah! *Blick auf den Wächter:* Ich hätte es wissen sollen, Gespenster sind nicht transportabel.

FÜRST *mit schnellem Schritt, hinter ihm die Fürstin, dunkle junge Frau, Zähne zusammengebissen, bleibt an der Tür stehen.*

FÜRST: Was ist geschehn?

OBERSTHOFMEISTER: Dem Wächter wurde übel, ich wollte ihn wegschaffen lassen.

FÜRST: Man hätte mich benachrichtigen sollen. Ist der Arzt geholt?

KAMMERHERR: Ich lasse ihn rufen. *Eilt durch die Mitteltür hinaus, kommt gleich wieder.*

FÜRST *während er beim Wächter niederkniet:* Bereitet ein Bett für ihn! Holt eine Bahre! Kommt der Arzt schon? So lange bleibt er aus. Der Puls ist so schwach. Das nicht zu fühlende Herz. Das jämmerliche Rippenwerk. Wie abgebraucht das alles ist. *Steht plötzlich auf, holt ein Wasserglas, wobei er um sich blickt.* Man ist so unbeweglich. *Kniet gleich wieder nieder, befeuchtet des Wächters Gesicht.* Nun atmet er schon besser. Es wird nicht so schlimm, ein gesunder Stamm, noch im letzten Elend versagt er nicht. Aber der Arzt, der Arzt! *Während er zur Tür blickt, hebt der Wächter die Hand und streichelt einmal des Fürsten Wange.*

FÜRSTIN *wendet den Blick ab, zum Fenster. Diener mit Bahre, Fürst hilft beim Aufladen.*

FÜRST: Faßt ihn sanft an. Ach, mit eueren Tatzen! Den Kopf ein wenig heben. Näher die Bahre. Das Kissen tiefer unter den Rücken. Den Arm! Den Arm! Ihr seid schlechte, schlechte Krankenwärter. Ob ihr einmal auch so müde sein werdet, wie dieser auf der Bahre. – So – und nun allerallerlangsamsten Schritt. Und vor allem gleichmäßig. Ich bleibe hinter euch.
In der Tür zur Fürstin: Das ist also der Gruftwächter.

FÜRSTIN *nickt.*

FÜRST: Ich dachte dir ihn anders zu zeigen. *Nach einem weiteren Schritt*: Willst du nicht mitkommen?

FÜRSTIN: Ich bin so müde.

FÜRST: Sobald ich mit dem Arzt gesprochen habe, komme ich hinüber. Und Sie, meine Herren, wollen mir berichten, warten Sie auf mich. *Ab.*

OBERSTHOFMEISTER *zur Fürstin*: Bedürfen Hoheit meiner Dienste?

FÜRSTIN: Immer. Für Ihre Wachsamkeit danke ich Ihnen. Lassen Sie von ihr nicht ab, auch wenn sie heute vergeblich war. Es geht um alles. Sie sehen mehr als ich. Ich bin in meinen Zimmern. Aber ich weiß, es wird trüber und trüber. Es ist diesmal ein über alle Maßen trauriger Herbst.

ANHANG

FRAGMENTE ZUM
›BERICHT FÜR EINE AKADEMIE‹

Wir alle kennen den Rotpeter, so wie ihn die halbe Welt kennt. Aber als er zu einem Gastspiel in unsere Stadt kam, beschloß ich, ihn näher, ihn persönlich kennen zu lernen. Es ist nicht schwer, vorgelassen zu werden. In großen Städten, wo alles, gewitzt, nur danach verlangt, die Berühmtheiten aus nächster Nähe atmen zu sehn, mag es große Schwierigkeiten haben; in unserer Stadt aber bescheidet man sich, das Staunenswerte vom Parterreplatz aus anzustaunen. Ich war daher, wie mir der Hoteldiener sagte, bisher der einzige, der seinen Besuch angemeldet hatte. Herr Busenau, der Impresario, empfing mich überaus freundlich. Ich hatte nicht erwartet, in ihm einen so bescheidenen, ja fast kleinmütigen Mann anzutreffen. Er saß im Vorzimmer der Wohnung Rotpeters und aß eine Eierspeise. Obwohl Vormittag war, saß er doch schon im Abendfrack, in dem er bei den Vorstellungen erscheint. Kaum erblickte er mich, den fremden bedeutungslosen Gast, sprang er, der Besitzer höchster Orden, der König der Dresseure, der Ehrendoktor der großen Universitäten, – sprang er auf, schüttelte mir die Hände, nötigte mich zum Sitzen, wischte seinen Löffel am Tischtuch ab und bot mir ihn freundschaftlich an, damit ich die Eierspeise zu Ende esse. Meinen ablehnenden Dank ließ er nicht gelten und wollte nun anfangen, mich zu füttern. Ich hatte Mühe, ihn zu beruhigen und ihn mit Teller und Löffel zurückzudrängen. »Sehr liebenswürdig, daß Sie gekommen sind«, sagte er dann mit stark fremdländischer Betonung, »wirklich liebenswürdig. Auch kommen Sie zu richtiger Stunde, nicht immer, leider nicht immer kann Rotpeter empfangen, es widersteht ihm oft, Menschen zu sehn; dann wird niemand, wer es auch sei, vorgelassen, selbst ich, selbst ich darf dann nur gewissermaßen geschäftlich mit ihm verkehren, auf der Bühne. Aber gleich nach der Vorstellung muß ich verschwinden, er fährt allein nach Hause, sperrt sich in seine Zimmer ab und bleibt so meist wieder bis zum nächsten Abend. Einen großen Reisekorb voll von Früchten hat er immer im Schlafzimmer, davon ernährt er sich dann in solchen Fällen. Ich aber, der ich ihn natürlich nicht ohne Aufsicht lassen darf, miete immer die gegenüberliegende Wohnung und beobachte ihn hinter Vorhängen.«

Wenn ich Ihnen, Rotpeter, hier so gegenübersitze, Sie reden höre, Ihnen zutrinke, wahrhaftig – ob Sie es nun als Kompliment auffassen oder nicht, es ist aber nur die Wahrheit – ich vergesse dann ganz, daß Sie ein Schimpanse sind. Erst nach und nach, wenn ich mich aus den Gedanken zur Wirklichkeit zurückzwinge, zeigen mir wieder die Augen, wessen Gast ich bin.
Ja.
Sie sind so still geworden, warum denn? Haben mir noch gerade jetzt so staunenswert richtige Urteile über unsere Stadt gesagt und sind jetzt so still.
Still?

Fehlt Ihnen etwas? Soll ich den Dresseur rufen? Vielleicht sind Sie gewohnt, um diese Stunde eine Mahlzeit einzunehmen?
Nein, nein. Es ist auch schon gut. Ich kann Ihnen auch sagen, was es war. Manchmal überkommt mich ein solcher Widerwille vor Menschen, daß ich dem Brechreiz kaum widerstehen kann. Das hat natürlich nichts mit dem Einzelnen zu tun, nicht mit Ihrer liebenswürdigen Gegenwart. Es geht gegen alle Menschen. Es ist dies nichts Merkwürdiges, sollten Sie z. B. mit Affen ständig zusammenleben, hätten Sie bei aller Selbstbeherrschung gewiß ähnliche Anfälle. Im übrigen ist es auch nicht eigentlich der Geruch der Mitmenschen, der mich so anwidert, sondern der Menschengeruch, den ich angenommen habe und der sich mit dem Geruch aus meiner alten Heimat mischt. Bitte riechen Sie selbst! Hier auf der Brust! Tiefer die Nase ins Fell! Tiefer, sage ich.
Ich kann leider nicht Besonderes riechen. Der gewöhnliche Geruch eines gepflegten Körpers, sonst nichts. Allerdings, die Nasen der Stadtmenschen sind hier nicht maßgebend. Sie wittern natürlich tausenderlei, das an uns vorüberweht.
Früher, mein Herr, früher. Das ist vorüber.
Da Sie selbst damit beginnen, wage ich die Frage: Wie lange leben Sie eigentlich unter uns?
Fünf Jahre, am fünften April werden es fünf Jahre.
Unerhörte Leistung. In fünf Jahren das Affentum abwerfen und die ganze Menschheitsentwicklung durchzugaloppieren. Das hat

wahrhaftig noch niemand getan. Auf dieser Rennbahn sind Sie
ganz allein.
Ich weiß, es ist viel und manchmal geht es auch über meine Begriffe. In ruhigen Stunden aber urteile ich nicht so überschweng-
lich. Wissen Sie, wie ich gefangen wurde?
Was über Sie gedruckt worden ist, habe ich alles gelesen. Sie wurden angeschossen und dann gefangen.
Ja, ich bekam zwei Schüsse, hier in die Wange einen, die Wunde
war natürlich viel größer als die Narbe jetzt, und einen Schuß un-
terhalb der Hüfte. Ich werde die Hose ausziehn, damit Sie auch
diese Narbe sehn. Hier also war der Einschuß, das war die ent-
scheidende schwere Wunde, ich fiel vom Baum, und als ich aufwachte, war ich in einem Käfig im Zwischendeck.
Im Käfig! Im Zwischendeck! Anders liest man davon und anders
faßt man es auf, wenn man Sie selbst erzählen hört.
Und noch anders, wenn man es selbst erlebt hat, mein Herr. Ich
hatte bis dahin nicht gewußt, was es bedeutet: keinen Ausweg haben. Es war ein vierwandiger Gitterkäfig, vielmehr waren nur drei
Wände an einer Kiste festgemacht, die Kiste bildete die vierte
Wand. Das ganze war so niedrig, daß ich nicht aufrecht stehn
konnte, und so schmal, daß ich nicht einmal sitzen konnte. Ich
konnte also nur mit eingebogenen Knien dort hocken. In meiner
Wut wollte ich niemand dort sehn und blieb deshalb zur Kiste gewendet, so kauerte ich dort mit zitternden Knien Tage und Nächte
und hinten schnitten sich die Gitterstäbe in mich ein. Man hält eine
solche Verwahrung wilder Tiere in der allerersten Zeit für vorteilhaft und ich kann nach meiner Erfahrung nicht leugnen, daß dies
im menschlichen Sinn tatsächlich der Fall ist. Aber am menschlichen Sinn lag mir damals noch nichts. Ich hatte die Kiste vor mir.
Öffne die Bretterwand, beiße ein Loch durch, presse dich durch
eine Lücke, die in Wirklichkeit kaum den Blick durchläßt und die
du bei der ersten Entdeckung mit dem glückseligen Heulen des
Unverstandes begrüßt. Wohin willst du? Hinter dem Brett fängt
der Wald an,...

[*Brief-Anfang*]

Sehr geehrter Herr Rotpeter,

ich habe den Bericht, den Sie für die Akademie der Wissenschaften geschrieben haben, mit großem Interesse, ja mit Herzklopfen gelesen. Kein Wunder, bin ich doch Ihr erster Lehrer gewesen, für den Sie so freundliche Worte der Erinnerung gefunden haben. Vielleicht hätte es sich bei einiger Überlegung vermeiden lassen, meinen Sanatoriumsaufenthalt zu erwähnen, doch erkenne ich an, daß Ihr ganzer Bericht in seinem ihn so auszeichnenden Freimut auch die kleine Einzelheit, trotzdem sie mich ein wenig kompromittiert, nicht unterdrücken durfte, wenn sie Ihnen einmal bei der Niederschrift zufällig eingefallen war. Doch davon wollte ich eigentlich hier nicht reden, es geht mir um anderes.

FRAGMENT ZUM
›BAU DER CHINESISCHEN MAUER‹

In diese Welt drang nun die Nachricht vom Mauerbau. Auch sie verspätet, etwa dreißig Jahre nach ihrer Verkündigung. Es war an einem Sommerabend. Ich, zehn Jahre alt, stand mit meinem Vater am Flußufer. Gemäß der Bedeutung dieser oft besprochenen Stunde erinnere ich mich der kleinsten Umstände. Er hielt mich an der Hand, dies tat er mit Vorliebe bis in sein hohes Alter, und mit der andern fuhr er seine lange, ganz dünne Pfeife entlang, als wäre es eine Flöte. Sein großer, schütterer, starrer Bart ragte in die Luft, im Genuß der Pfeife blickte er über den Fluß hinweg in die Höhe. Desto tiefer senkte sich sein Zopf, der Gegenstand der Ehrfurcht der Kinder, leise rauschend auf der golddurchwirkten Seide des Feiertagsgewandes. Da hielt eine Barke vor uns, der Schiffer winkte meinem Vater zu, er möge die Böschung herabkommen, er selbst stieg ihm entgegen. In der Mitte trafen sie einander, der Schiffer flüsterte meinem Vater etwas ins Ohr; um ihm ganz näherzukommen, umarmte er ihn. Ich verstand die Reden nicht, sah nur, wie der Vater die Nachricht nicht zu glauben schien, der Schiffer die Wahrheit zu bekräftigen suchte, der Vater noch immer nicht glauben konnte, der Schiffer mit der Leidenschaftlichkeit des Schiffervolkes zum Beweis der Wahrheit fast sein Kleid auf der Brust zerriß, der Vater stiller wurde und der Schiffer polternd in die Barke sprang und wegfuhr. Nachdenklich wandte sich mein Vater zu mir, klopfte die Pfeife aus und steckte sie in den Gürtel, streichelte mir die Wange und zog meinen Kopf an sich. Das hatte ich am liebsten, es machte mich ganz fröhlich, und so kamen wir nach Hause. Dort dampfte schon der Reisbrei auf dem Tisch, einige Gäste waren versammelt, gerade wurde der Wein in die Becher geschüttet. Ohne darauf zu achten, begann mein Vater schon auf der Schwelle zu berichten, was er gehört hatte. Von den Worten habe ich natürlich keine genaue Erinnerung, der Sinn aber ging mir durch das Außerordentliche der Umstände, von dem selbst das Kind bezwungen wurde, so tief ein, daß ich doch eine Art Wortlaut wiederzugeben mich getraue. Ich tue es deshalb, weil er für die Volksauffassung sehr bezeichnend war. Mein Vater sagte also etwa: Ein fremder Schiffer – ich kenne alle, die gewöhnlich hier vorüberfahren, dieser aber war fremd – hat mir eben erzählt, daß eine große Mauer gebaut werden soll, um den Kaiser zu schützen. Es versammeln sich nämlich oft vor dem kaiserlichen Palast die ungläubigen Völker, unter ihnen auch Dämonen, und schießen ihre schwarzen Pfeile gegen den Kaiser.[1]

[1] Es folgt nach einem kleinen Einschiebsel von elf Zeilen ›Ein altes Blatt‹, Band ›Erzählungen‹, Seite 118–120.

Die Truppenaushebungen, die oft nötig sind, denn die Grenz-
kämpfe hören niemals auf, finden auf folgende Weise statt:
Es ergeht der Auftrag, daß an einem bestimmten Tag in einem bestimmten Stadtteil alle Einwohner, Männer, Frauen, Kinder ohne
Unterschied, in ihren Wohnungen bleiben müssen. Meist erst gegen Mittag erscheint am Eingang des Stadtteils, wo eine Soldaten-
abteilung, Fußsoldaten und Berittene, schon seit der Morgen-
dämmerung wartet, der junge Adelige, der die Aushebung vornehmen soll. Es ist ein junger Mann, schmal, nicht groß, schwach,
nachlässig angezogen, mit müden Augen, Unruhe überläuft ihn
immerfort, wie einen Kranken das Fröſteln. Ohne jemanden anzu-
schaun, macht er mit einer Peitsche, die seine ganze Ausrüstung
bildet, ein Zeichen, einige Soldaten schließen sich ihm an und er
betritt das erste Haus. Ein Soldat, der alle Einwohner dieses Stadtteils persönlich kennt, verliest das Verzeichnis der Hausgenossen.
Gewöhnlich sind alle da, stehn schon in einer Reihe in der Stube,
hängen mit den Augen an dem Adeligen, als seien sie schon Soldaten. Es kann aber auch geschehn, daß hie und da einer, immer sind
das nur Männer, fehlt. Dann wird niemand eine Ausrede oder gar
eine Lüge vorzubringen wagen, man schweigt, man senkt die Augen, man erträgt kaum den Druck des Befehles, gegen den man
sich in diesem Haus vergangen hat, aber die stumme Gegenwart
des Adeligen hält doch alle auf ihren Plätzen. Der Adelige gibt ein
Zeichen, es ist nicht einmal ein Kopfnicken, es ist nur von den Augen abzulesen und zwei Soldaten fangen den Fehlenden zu suchen
an. Das gibt gar keine Mühe. Niemals ist er außerhalb des Hauses,
niemals beabsichtigt er sich wirklich dem Truppendienst zu ent-
ziehn, nur aus Angst ist er nicht gekommen, aber es ist auch nicht
Angst vor dem Dienst, die ihn abhält, es ist überhaupt Scheu davor, sich zu zeigen, der Befehl ist für ihn förmlich zu groß, anstrengend groß, er kann nicht aus eigener Kraft kommen. Aber
deshalb flüchtet er nicht, er versteckt sich bloß, und wenn er hört,
daß der Adelige im Haus ist, schleicht er sich wohl auch noch aus
dem Versteck, schleicht zur Tür der Stube und wird sofort von

den heraustretenden Soldaten gepackt. Er wird vor den Adeligen geführt, der die Peitsche mit beiden Händen faßt – er ist so schwach, mit einer Hand würde er gar nichts ausrichten – und den Mann prügelt. Große Schmerzen verursacht das kaum, dann läßt er halb aus Erschöpfung, halb in Widerwillen die Peitsche fallen, der Geprügelte hat sie aufzuheben und ihm zu reichen. Dann erst darf er in die Reihe der übrigen treten; es ist übrigens fast sicher, daß er nicht assentiert werden wird. Es geschieht aber auch, und dieses ist häufiger, daß mehr Leute da sind, als in dem Verzeichnis stehn. Ein fremdes Mädchen ist zum Beispiel da und blickt den Adeligen an, sie ist von auswärts, vielleicht aus der Provinz, die Truppenaushebung hat sie hergelockt, es gibt viele Frauen, die der Verlockung einer solchen fremden Aushebung – die häusliche hat eine ganz andere Bedeutung – nicht widerstehn können. Und es ist merkwürdig, es wird nichts Schimpfliches darin gesehn, wenn eine Frau dieser Verlockung nachgibt, im Gegenteil, es ist irgendetwas, das nach der Meinung mancher die Frauen durchmachen müssen, es ist eine Schuld, die sie ihrem Geschlecht abzahlen. Es verläuft auch immer gleichartig. Das Mädchen oder die Frau hört, daß irgendwo, vielleicht sehr weit, bei Verwandten oder Freunden, Aushebung ist, sie bittet ihre Angehörigen um die Bewilligung der Reise, man willigt ein, das kann man nicht verweigern, sie zieht das Beste an, was sie hat, ist fröhlicher als sonst, dabei ruhig und freundlich, gleichgültig wie sie auch sonst sein mag, und hinter aller Ruhe und Freundlichkeit unzugänglich wie etwa eine völlig Fremde, die in ihre Heimat fährt und nun an nichts anderes mehr denkt. In der Familie, wo die Aushebung stattfinden soll, wird sie ganz anders empfangen als ein gewöhnlicher Gast, alles umschmeichelt sie, alle Räume des Hauses muß sie durchgehn, aus allen Fenstern sich beugen, und legt sie jemandem die Hand auf den Kopf, ist es mehr als der Segen des Vaters. Wenn sich die Familie zur Aushebung bereitmacht, bekommt sie den besten Platz, das ist der in der Nähe der Tür, wo sie vom Adeligen am besten gesehn wird und am besten ihn sehen wird. So geehrt ist sie aber nur bis zum Eintritt des Adeligen, von da an verblüht sie förmlich. Er sieht sie ebensowenig an wie die andern, und selbst wenn er die Augen auf jemanden richtet, fühlt sich dieser nicht angesehn. Das hat sie nicht erwartet oder vielmehr, sie hat es bestimmt erwartet, denn es kann nicht anders sein, aber es war auch nicht die Erwartung des Gegenteils, die sie hergetrieben hat, es war bloß etwas, das jetzt allerdings zu Ende ist. Scham fühlt sie in einem Maße, wie sie vielleicht unsere Frauen niemals sonst fühlen, erst jetzt merkt sie eigentlich, daß sie sich zu einer fremden Aushebung gedrängt hat, und wenn der Soldat das Verzeichnis vorgelesen hat, ihr Name nicht vorkam und einen Augenblick Stille ist, flüchtet sie zitternd und gebückt aus der Tür und bekommt noch einen Faustschlag des Soldaten in den Rücken.

Ist es ein Mann, der überzählig ist, so will er nichts anderes, als eben, obwohl er nicht in dieses Haus gehört, doch mit ausgehoben werden. Auch das ist ja völlig aussichtslos, niemals ist ein solcher Überzähliger ausgehoben worden und niemals wird etwas Derartiges geschehn.[1]

---

[1] Auch dieses Fragment gehört zu den Erzählungen von der ›Chinesischen Mauer‹.

Wie ist es, Jäger Gracchus, du fährst schon seit Jahrhunderten in diesem alten Kahn?

Schon fünfzehnhundert Jahre.

Und immer in diesem Schiff?

Immer in dieser Barke. Barke ist, meine ich, die richtige Bezeichnung. Du kennst dich im Schiffswesen nicht aus?

Nein, erst seit heute kümmere ich mich darum, seitdem ich von dir weiß, seitdem ich dein Schiff betreten habe.

Keine Entschuldigung. Ich bin ja auch aus dem Binnenland. War kein Seefahrer, wollte es nicht werden, Berg und Wald waren meine Freunde, und jetzt – ältester Seefahrer, Jäger Gracchus, Schutzgeist der Matrosen, Jäger Gracchus, angebetet mit gerungenen Händen vom Schiffsjungen, der sich im Mastkorb ängstigt in der Sturmnacht. Lache nicht.

Lachen sollte ich? Nein, wahrhaftig nicht. Mit Herzklopfen stand ich vor der Tür deiner Kajüte, mit Herzklopfen bin ich eingetreten. Dein freundliches Wesen beruhigt mich ein wenig, aber niemals werde ich vergessen, wessen Gast ich bin.

Gewiß, du hast recht. Wie es auch sein mag. Jäger Gracchus bin ich. Willst du nicht von dem Wein trinken, die Marke kenne ich nicht, aber er ist süß und schwer, der Patron versorgt mich gut.

Jetzt bitte nicht, ich bin zu unruhig. Vielleicht später, wenn du mich solange hier duldest. Auch wage ich es nicht, aus deinem Glas zu trinken. Wer ist der Patron?

Der Besitzer der Barke. Die Patrone nämlich sind ausgezeichnete Menschen. Ich verstehe sie nur nicht. Ich meine nicht ihre Sprache, wiewohl ich natürlich auch ihre Sprache oft nicht verstehe. Aber dies nur nebenbei. Sprachen habe ich im Laufe der Jahrhunderte genug gelernt und könnte Dolmetscher sein zwischen den Vorfahren und den Heutigen. Aber den Gedankengang der Patrone verstehe ich nicht. Vielleicht kannst du es mir erklären.

Viel Hoffnung habe ich nicht. Wie sollte ich dir etwas erklären können, da ich doch dir gegenüber kaum ein lallendes Kind bin.

Nicht so, ein für allemal nicht. Du wirst mir einen Gefallen tun,

wenn du etwas männlicher, etwas selbstbewußter auftrittst. Was
fange ich an mit einem Schatten als Gast. Ich blase ihn aus der Luke
auf den See hinaus. Ich brauche verschiedene Erklärungen. Du,
der du dich draußen herumtreibst, kannst sie mir geben. Schlot-
terst du aber hier an meinem Tisch und vergißt durch Selbsttäuschung das Wenige, was du weißt, dann kannst du dich gleich
packen. Wie ichs meine, so sag ichs.
Es ist etwas Richtiges darin. Tatsächlich bin ich dir in manchem
über. Ich werde mich also zu bezwingen suchen. Frage!
Besser, viel besser, du übertreibst in dieser Richtung und bildest
dir irgendwelche Überlegenheiten ein. Du mußt mich nur richtig
verstehn. Ich bin Mensch wie du, aber um die paar Jahrhunderte
ungeduldiger, um die ich älter bin. Also von den Patronen wollen
wir sprechen. Gib acht! Und trinke Wein, damit du dir den Verstand schärfst. Ohne Scheu. Kräftig. Es ist noch eine große
Schiffsladung da.
Gracchus, das ist ein exzellenter Wein. Der Patron soll leben.
Schade, daß er heute gestorben ist. Er war ein guter Mann und er
ist friedlich hingegangen. Wohlgeratene erwachsene Kinder standen an seinem Sterbebett, am Fußende ist die Frau ohnmächtig
hingefallen, sein letzter Gedanke aber galt mir. Ein guter Mann,
ein Hamburger.
Du lieber Himmel, ein Hamburger, und du weißt hier im Süden,
daß er heute gestorben ist?
Wie? Ich sollte nicht wissen, wann mein Patron stirbt. Du bist
doch recht einfältig.
Willst du mich beleidigen?
Nein, gar nicht, ich tue es wider Willen. Aber du sollst nicht soviel
staunen und mehr Wein trinken. Mit den Patronen aber verhält es
sich folgendermaßen: Die Barke hat doch ursprünglich keinem
Menschen gehört.
Gracchus, eine Bitte. Sag es mir zuerst kurz, aber zusammenhängend, wie es mit dir steht. Um die Wahrheit zu gestehn: ich weiß
es nämlich nicht. Für dich sind es natürlich selbstverständliche
Dinge, und du setzest, wie es deine Art ist, ihre Kenntnis bei der
ganzen Welt voraus. Nun hat man aber in dem kurzen Menschenleben – das Leben ist nämlich kurz, Gracchus, suche dir das begreiflich zu machen –, in diesem kurzen Leben hat man also alle
Hände voll zu tun, um sich und seine Familie hochzubringen. So

interessant nur der Jäger Gracchus ist – das ist Überzeugung, nicht
Kriecherei –, man hat keine Zeit an ihn zu denken, sich nach ihm
zu erkundigen oder sich gar Sorgen über ihn zu machen. Vielleicht
auf dem Sterbebett, wie dein Hamburger, das weiß ich nicht. Dort
hat vielleicht der fleißige Mann zum ersten Male Zeit, sich auszu-
strecken und durch die müßiggängerischen Gedanken streicht
dann einmal der grüne Jäger Gracchus. Sonst aber, wie gesagt: ich
wußte nichts von dir, Geschäfte halber bin ich hier im Hafen, sah
die Barke, das Laufbrett lag bereit, ich ging hinüber, – aber nun
wüßte ich gerne etwas im Zusammenhang über dich.

Ach, im Zusammenhang. Die alten, alten Geschichten. Alle Bü-
cher sind voll davon, in allen Schulen malen es die Lehrer an die
Tafel, die Mutter träumt davon, während das Kind an der Brust
trinkt, es ist das Geflüster in den Umarmungen, die Händler sagen
es den Käufern, die Käufer den Händlern, die Soldaten singen es
beim Marsch, der Prediger ruft es in die Kirche, Geschichtsschreiber sehen in ihrer Stube mit offenem Mund das längst Geschehene
und beschreiben es unaufhörlich, in der Zeitung ist es gedruckt
und das Volk reicht es sich von Hand zu Hand, der Telegraph
wurde erfunden, damit es schneller die Erde umkreist, man gräbt
es in verschütteten Städten aus und der Aufzug rast damit zum
Dach der Wolkenkratzer. Die Passagiere der Eisenbahnen ver-
künden es aus den Fenstern in den Ländern, die sie durchfahren,
aber früher noch heulen es ihnen die Wilden entgegen, in den Sternen ist es zu lesen und die Seen tragen das Spiegelbild, die Bäche
bringen es aus dem Gebirge und der Schnee streut es wieder auf
den Gipfel, und du Mann sitzest hier und fragst mich nach dem
Zusammenhang. Du mußt eine auserlesen verluderte Jugend gehabt haben.

Möglich, wie das jeder Jugend eigentümlich ist. Dir aber wäre es,
glaube ich, sehr nützlich, wenn du dich einmal in der Welt ein wenig umsehen würdest. So komisch es dir scheinen mag, hier wundere ich mich fast selbst darüber, aber es ist doch so, du bist nicht
der Gegenstand des Stadtgesprächs, von wie vielen Dingen man
auch spricht, du bist nicht darunter, die Welt geht ihren Gang und
du machst deine Fahrt, aber niemals bis heute habe ich bemerkt,
daß ihr euch gekreuzt hättet.

Das sind deine Beobachtungen, mein Lieber, andere haben andere
Beobachtungen gemacht. Es gibt hier nur zwei Möglichkeiten.

Entweder verschweigst du, was du von mir weißt und hast irgendeine bestimmte Absicht dabei. Für diesen Fall sage ich dir ganz frei: du bist auf einem Abweg. Oder aber: du glaubst dich tatsächlich nicht an mich erinnern zu können, weil du meine Geschichte mit einer andern verwechselst. Für diesen Fall sage ich dir nur: Ich bin – nein, ich kann nicht, jeder weiß es und gerade ich soll es dir erzählen! Es ist so lange her. Frage die Geschichtsschreiber! Gehe zu ihnen und komm dann wieder. Es ist so lange her. Wie soll ich denn das in diesem übervollen Gehirn bewahren.

Warte, Gracchus, ich werde es dir erleichtern, ich werde dich fragen. Woher stammst du?

Aus dem Schwarzwald, wie allbekannt.

Natürlich aus dem Schwarzwald. Und dort hast du also im vierten Jahrhundert etwa gejagt?

Mensch, kennst du den Schwarzwald?

Nein.

Du kennst wirklich gar nichts. Das kleine Kind des Steuermanns weiß mehr als du, wahrscheinlich viel mehr. Wer nur hat dich hereingetrieben? Es ist ein Verhängnis. Deine aufdringliche Bescheidenheit war tatsächlich nur allzu gut begründet. Ein Nichts bist du, das ich mit Wein anfülle. Nun kennst du also nicht einmal den Schwarzwald. Und ich bin dort geboren. Bis zum fünfundzwanzigsten Jahr habe ich dort gejagt. Hätte mich nicht die Gemse verlockt –, so nun weißt du es –, hätte ich ein langes, schönes Jägerleben gehabt, aber die Gemse lockte mich, ich stürzte ab und schlug mich auf Steinen tot. Frag nicht weiter. Hier bin ich, tot, tot, tot. Weiß nicht, warum ich hier bin. Wurde damals aufgeladen auf den Todeskahn, wie es sich gebührt, ein armseliger Toter, die drei, vier Hantierungen wurden mit mir gemacht, wie mit jedem, warum Ausnahmen machen mit dem Jäger Gracchus, alles war in Ordnung, ausgestreckt lag ich im Kahn.

PARALIPOMENA

Der tiefe Brunnen. Jahre braucht der Eimer, um heraufzukómmen, und im Augenblick stürzt er hinab, schneller als du dich hinabbeugen kannst; noch glaubst du, ihn in den Händen zu halten, und schon hörst du den Aufschlag in der Tiefe, hörst nicht einmal ihn.

Stummheit gehört zu den Attributen der Vollkommenheit.

NACHWORTE DES HERAUSGEBERS

Nachwort zur ersten Ausgabe

Der vorliegende fünfte Band der Gesamtausgabe[1] von Franz Kafkas Werken erhält durch die unerwartete Auffindung der großen Arbeit, die dem Buch den Titel gibt, eine nicht vorhergesehene Gestalt. – Ich hatte die Novelle ›Beschreibung eines Kampfes‹ verloren geglaubt, denn ich wußte, daß ich sie wohl lange Zeit bei mir in Verwahrung gehalten, dann aber meinem Freunde im Umtausch gegen das Manuskript des ›Prozeß‹-Romans zurückgestellt hatte. Dieser Tausch allein verhinderte damals die Vernichtung des ›Prozeß‹-Manuskripts, die Kafka beabsichtigte, und so konnte ich nach Kafkas Tod als erste Probe aus seinem so reichen Nachlaß den ›Prozeß‹ veröffentlichen. Die Erzählung ›Beschreibung eines Kampfes‹ beklagte ich als untergegangen, nun erwies sich das aber als Gedächtnistäuschung. Bei irgendeiner andern Gelegenheit, wahrscheinlich als Belohnung für einen der unter uns beiderseits häufigen kleinen und großen, scherzhaften und ernsten Freundschaftsdienste, muß es mir gelungen sein, nachträglich auch das Manuskript der von mir heißgeliebten ›Beschreibung‹ zurückzuerbetteln. Jetzt, im August 1935, finde ich es bei einer gründlichen Revision meiner Bibliotheksschränke. Der Fund ist umso bedeutsamer, als ›Beschreibung eines Kampfes‹ die älteste erhaltene Arbeit Kafkas und das *einzige* große Werk des Nachlasses ist, das *vollendet*, in Reinschrift, vorliegt. In derselben Mappe, in der ›Beschreibung eines Kampfes‹ verwahrt war, lagen: Zeichnungen Kafkas, Briefe an mich, Entwürfe zu kleineren Arbeiten (Rezensionen) und der gleichfalls verloren geglaubte, leider recht lückenhafte Anfang eines Romans ›Hochzeitsvorbereitungen auf dem Lande‹. Hievon wird manches den sechsten Band der Ausgabe bereichern.

Zum *erstenmal* veröffentlicht sind in dem Buche, das ich hiemit vorlege, außer der Titelnovelle vierzehn kleinere und größere Er-

---

[1] Im Gegensatz zur dritten Ausgabe sind die einzelnen Bände der ersten und der zweiten Ausgabe numeriert (vgl. den bibliographischen Nachweis, S. 264–269) [Anm. d. Red.]

zählungen, ferner der vollständige Akt eines Dramas ›Der Gruftwächter‹. Die übrigen Stücke sind, teilweise in verbesserter Textlesung, dem Nachlaßband ›Beim Bau der Chinesischen Mauer‹ entnommen, den ich 1931 gemeinsam mit Hans Joachim Schoeps ediert habe. Schoeps hat sich um die sehr mühsame Ordnung, Datierung und Redaktion dieser Manuskripte große Verdienste erworben; doch hinderten mich leider weltanschauliche Differenzen der ernstesten Art, die sich allmählich auch auf die Deutung der Werke Kafkas erstreckten und an ihr immer mehr verdeutlichten, an der Fortführung der gemeinsamen Arbeit.

Ich fand sodann an dem jungen Dichter Heinz Politzer einen guten Helfer, dem ich für eifrige und ergebnisreiche Mitarbeit dankbar bin. Er hat die ersten vier Bände in ihrer definitiven Textgestalt sorgfältig revidiert, für den fünften und sechsten Band einen Teil des Materials gesichtet.

Über die Aufteilung des Stoffes auf den fünften und sechsten Band und über die zur Anwendung gebrachte Methode der Edition habe ich mich in dem gemeinsam mit H. J. Schoeps verfaßten Nachwort zum ›Bau der Chinesischen Mauer‹ wie folgt geäußert. Dabei ist zu beachten, daß dem damals geplanten ersten und zweiten Band der Nachlaßausgabe der kleineren Schriften der fünfte und sechste Band der Gesamtausgabe im Grundriß entspricht. Nur die Aphorismen wurden dem sechsten Band vorbehalten. Wir schrieben damals:

»Aus der fast unübersehbaren Fülle von längeren und kürzeren Erzählungen, Betrachtungen, Notizen und Fragmenten, die zum Teil in einer höchst persönlichen, nur schwer lesbaren Stenographie, teilweise aber auch in sehr flotter Niederschrift, ausnahmsweise sogar in vollendeter oder begonnener Reinschrift vorliegen, haben die Herausgeber für diesen ersten Nachlaßband der kleineren Schriften zunächst alle jene Erzählungen ausgewählt, die vollendet oder doch bis zu einem gewissen Grad vollendet sind. Der Begriff des ›Fragmentarischen‹ gewinnt nun allerdings angesichts des Werkes von Franz Kafka eine vom Herkömmlichen abweichende Bedeutung. Auch die drei großen, aus dem Nachlaß edierten Romane (›Der Prozeß‹, ›Das Schloß‹, ›Amerika‹) sind ja nicht im üblichen Sinn vollständig oder bis ans Ende gebracht; dennoch bleibt keinem einsichtigen Leser der Wesenskern, der in ihnen zur Entfaltung gelangt, verborgen, – denn eben diese Entfaltung einer einzigartigen geistigen Situation, immer wieder nach einer neuen Seite hin, ist schon in einem sehr frühen Stadium der Erzählung mit aller Intensität und Eindeutigkeit vorgebildet. Ganz ebenso steht es mit den Stücken des vorliegenden Bandes, soweit sie nicht auch im Wortsinn völlig abgeschlossen sind. In ihnen zeichnet sich die Situation kraft Kafkas einzigartiger Technik (falls man solch ein Wort auf das aus der Tiefe der Seele Hervorströmende noch anwenden mag) von allem Anfang an mit Schärfe ab; die sehr mannigfachen Varianten der Grundhaltung Kafkas werden, auch wenn die ›Handlung‹ der Novelle nicht immer bis ans Ende geführt ist, völlig deutlich sichtbar. – Erzählungen, die nicht bis an diesen durchaus spürbaren Punkt geführt sind, an dem die Absicht des Dichters und seine jedesmalig abgewandelte Problematik sich aufhellt, haben wir in den zweiten Band verwiesen. Doch auch dieser wird notgedrungen nur eine Auswahl und strenge Sichtung des in seiner Gänze nicht publizierbaren, weil überreichen Nachlasses darstellen, allerdings nach anderen Kriterien zusammengestellt als dieser erste Band. Diesmal hielten wir uns an das Merkmal der *künstlerischen Geschlossenheit und Vollendung*; im zweiten Band wird das der *weltanschaulichen und biographischen Relevanz* in den Vordergrund treten.

Im übrigen waren sich die Herausgeber bewußt, daß ihre Arbeit nicht nach den üblichen Methoden philologisch-kritischer Editionen geleistet werden konnte und durfte. Denn sie hatten es nicht mit Drucken oder Manuskripten zu tun, die für die Öffentlichkeit bestimmt waren, sondern fast ausnahmslos mit Niederschriften, an die der Autor die letzte Hand noch gar nicht angelegt hatte. So finden sich beispielsweise öfters Sätze oder ganze Abschnitte in doppelter Fassung und die Herausgeber hatten nach ihrem Gefühl zu entscheiden, welche Fassung als die bessere, dem Dichter entsprechendere, anzusehen sei. Oder es erwies sich vielfach das, was der Dichter gestrichen hatte, bei näherer Prüfung als für den Zusammenhang unentbehrlich oder doch als so bedeutsam, daß wir es in die Druckvorlage mit aufnahmen. Gewiß wird eine ›definitive Edition‹ künftiger Tage mit Sonderungen, Textvarianten und Konjekturen operieren müssen, während wir hingegen bemüht waren, ein lesbares und den mutmaßlichen Intentionen Kafkas möglichst nahekommendes Ganzes vorzulegen. Daß hierbei mit aller Sorgfalt der Originaltext beachtet und (mit Ausnahme einiger Interpunktionen, der notwendigen Einteilung von Absätzen und offenkundiger Versehen) nichts geändert wurde, ist selbstverständlich. Dieser Text ist übrigens – eine Folge der inspirierten Schreibweise Kafkas – auf sehr weite Strecken hin fast ohne Korrektur und völlig klar niedergeschrieben, so daß die Verantwortung den Herausgebern leichtfällt; andere Partien allerdings mußten mühsam entziffert, aus Bruchstücken zusammengesetzt, diese Bruchstücke selbst wieder aus vielem Dazwischen-Geschriebenen, das andere Themen betrifft, agnosziert werden.«

Auch für die nachfolgenden Anmerkungen wurden, soweit es sich um Stücke aus dem Band ›Beim Bau der Chinesischen Mauer‹ handelt, teilweise die von H. J. Schoeps und mir gemeinsam verfaßten Anmerkungen der Ausgabe aus dem Jahre 1931 verwendet. Einzelnes in diesen Anmerkungen habe ich verändert.

Beschreibung eines Kampfes

Diese Erzählung ist das erste Werk, das Kafka mir vorgelesen hat. Ich möchte seine Entstehungszeit sonach auf das Jahr 1902 oder 1903 ansetzen. – Zwei kleine Stücke aus dem Werk erschienen 1909 in der Zeitschrift ›Hyperion‹, wie im Nachwort zum ersten Band der Gesamtausgabe nachzulesen ist. Bei dieser Gelegenheit berichtige ich einen Druckfehler. Der Titel des ersten dieser Fragmente soll ›Gespräch mit dem Beter‹ lauten, nicht ›Gespräch mit dem Bettler‹. – Die beiden Stücke werden hier des Zusammenhangs wegen nochmals abgedruckt, und zwar in ungekürzter Form, die mit der Zeitschriftpublikation nicht in allen Punkten übereinstimmt.

Die Erzählung selbst liegt in zwei Fassungen vor, die beide sehr sorgfältig geschriebene Reinschriften sind. Die erste, in ein Schulheft mit schwarzen Deckeln eingetragen, weist die für Kafkas Jugendjahre charakteristische Kurrentschrift auf; nur diese erste Reinschrift ist komplett. Umfang 107 Seiten. Sie ist beiderseitig geschrieben, wie übrigens die meisten Manuskripte Kafkas, so daß schon aus dieser Äußerlichkeit ersichtlich ist, daß er nicht an eine Publikation gedacht hat. – Eine Ausnahme bildet gerade die zweite Reinschrift der ›Beschreibung‹, die mit Lateinbuchstaben niedergeschrieben ist, also aus einer späteren Zeit stammt. Sie ist einseitig, auf losen Quartblättern und geradezu kalligraphisch angefertigt. Beide Reinschriften enthalten nur ganz geringe Korrekturen, oft bis über viele Seiten hin kein Wort geändert. Die erste Reinschrift weist einige Striche auf. – Leider bricht die zweite Reinschrift auf Seite 55 ab.

Die beiden Fassungen stimmen auf kleinen Strecken wörtlich, auf großen wenigstens inhaltsmäßig miteinander überein, zeigen aber doch auch wesentliche Abweichungen. – Bei der Herausgabe hielt ich mich im wesentlichen an die zweite (spätere) Reinschrift, und erst da, wo sie sich dem Ende nähert, folgte ich gezwungenermaßen der ersten. Doch behielt ich einige Merkmale der ersten Reinschrift als wesentlich bei; so zum Beispiel enthält nur diese den Titel, das Motto, die Untertitel, die seltsame Einteilung wie I, 1, a, b, die an »Deutsche Hausarbeit« erinnert und dem Leser vielleicht jene ganze jugendlich-melancholische Stimmung an der Schwelle von Gymnasium und Hochschule, zur Zeit der ersten Tanzstunden, kurz die ganze Atmosphäre der Erzählung auch noch formal nahe vor die Seele führt. Die erste Fassung ist auch in manchen Punkten deutlicher, krasser. Ich habe daher den Schluß des (Rahmen-)Kapitels I in der ersten Fassung angefügt. Es handelt sich um den letzten Absatz dieses Kapitels.

Kapitel III der zweiten Reinschrift stimmt wörtlich mit dem Stück ›Kinder auf der Landstraße‹ aus der ›Betrachtung‹ überein (Band ›Erzählungen‹, S. 21 – 24). Vorangesetzt sind folgende Zeilen: »Ich schlief und fuhr mit meinem ganzen Wesen in den ersten Traum hinein. Ich warf mich in ihm so in Angst und Schmerz herum, daß er es nicht ertrug, mich aber auch nicht wecken durfte, denn ich schlief doch nur, weil die Welt um mich zu Ende war. Und so lief ich durch den in seiner Tiefe gerissenen Traum und kehrte wie gerettet – dem Schlaf und dem Traum entflohn – in die Dörfer meiner Heimat zurück. – Ich hörte die Wagen an dem Gartengitter vorüberfahren, manchmal usf.«. – Auch sonst wird man kleine Stücke der ›Betrachtung‹ in der hier veröffentlichten Erzählung erkennen, die Kafka später wohl als Ganzes verworfen haben mag, die ihm aber doch in einzelnen Teilen, wie man aus deren Publikation in seinem ersten Buch ›Betrachtung‹ sieht, wert blieb. – Statt die schon bekannte Episode ›Kinder auf der Landstraße‹ nochmals abzudrucken, habe ich an dieser Stelle auf die erste Reinschrift zurückgegriffen. Ihr entnahm ich: den Schluß des Kapitels ›Spaziergang‹, im Anschluß das Kapitel 3 ›Der Dicke‹ – a) ›Ansprache an die Landschaft‹. Vom Kapitel 3 b an sind die beiden Reinschriften

wieder in Übereinstimmung. 3 b der ersten Reinschrift entspricht
IV der zweiten Reinschrift. Da die zweite Reinschrift innerhalb des
IV. Kapitels abbricht, war mir aber schon im Kontext dieses Kapitels die erste Reinschrift die maßgebende. – Kapitel 3 a ist von einem alten japanischen Holzschnitt (Hiroshige) inspiriert, der zu
jener Zeit als Ansichtskarte verbreitet war und meinem Freund
außerordentlich gefiel.

Beim Bau der Chinesischen Mauer
stammt aus den Jahren 1918–1919. Das Fragment, das wenige
Sätze später ganz abbricht, dürfte verschiedenen Anzeichen nach
vollendet gewesen, die endgültige Fassung aber vom Dichter ver-
brannt worden sein, so das Geschick zahlreicher anderer Werke
teilend. Die vorliegende Fassung fand sich in einem kleinen Skiz-
zenhefte, flüchtig mit Bleistift hingeschrieben.
Die im zweiten Teil der Erzählung enthaltene Sage wurde vom
Dichter schon in dem 1919 erschienenen Erzählungsband ›Ein
Landarzt‹ unter dem Titel ›Eine kaiserliche Botschaft‹ für sich
veröffentlicht, enthüllt aber erst am richtigen Ort im Erzählungs-
zusammenhang ihre volle Sinnbedeutung.

Die Abweisung und *Zur Frage der Gesetze*
gehören ebenso wie ›Ein altes Blatt‹ (im Band ›Ein Landarzt‹) in
den Erzählungs- bzw. Motivzusammenhang von ›Beim Bau der
Chinesischen Mauer‹, dürften aber der Entstehungszeit nach
kaum als Vorstudie anzusprechen sein, weil beide Stücke aus einem Bündel ungeordneter Blätter herausgefunden wurden, die
mutmaßlich aus den Jahren 1920–1922 stammen. Im Anschluß ist
das Fragment ›Die Truppenaushebung‹ niedergeschrieben.

Das Stadtwappen
Anregendes Motiv mag für Kafka mit gewesen sein, daß seine
Heimatstadt Prag eine geballte Faust im Wappen führt.

Von den Gleichnissen
fand sich in einem Quartheft aus dem Jahre 1922, das seinem Besitzer halb als Tagebuch, halb als Studienheft diente.

Der Schlag ans Hoftor
erinnert stimmungsmäßig ungemein an den ›Prozeß‹-Roman.
Entstehungszeit 1919. (Der ›Prozeß‹ stammt in seinem Kern aus
den Jahren 1917–1919.)

Der Kübelreiter
Diese Skizze fand sich nebst anderen hier veröffentlichten in Oktavheften aus den Jahren 1918–1919. – Der ›Kübelreiter‹ sollte ursprünglich in den Erzählungsband ›Ein Landarzt‹ aufgenommen
werden, wurde dann aber vom Dichter als Feuilletonerzählung in
der ›Prager Presse‹ vom 25. XII. 1921 veröffentlicht. Hintergrund
der Skizze ist die Kohlennot des Winters 1917–1918 in Prag.

Das Ehepaar
ist nicht mehr genau datierbar. Bei zwei ziemlich gleichwertigen
Vorlagen entschieden wir uns für die, die offensichtlich die Reinschrift sein sollte.

Der Nachbar
gleichfalls aus den Oktavheften 1918–1919.

Der Bau
stammt aus dem letzten Lebensjahr Kafkas 1923–1924. Geschrieben in Berlin-Steglitz, in der neuen Wohnung mit eigenem Haus-
stand. Viele der Worte auch im täglichen Umgang gebraucht
(zum Beispiel das Tier = der quälende Husten; Kafka starb am 3.
Juni 1924 an Tuberkulose). Die Arbeit war vollendet; es fehlt in
den erhalten gebliebenen Blättern nicht mehr viel bis zum Schluß
gespannter Kampfstellung in unmittelbarer Erwartung des Tieres
und des entscheidenden Kampfes, in dem der Held unterliegen
wird. (Diese Angaben verdanken wir der liebenswürdigen Mitteilung von Dora Dymant, der hinterlassenen Lebensgefährtin des
Verstorbenen.)

Der Riesenmaulwurf
ist nicht mehr genau datierbar, dürfte aber mit Wahrscheinlichkeit
aus den Nachkriegsjahren stammen. Unvollendet.

Forschungen eines Hundes

ist mutmaßlich die *letzte* Erzählung aus Kafkas Feder. Jedenfalls ist sie erst nach dem ›Hungerkünstler‹ entstanden, der in demselben Quartheft einige Seiten vorher steht. Ob ›Der Bau‹ freilich nicht noch später entstanden ist, läßt sich mit Sicherheit nicht mehr angeben. Bis Seite 246 ist der Text nach den ersten Anfängen einer Reinschrift Kafkas revidiert worden. Obwohl die Erzählung anscheinend unvollendet blieb, faßt sie noch einmal alle Motive der Kafkaschen Gestaltung zusammen: die Unsicherheit und Ungewißheit des hündischen, bzw. menschlichen Daseins, das Fehlgehen alles noch so angestrengten Wahrheitssuchens, das einem bestimmten Hundetypus angeboren scheint, bedingt dadurch, daß durch das Ausstreichen der Menschenwelt, infolge einer *vor* dem Leben dieses Hundes liegenden Irrtumskatastrophe, die Voraussetzungen der richtigen hündischen Wirklichkeitserkenntnis völlig gewandelt und in eine neue, aber unwahre Realität verkehrt worden sind. Der Kafka eigene barocke Humor im Ertragen verzweifelter Situationen, die Ironie als Darstellungsmittel des paradoxen Verhältnisses, das Nichtablassen vom unermüdlichen Wahrheitsstreben und das zum Schluß bei völliger Existenzaufopferung – durch Entbehren und Askese – erreichte Außer-sich-Sein des Hundes. Dann das seltsame Erklingen jener wohl aus anderen Sphären stammenden Musik, die das Erlösungsmotiv andeutet, um dessen willen dieser Hund sein Leben überhaupt nur ertragen konnte, und von dem aus, als dem zwar nicht erreichten, aber bei aller Ungewißheit und Skepsis doch immer gegenwärtigen Endziel und Sinnpunkt seines Strebens sich Kafkas Leben und Werk zu einer großen Einheit zusammenschließt, die repräsentativ wird für das Wahrheitssuchen in einer gottfernen Zeit.

Eine von Kafka gestrichene Stelle, wohl weil sie den Gang der Handlung unnötig unterbricht, soll insbesondere ihres persönlichen Gehaltes und ihres psychologischen Aufschlußwertes willen hier noch nachgetragen werden: »Mein Augenmerk galt zunächst nur den Zuschauern. Ihr Verhalten hat sich im Laufe der Zeit geändert. Als ich noch ein Kind war, sah man über mein Treiben hinweg. Ein Kind, das schlechte Streiche macht, was soll das viel bedeuten, man geht mit tadelndem Blick vorüber und hofft auf spätere Besserung. Nun war ich damals in Wirklichkeit kein Kind mehr, sondern machte das, was Unart schien, in meiner großen

Frühreife aus überlegter Absicht, aber es ist allerdings so, daß meine absichtsvolle Arbeit nicht mehr erreichte als die unbeeinflußten Spiele der Kinder, und es mußte sich schon um unbezähmbare Temperamente handeln, wenn – wie es manchmal doch geschah – irgendein Alter mit dem Kopf gegen mich anrannte, mich auf den Rücken wälzte, wohl damit ich die Höhe zu würdigen lerne, mir dann den Schenkel blutig biß und dies für Erziehung ausgab. Und doch war er im Recht, wenn man hier überhaupt von Recht reden konnte; und als ich ein größerer Junge war, nickte ich ihm in Erkenntnis des Zusammenhanges zu, während er mich mißhandelte, nur daß ich freilich seine Roheit nicht für Erziehung ansah, sondern für das, was sie war, das Sich-Wehren eines gefährlich Angegriffenen, der so empfindlich und im Grunde so wehrlos ist, daß er sich sogar vor Kindern fürchtet. Wie ja allerdings wahrscheinlich alle Erziehung nur zweierlei ist, einmal Abwehr des ungestümen Angriffs der unwissenden Kinder auf die Wahrheit und dann sanfte unmerklich-allmähliche Einführung der gedemütigten Kinder in die Lüge. – Um so schlimmer wurde es, als ich erwachsen war und doch nicht nachgab.«

›Er‹ – *Aufzeichnungen aus dem Jahre 1920*
fanden sich, zumeist unmittelbar aufeinanderfolgend, in einem Oktavheft aus dem Jahre 1920.
Casinelli: Firma einer Leihbibliothek im alten Prag, Karlsgasse. Hier waren immer literarische Novitäten ausgestellt. Kafka sagte mir einmal, daß er die Titel mit besonderem Heißhunger lese.

Der Gruftwächter
Das Originalmanuskript dieses Dramas zeigt drei verschiedene Zustandsformen auf. Die gesamte Niederschrift ist in einem der blauen Oktavhefte enthalten. Außerdem fand sich ein Exemplar in Maschinenschrift, von Kafka eigenhändig korrigiert. Die Maschinenschrift weist gegenüber der Handschrift einige Veränderungen, auch Kürzungen, auf, so zum Beispiel beginnt die Handschrift im Oktavheft mit den Worten: »Engste Bühne, frei nach oben.« An Stelle von »Kammerherr« heißt es »Adjutant«, an Stelle von »Gruft« »Mausoleum« usf. Das maschinenschriftliche Exemplar stellt zweifellos eine spätere Bearbeitung, den Anfang einer Reinschrift dar. Sowohl die Urschrift wie die Reinschrift sind

ohne Titel. Den Titel ›Der Gruftwächter‹ habe ich hinzugefügt. Die Reinschrift umfaßt sechs engbeschriebene Quartbogen, deren Rückseite und rechte Hälfte freigelassen ist. Der sechste Bogen bricht mit den Worten ab: »Wenn er seit dreißig Jahren kommt, kann es nicht Herzog Friedrich sein, der erst vor fünfzehn Jahren gestorben ist. Er ist aber der einzige die –«. Da der sechste Bogen mit der untersten Zeile schließt, dürfte die Reinschrift weiter gereicht haben. Die Fortsetzung aber ist nicht aufzufinden. Als Fortsetzung muß man nun das blaue Oktavheft benützen, welches noch ein gutes Stück eindeutig weiter führt, nämlich bis zur Isabellen-Episode inklusive. (Zweites Erhaltungsstadium des Textes.) Vom Auftritt des Dieners an, der den Fürsten zu seiner Frau ruft, ist der Text im blauen Oktavheft gestrichen und zeigt aufeinanderfolgend mehrere Versionen, die einander teilweise kreuzen. (Drittes Stadium des Textzustandes.) Dieser Schlußteil kann nur durch Kombination und Konjekturen wiedergegeben werden, indem man die vorhandenen Bruchstücke möglichst ohne Widerspruch zusammensetzt. Ein solcher Versuch, wie ich ihn hier gemacht habe, kann nie eindeutig gelingen, aber auch der wortgetreue Abdruck, ja die photographische Reproduktion der einander widersprechenden Versionen, die durchgestrichen sind und innerhalb des Gestrichenen noch andere, entschiedenere Striche aufweisen, brächte keine Lösung, so daß die Publikation dieses Fragments (wie auch manches andere aus dem Nachlasse) selbst wie eine jener niemals zu Ende zu führenden Aufgaben, eine jener ›Chinesischen Mauern‹ anmutet, die in Kafkas Thematik einen so beherrschenden Platz einnehmen. –

1936   Max Brod

Nachwort zur zweiten Ausgabe

Gegenüber der ersten Ausgabe des fünften Bandes (›Beschreibung eines Kampfes‹), der ursprünglich als Nachlaßband erster Fassung (›Beim Bau der Chinesischen Mauer‹) vorlag, sodann um sechzehn Stücke vermehrt wurde, weist diese neue Ausgabe im Anhang eine Vermehrung um weitere vier Stücke auf. Die Aufnahme dieser Stücke erfolgte, weil sie einen Zusammenhang entweder mit dem ›Bericht für eine Akademie‹ oder mit dem ›Bau der Chinesischen Mauer‹ oder mit dem ›Jäger Gracchus‹ aufweisen. Diese Erzählungen hatten bisher im sechsten Band der ›Gesammelten Schriften‹ ihren Platz gefunden. Da aber vom sechsten Band an die neue Gesamtausgabe einem völlig anderen Plan folgt als die bisherige Ausgabe (›Gesammelte Schriften‹), war ohnehin an Aufrechterhaltung der alten Ordnung nicht zu denken, und es können jetzt jene von den Fragmenten, die einen klaren Sinnzusammenhang mit den Stücken des ersten und fünften Bandes haben, hier gemeinsam mit diesen Stücken erscheinen. – Im Fragment zum ›Bericht für eine Akademie‹ findet der Leser einen bisher ungedruckten Dialog, der sich im Manuskript (in einem der kleinen blauen Oktavhefte) unmittelbar an das schon veröffentlichte Stück anschließt, ferner das Fragment, in dem ein Lehrer auf den ›Bericht‹ reagiert. In das gleiche Oktavheft hat dann Kafka die definitive Fassung dieses ›Berichtes‹ geschrieben.

Tel Aviv, 1946.   Max Brod

Nachwort zur dritten Ausgabe

Aus der dritten Ausgabe dieses Bandes habe ich jene vier Stücke herausgenommen, die jetzt als Bestandteile der ›Oktavhefte‹ im Band ›Hochzeitsvorbereitungen auf dem Lande‹ ihren definitiven Platz gefunden haben. Es sind dies: ›Die Wahrheit über Sancho Pansa‹, ›Das Schweigen der Sirenen‹, ›Prometheus‹, ›Eine alltägliche Verwirrung‹.

Tel Aviv, 1954.   Max Brod

Nachwort zur Parallelausgabe der Erzählung
›Beschreibung eines Kampfes‹ nach den Handschriften

Franz Bleis Zeitschrift ›Hyperion‹, ein richtiges Luxusprodukt, aber dabei in vielen Beiträgen von hohem literarischen Wert, hatte kein langes Leben. Es erschienen nur zwei Jahrgänge. Bemerkenswert bleibt, daß im ›Hyperion‹ Kafka seinen damals allerdings kaum beachteten Eintritt in die Öffentlichkeit vollzog.
Die Zeitschrift war von ihrem Herausgeber als »Zweimonatsschrift« bezeichnet. Im Jahr 1908, in dem Carl Sternheim auf dem Titelblatt als Mitherausgeber genannt ist, wurden im Verlag Hans von Weber (München) 6 starke Hefte publiziert (jedes ungefähr 100 Seiten im Quartformat umfassend; jedes Heft mit besonders schönen Bildbeilagen von Vincent van Gogh, Thomas Theodor Heine, Pascin, Goya, Toulouse-Lautrec, Maillol und vielen anderen). Die Mehrzahl der Beilagen aus den Sammlungen von A. W. von Heymel. Im Jahre 1909 kamen 3 Hefte heraus, darunter ein Doppelheft; Carl Sternheim firmiert nicht mehr als Mitherausgeber. An seine Stelle tritt Alfred Walther von Heymel, der die Verantwortung für den Bildteil trägt. Im Jahre 1910 gab es dann noch ein besonders umfangreiches Doppelheft (als Heft 11 und 12 bezeichnet, fast 200 Seiten stark). Die Zeitschrift wurde »in Tiemannschen Schriften« bei Pöschel und Trepte (Leipzig) in 1050 Exemplaren gedruckt, »davon 1000 Stück auf englischem Velin, 50 Stück auf Papier der kaiserlich japan. Manufaktur«. Die Angabe im ›Kafka-Symposion‹ (Berlin, 1965) ist insofern unexakt, als sie die beiden Doppelhefte nicht erwähnt. Der Subskriptionspreis bewegte sich zur Zeit des Erscheinens zwischen 48 M und 120 M für den Jahrgang. Einzelhefte wurden nicht abgegeben. Zum Schluß des zweiten Doppelheftes ein Essay Franz Bleis ›Abschied an den Leser‹, dem ein symbolisch gedachtes Gedicht von Benno Geiger im Schatten Hölderlins vorangeht; es heißt: ›Ein Epilog, Hyperions Ende‹. Blei eifert in seinen Abschiedsworten gegen den »Kunstwahn, den Snobismus des Mitredens, die Empörung der Frauen (lies: Emanzipation), die sogenannte Bildung, den Bovarysmus« (womit wohl nur wenig gegen die Romantik der Madame Bovary, viel aber gegen die platte Philosophie des

Apothekers und Biedermanns Homais gesagt sein soll). In »Verwilderung und Verzweiflung, Sinnlosigkeit und Zerfall« sieht Blei (schon 1910!) die drohenden Zeichen der Zeit – und schließt mit den gemessenen Worten: »Wir haben es mit dieser Zeitschrift nach unsern Kräften versucht, die Einheit des Lebens zu betonen und daß Gegensätzliches nur begrifflich existiert. Wir wollten mit ihr eine Ordnung fördern. Sie wird nicht eine Mühe vergeblich getan haben.«

An diese Zeitschrift sandte ich 1907 oder 1908 im Einverständnis mit meinem Freund acht seiner kurzen Prosastücke, denen er den Gesamtnamen ›Betrachtung‹ gegeben hatte – denn sie bilden eine Einheit, eine innig zusammenhängende Stimmungswolke, von individuellstem Blickpunkt aus gesehen. Die einzelnen Stücke trugen keinen Namen. Daß Franz Blei diesem Beitrag im Inhaltsverzeichnis den Namen ›Betrachtungen‹ (im Plural) gegeben hat, ist gänzlich unerheblich. Nur der Titel im Singular schmückt auf Seite 91 die Stirn von Kafkas Beitrag, nur in dieser Form stammt der Titel vom Autor selbst. Wer Blei gekannt hat, weiß, daß er in solchen formalen Dingen eine leichte, oft allzu leichte Hand hatte. Das 5. Stück dieses Zyklus ›Betrachtung‹ ist der Erzählung ›Beschreibung eines Kampfes‹ entnommen, wo es wörtlich im Kontext des ersten Manuskripts (A) auf der achten Seite vor dem Schluß auftaucht. Im Buch ›Betrachtung‹ kehrt es unter dem Titel ›Kleider‹ wieder. – Nur im Kontext des Manuskripts B der ›Beschreibung eines Kampfes‹ findet sich ohne Sondertitel das Stück ›Der Ausflug ins Gebirge‹.

Auch Paul Wiegler, der eine Zeitlang Feuilletonredakteur der ›Bohemia‹ (Prag) war und dem ich 1910 andere, diesmal einzeln betitelte Prosastücke aus dem gleichen Zyklus Kafkas einreichte, glaubte den Gesamttitel dem allgemeinen Sprachgebrauch anpassen und in den Plural ›Betrachtungen‹ ändern zu müssen. Ich entsinne mich noch genau, wie Kafka diese Eigenmächtigkeit gesprächsweise übel vermerkte. – Das ganze Werk ›Betrachtung‹ erschien endlich 1913 im Verlag Rowohlt, bekanntermaßen als Kafkas erstes Buch. In diesem hat Kafka jedem der Prosastücke (zum Teil anders als in der ›Bohemia‹) einen separaten Titel gegeben.

Das Verdienst, zum erstenmal etwas von Kafka gedruckt zu haben, kommt unbestritten Franz Blei zu. Es geschah zu unserer

Freude gleich in der *ersten* Nummer des ›Hyperion‹ 1908, die mit vier damals noch ungedruckten Gedichten von Rilke und mit einem Akt aus Hofmannsthals ›Bergwerk zu Falun‹ eingeleitet wurde. Unter den weiteren Beiträgen des Heftes: eine Novelle von Heinrich Mann (›Gretchen‹) – Blei – Sternheim – Verhaeren – Julius Meier-Graefe – eine Abhandlung von Carl Schüddekopf über Goethes Parodie auf Jacobis Woldemar, ferner diese Parodie selbst, deren Autorschaft allerdings nur hypothetisch ist. Franz Blei, mit dem ich einige Jahre vorher in Verbindung gekommen war, erstrebte mit dem ›Hyperion‹ sichtlich ein höheres Niveau als mit seinen vorangegangenen erotischen Zeitschrift-Versuchen. In dem Buch ›Kafka-Symposion‹ 1965 wird über meine Verbindung mit Blei von einem sonst höchst verläßlichen Autor unrichtigerweise gesagt, Blei habe mit mir gemeinsam eine Operette von Laforgue ›Circe und ihre Schweine‹ übersetzt. Wir haben zwar viele Übersetzungen von Werken Laforgues in einem gemeinsamen Buch publiziert. Aber gerade die (mißglückte) ›Circe‹ ist von uns beiden ohne Mithilfe Laforgues selbständig geschrieben, im Sinne und zu Ehren Laforgues intendiert. Jedenfalls bestand eine fast freundschaftlich zu nennende Beziehung zwischen Blei und mir im Jahre 1908 schon eine geraume Zeit lang.

Dieselbe Zeitschrift ›Hyperion‹ brachte im 8. Heft, knapp vor ihrem Abblühen also, nochmals zwei Arbeiten von Kafka; diesmal hatte Franz sie allein eingeschickt. Es sind zwei Stücke aus der ›Beschreibung eines Kampfes‹, deren von Kafka festgesetzte Titel lauten: ›Gespräch mit dem Beter‹, ›Gespräch mit dem Betrunkenen‹. Authentisch ist auch hier nur Kafkas Titelgebung, nicht die des Redakteurs. Die beiden Stücke stehen in Kafkas Originalmanuskript A unter 3 b ›Begonnenes Gespräch mit dem Beter‹ und als Schlußteil von 3 c ›Geschichte des Beters‹. Im Manuskript B findet sich nur die erste dieser beiden Episoden. Wegen der vielen Änderungen, mit denen die beiden Episoden im ›Hyperion‹ abgedruckt worden sind (diese Änderungen, meist Kürzungen, stammen wohl von Kafka), habe ich die ›Hyperion‹-Fassung im 1. Band der Gesamtausgabe ›Erzählungen‹ in extenso nochmals veröffentlicht. – Von dieser ›Hyperion‹-Fassung existiert kein Manuskript.

Die Erzählung selbst trägt den Titel ›Beschreibung eines Kampfes‹, der von Kafkas eigener Hand am Anfang des ersten Manuskripts (A) vermerkt ist. Sogar das wird im ›Kafka-Symposion‹

bezweifelt, indem es dort heißt: »›Beschreibung eines Kampfes‹ (*wahrscheinlich* Originaltitel)«. – Ich stelle richtig: nicht wahrscheinlich, sondern absolut sicher ist es der Originaltitel.

Lange Zeit hielt ich diese Erzählung für verloren. In Erinnerung geblieben war mir, daß ich das Werk ganz besonders liebte. Zum Teil hatte ich ja die ganze Atmosphäre der Prager »Hausbälle« und der nächtlichen Spaziergänge auf das linke Moldauufer mit Kafka gemeinsam erlebt, glaubte auch die zweite Hauptperson in manchen Zügen als Kafkas Jahrgangskollegen Ewald Přibram identifizieren zu können – man vergleiche hierzu den Brief an mich, den »Wolfsschluchtbrief«, Seite 24 des Bandes ›Briefe 1902–1924‹, richtiger 1900–1924, und Anmerkung 1 zu diesem Brief. Doch nicht diese Nähe des zufällig Miterlebten –, sondern die himmlische Ferne, Weiträumigkeit, das Neuartige, Echte und Leidenschaftliche der Phantasie, die sich mir hier, in dieser Novelle des jungen Kafka zum erstenmal kundgab, bezauberten mich; ferner auch die Nähe und zugleich die Distanz zur Dichtung Hofmannsthals, in dessen Sphäre, vor allem in den Bannkreis des großartigen ›Briefs des Lord Chandos‹, mich mein herrlicher Freund und Lehrer gerade damals einzuführen begann, immer erzieherisch zu Mäßigung und äußerster Reinheit der Gesinnung mahnend, wie gerade der erwähnte »Wolfsschluchtbrief« es klarlegt. Das edle Maß, im Sinne des »Medén ágan« der griechischen Philosophie, war das, was Kafka all seinen inneren Schwierigkeiten zum Trotz und über diese Schwierigkeiten hinweg, anstrebte – nicht immer erreichte, aber immer anstrebte. Also genau das Gegenteil dessen, was man heute mit dem häßlichen und oberflächlichen Modewort »kafkaesk« bezeichnet. Wobei selbstverständlich in dieses »edle Maß« alles Komplizierte, Undeutliche, Skeptische, Vielschichtige, Verschüchterte von Kafkas Welt mit hineingenommen war; denn im Maß sollte ja intentionsgemäß das Negative überwunden, neu gegliedert, erlöst werden. – Nur in der unglückseligen Felice-Zeit, die in jedem Sinn den Tiefpunkt von Kafkas Leben darstellt, ist meinem Freunde dieses Maß zuzeiten völlig abhanden gekommen und ausweglose Verzweiflung machte sich geltend. Die für Kafkas Weltschau entscheidenden, bedeutungsschweren ›Aphorismen‹ entstanden denn auch erst nach der zweiten Entlobung, der völligen Befreiung von Felice. Damit soll nun selbstverständlich nicht gesagt sein, daß *sämtliche*

Aphorismen und Briefstellen, die nach den ersten Monaten der Zürauer Zeit auftauchen, durchaus lebensvolle positive Züge zeigen und daß es vorher solche Züge bei Kafka nicht gegeben hat – aber a potiori, der Mehrheit nach, scheiden sich doch negative und positive Äußerungen in Kafkas Schriften von diesem Termin, von seinem Umzug nach Zürau (in Deutschböhmen) an, vor allem in dem Maße, in dem nacheinander drei Frauen, verständnisvoller als Felice (Julie, Milena und zuletzt am wirksamsten Dora), in sein Leben traten. – Ein frühes Vorspiel nun der viel später (seit Zürau) eingetretenen Reife bietet gerade die ›Beschreibung eines Kampfes‹ nebst einigen Stücken der ›Betrachtung‹ und des ›Verschollenen‹ (›Amerika‹). Wobei nicht übersehen sein soll, daß die ›Beschreibung‹ auch einige schwächere Partien hat, die sich vor allem in den Schlußseiten des zweiten Manuskriptes B häufen, wo ein seltsam weinerlicher Ton angeschlagen wird. Ich halte es für nicht ausgeschlossen, daß Kafka diese zweite Bearbeitung deshalb abgebrochen hat, weil er merkte, daß auf dieser neuen Ebene die Arbeit ins Nichtige abglitt. Die erste Bearbeitung, die ja auch die allein vollständige ist, halte ich für wesentlich gelungener, farbenreicher (und habe sie daher im 5. Band der Gesamtausgabe mit besonderer Freude benützt). Hier erscheint das Entzückende, Reizvoll-Verspielte in Gestalt einer besonderen Art von »inspiriertem Manierismus«. Es ist wohl klar, daß Manier, also Künstlichkeit, und Inspiration, also natürliche Begnadung, einander dialektisch als Gegensätze auszuschließen scheinen. Aber des jungen Kafka besondere, einmalige Begabung weiß irgendwie, auf eine abstraktiv nicht faßbare Art, diese Gegensätze zusammenzubiegen und in ihrem Zusammensein zu einer ironisch-humorvollen, graziösen Vollendung zu treiben.

Die hochgeschätzte Novelle ›Beschreibung eines Kampfes‹ in der ersten Fassung nun hatte ich mir von Kafka ausgebeten und lange Zeit bei mir in Verwahrung gehalten, dann aber meinem Freunde im Umtausch gegen das Manuskript des ›Prozeß‹-Romans zurückgestellt. Dieser Tausch allein verhinderte damals die Vernichtung des ›Prozeß‹-Manuskripts, die Kafka beabsichtigte, und so konnte ich nach Kafkas Tod als erste Probe aus seinem so reichen Nachlaß den ›Prozeß‹ veröffentlichen. Die Erzählung ›Beschreibung eines Kampfes‹ beklagte ich als untergegangen, nun erwies sich das aber als Gedächtnistäuschung. Bei irgendeiner anderen

Gelegenheit, wahrscheinlich als Belohnung für einen der unter uns
beiderseits häufigen kleinen und großen, scherzhaften und ernsten
Freundschaftsdienste, muß es mir gelungen sein, nachträglich
auch das Manuskript der von mir heißgeliebten ›Beschreibung‹
zurückzuerbetteln. Im August 1935 fand ich es bei einer gründlichen Revision meiner Bibliotheksschränke. Der Fund ist um so
bedeutsamer, als ›Beschreibung eines Kampfes‹ die älteste erhaltene Arbeit Kafkas und das *einzige* große Werk des Nachlasses ist,
das *vollendet,* in Reinschrift, vorliegt. In derselben Mappe, in der
›Beschreibung eines Kampfes‹ verwahrt war, lagen: Zeichnungen
Kafkas, Briefe an mich, Entwürfe zu kleineren Arbeiten (Rezensionen) und der gleichfalls verloren geglaubte, leider recht lückenhafte Anfang eines Romans ›Hochzeitsvorbereitungen auf dem
Lande‹.

Die Erzählung ist das erste Werk, das Kafka mir vorgelesen hat.
Es ist 1903 oder 1904 entstanden, denn in einem Brief an mich
vom 28. August 1904 ist eine etwa 9 Zeilen umfassende Stelle der
Novelle in beinahe wörtlicher Übereinstimmung wiederholt, die
Stelle von der Frau, die aus dem Garten auf eine Frage der Mutter
antwortet: »Ich jause im Grünen.« – Auch anderes in diesem Brief,
z. B. ein »Mädchen im weißen Kleid«, zeigt genau die Stimmung
an, in der ›Beschreibung eines Kampfes‹ (vermutlich im Winter
vorher, auf den das Milieu weist) konzipiert worden ist. Danach
ist die Notiz des ›Kafka-Symposion‹, die das Frühjahr 1905 als
mögliches Entstehungsjahr mit einbezieht, zurückzuweisen. – Die
Sätze im 1. Kapitel »Jetzt zum Beispiel könnte ich mich erinnern,
wie ich in L. auf einer Bank gesessen bin. Es war am Abend, auch
am Flußufer. Natürlich im Sommer etc.... Auf beiden Ufern fuhren hin und wieder schiebende Züge mit erglänzendem Rauch«
lassen sogar eine noch frühere Datierung vermuten. L. ist als
Liboch aufzulösen – Liboch an der Elbe, auf deren beiden Ufern
Eisenbahnlinien laufen. In Liboch war Kafka 1902 zur Sommer-
erholung, seine Briefe an Oskar Pollak aus dem Jahr 1902 sind von
ähnlichen jugendlichen Melancholien erfüllt wie der Anfang der
›Beschreibung eines Kampfes‹. – Die oben zitierte Stelle wiederholt sich übrigens sehr deutlich, mit ganz ähnlichen Worten am
Schluß der ganzen Erzählung: »So war ich in diesem Sommer in
einem Dorfe, das lag an einem Flusse usf.« Es handelt sich offenbar
um eine für den Erzähler hochbedeutsame Erinnerung.

Die Erzählung liegt in zwei Fassungen vor, die beide sehr sorgfältig geschriebene Reinschriften sind. Die erste, in ein Schulheft mit schwarzen Deckeln eingetragen, weist die für Kafkas Jugendjahre charakteristische Kurrentschrift auf; nur die erste Reinschrift ist komplett. Umfang 107 Seiten. Sie ist beiderseitig geschrieben, wie übrigens die meisten Manuskripte Kafkas, so daß schon aus dieser Äußerlichkeit ersichtlich ist, daß er nicht an eine Publikation gedacht hat. – Eine Ausnahme bildet gerade die zweite Reinschrift der ›Beschreibung‹, die mit Lateinbuchstaben niedergeschrieben ist, also aus einer späteren Zeit stammt. Sie ist einseitig, auf losen Quartblättern und geradezu kalligraphisch angefertigt. Je zwei Seiten tragen eine gemeinsame Seitenzahl. Beide Reinschriften enthalten nur ganz geringe Korrekturen, oft ist über viele Seiten hin kein Wort geändert. Die erste Reinschrift weist einige Striche auf. – Leider bricht die zweite Reinschrift auf Seite 27 b (= 54) ab.

Die Formate sind: erstes Manuskript (A) 16¼ × 20 cm – zweites (unvollständiges) Manuskript (B) 23 × 29 cm.

Die beiden Fassungen stimmen auf kleinen Strecken wörtlich, auf großen wenigstens inhaltsmäßig miteinander überein, zeigen aber doch auch wesentliche Abweichungen. – Bei der Herausgabe in den ›Gesammelten Werken‹ Band 5 hielt ich mich anfangs im wesentlichen an die zweite (spätere) Reinschrift, und erst da, wo sie sich dem Ende nähert, folgte ich gezwungenermaßen der ersten. Doch behielt ich einige Merkmale der ersten Reinschrift als wesentlich bei; so zum Beispiel enthält nur diese den Titel, das Motto, die Untertitel, die seltsame Einteilung wie I, 1, a, b, die an »Deutsche Hausarbeit« erinnert und dem Leser vielleicht jene ganze jugendlich-melancholische Stimmung an der Schwelle von Gymnasium und Hochschule, zur Zeit der ersten Tanzstunden, kurz die ganze Atmosphäre der Erzählung auch noch formal nahe vor die Seele führt. Die erste Fassung ist auch in manchen Punkten deutlicher. Ich habe daher den Schluß des (Rahmen-) Kapitels I in der ersten Fassung angefügt. Es handelt sich um den letzten Absatz dieses Kapitels.

Kapitel III der zweiten Reinschrift stimmt wörtlich mit dem Stück ›Kinder auf der Landstraße‹ aus der ›Betrachtung‹ überein (Band ›Erzählungen‹, S. 25–29). Vorangesetzt sind folgende Zeilen: »Ich schlief und fuhr mit meinem ganzen Wesen in den ersten Traum hinein. Ich warf mich in ihm so in Angst und Schmerz herum, daß er es nicht ertrug, mich aber auch nicht wecken durfte, denn ich schlief doch nur, weil die Welt um mich zu Ende war. Und so lief ich durch den in seiner Tiefe gerissenen Traum und kehrte wie gerettet – dem Schlaf und dem Traum entflohn – in die Dörfer meiner Heimat zurück. – Ich hörte die Wagen an dem Gartengitter vorüberfahren, manchmal usf.« – Auch sonst wird man kleine Stücke der ›Betrachtung‹ in der Erzählung erkennen, die Kafka später wohl als Ganzes verworfen haben mag, die ihm aber doch in einzelnen Teilen, wie man aus deren Publikation im ›Hyperion‹, in der ›Bohemia‹ und schließlich in seinem ersten Buch ›Betrachtung‹ sieht, wert blieb. – Statt die schon bekannte Episode ›Kinder auf der Landstraße‹ nochmals abzudrucken, habe ich an dieser Stelle der Gesamtausgabe auf die erste Reinschrift zurückgegriffen. Ihr entnahm ich: den Schluß des Kapitels ›Spaziergang‹, im Anschluß das Kapitel 3 ›Der Dicke‹ – a) ›Ansprache an die Landschaft‹. Vom Kapitel 3 b an sind die beiden Reinschriften wieder in Übereinstimmung. 3 b der ersten Reinschrift entspricht IV der zweiten Reinschrift. Da die zweite Reinschrift innerhalb des IV. Kapitels abbricht, war mir aber schon im Kontext dieses Kapitels die erste Reinschrift die maßgebende. – Kapitel 3 a ist von einem alten japanischen Holzschnitt (Hiroshige) inspiriert, der zu jener Zeit als Ansichtskarte verbreitet war und meinem Freund außerordentlich gefiel.

Die neue Ausgabe folgt anderen Prinzipien. Die soeben dargelegten Grundsätze der I. Edition (Gesamtausgabe, Band 5) zielten vor allem auf eine lesbare, in sich geschlossene Fassung. Hier dagegen soll nicht so sehr auf den Leser, als auf den Dichter geachtet werden, welch letzterer in seinen Intentionen nun so klar wie möglich dasteht, sogar da wo diese Intentionen nicht bis zu Ende geführt sind (also besonders in den vom Dichter gestrichenen Stellen). Zwar habe ich schon in der Erstausgabe einige dieser Striche aufgemacht – ganz einfach weil ich es nicht ertragen konnte, daß so schöne Zeilen der Vergessenheit preisgegeben werden –, nun aber war ich radikaler und habe *alles,* was Kafka niedergeschrieben und nicht geradezu unleserlich gemacht hat, mitabgedruckt. Das vom Autor Gestrichene ist in eckige Klammern gesetzt. Auf diese Art werden aus dem Manuskript A ungefähr 4½ Seiten Text und aus dem Manuskript B etwa 5 Seiten *zum erstenmal* publiziert. – Zum

Schluß taucht in B wieder Bekanntes auf, darunter die berühmten ›Baumstämme im Schnee‹. Die Diskrepanz in den Proportionen der drei Kapitel (Manuskript A) ist dadurch aber noch größer geworden als bisher, da alle neu hinzugekommenen Texte dem 2. Kapitel der Erstausgabe zugute kommen. Schon in der Erstausgabe hatte das erste Kapitel 17 Druckseiten, das zweite Kapitel, das zahlreiche Unterteilungen aufweist, 36 Druckseiten, das 3. Kapitel nur 6. Man kann aus dieser Disproportion, die aus Kafkas Originalhandschrift A unwiderleglich hervorgeht, den Wert einer Argumentation ermessen, die auf Grund einer ähnlichen Disproportion der Kapitellängen im ›Schloß‹ eine Neueinteilung dieses Romans (übrigens ohne Umstellung des Erzählungsverlaufs) vorschlägt, bei der jedes Kapitel nicht mehr als 23 Druckseiten und nicht etwa eines davon (horribile dictu!) ganze 79 Druckseiten aufweist. Als ob Kafka die Kapitel nach der Schneiderelle hätte zuschneiden wollen – und noch dazu in einem unvollendeten und noch lange nicht in die endgültige Gestalt gebrachten Werk – und noch dazu, wenn es sich um ein ähnlich in Abschnitte *unterteiltes* Monstre-Kapitel (Kapitel 15 des ›Schloß‹) handelt, wie es gerade auch das 2. Kapitel der ›Beschreibung eines Kampfes‹ darstellt.

Gerade aus dem Vergleich dieser beiden, ganz ähnlich gebauten Kapitel in der ›Beschreibung‹ und im ›Schloß‹ ergibt sich die Mutmaßung, daß dem Dichter im Aufbau seiner Werke kein klassisches, sondern eher ein barockes Stilprinzip vorschwebte. An den Stellen, an denen die Handlung nach langer Klimax ihren Höhepunkt erreicht, überbordet auch quantitativ die Masse des zu Erzählenden und macht sich formal in breitesten Schwingungen freie Bahn. Die Ausführlichkeit ist hier nichts Zufälliges (wie zuweilen sogar bei Flaubert, mehr noch bei Proust), sondern sie wird zur architektonisch wirksamen Struktur der Größe, der Bedeutung, der in wilde Bewegung geratenen Flächen mit ihren Kuppeln, Voluten, Balkonen, mit den auf gewundenen Fensterbekrönungen und Rundbogenportalen lagernden mythologischen Gottheiten. Es ist gewiß kein Zufall, daß ›Beschreibung eines Kampfes‹ die Erzählung Kafkas, die am deutlichsten Prager Lokalkolorit aufweist – und Kafka gehört zu jenen Dichtern, die dieses Kolorit am intimsten und leuchtendsten wiedergeben –, daß diese Erzählung gewissermaßen im Barockstil der Barockstadt

Prag niedergeschrieben ist. Die Barockschönheit Prags wird ja nur noch von der Roms übertroffen. Auch da wo keine Lokalitäten ausdrücklich genannt sind (an vielen Stellen sind sie ja genannt), würde ich mich getrauen, einzelnes zu erkennen – beispielsweise jene Kirche, in der die denkwürdige Begegnung mit dem Beter stattfindet, die barocke Jakobskirche in der engen Stupartsgasse zu sehen, nicht weit von Kafkas Wohnung – jene Kirche, deren kühn ausbalancierte steinerne Rhythmen wir beide so oft gemeinsam bewundert haben.

Tel Aviv, 1969.   Max Brod

Teildrucke (Erstveröffentlichungen)

Beschreibung eines Kampfes. Erstmals in ›Beschreibung eines Kampfes.‹ Novellen, Skizzen, Aphorismen, Aus dem Nachlaß. Prag: Heinrich Mercy Sohn (= Gesammelte Schriften. Herausgegeben von Max Brod in Gemeinschaft mit Heinz Politzer. Band V) 1936

Beim Bau der Chinesischen Mauer. Erstmals in ›Beim Bau der Chinesischen Mauer.‹ Ungedruckte Erzählungen und Prosa aus dem Nachlaß. Herausgegeben von Max Brod und Hans Joachim Schoeps. Berlin: Gustav Kiepenheuer 1931. Aufgenommen in ›Beschreibung eines Kampfes.‹ Novellen, Skizzen, Aphorismen, Aus dem Nachlaß. Prag: Heinrich Mercy Sohn (= Gesammelte Schriften. Herausgegeben von Max Brod in Gemeinschaft mit Heinz Politzer. Band V) 1936

Die Abweisung. Erstmals in ›Beschreibung eines Kampfes.‹ Novellen, Skizzen, Aphorismen, Aus dem Nachlaß. Herausgegeben von Max Brod in Gemeinschaft mit Heinz Politzer. Band V) 1936

Zur Frage der Gesetze. Erstmals in ›Beim Bau der Chinesischen Mauer.‹ Ungedruckte Erzählungen und Prosa aus dem Nachlaß. Herausgegeben von Max Brod und Hans Joachim Schoeps. Berlin: Gustav Kiepenheuer 1931. Aufgenommen in ›Beschreibung eines Kampfes.‹ Novellen, Skizzen, Aphorismen, Aus dem Nachlaß. Prag: Heinrich Mercy Sohn (= Gesammelte Schriften. Herausgegeben von Max Brod in Gemeinschaft mit Heinz Politzer. Band V) 1936

Das Stadtwappen. Erstmals in ›Beim Bau der Chinesischen Mauer.‹ Ungedruckte Erzählungen und Prosa aus dem Nachlaß. Herausgegeben von Max Brod und Hans Joachim Schoeps. Berlin: Gustav Kiepenheuer 1931. Aufgenommen in ›Beschreibung eines Kampfes.‹ Novellen, Skizzen, Aphorismen, Aus dem Nachlaß. Prag: Heinrich Mercy Sohn (= Gesammelte Schriften. Herausgegeben von Max Brod in Gemeinschaft mit Heinz Politzer. Band V) 1936

Von den Gleichnissen. Erstmals in ›Beim Bau der Chinesischen Mauer.‹ Ungedruckte Erzählungen und Prosa aus dem Nachlaß. Herausgegeben von Max Brod und Hans Joachim Schoeps. Berlin: Gustav Kiepenheuer 1931. Aufgenommen in ›Vor dem Gesetz.‹ Berlin: Schocken 1934. Ebenfalls aufgenommen in ›Beschreibung eines Kampfes.‹ Novellen, Skizzen, Aphorismen, Aus dem Nachlaß. Prag: Heinrich Mercy Sohn (= Gesammelte Schriften. Herausgegeben von Max Brod in Gemeinschaft mit Heinz Politzer. Band V) 1936

Poseidon. Erstmals in ›Beschreibung eines Kampfes.‹ Novellen, Skizzen,

Aphorismen, Aus dem Nachlaß. Prag: Heinrich Mercy Sohn (= Gesammelte Schriften. Herausgegeben von Max Brod in Gemeinschaft mit Heinz Politzer. Band V) 1936

Der Jäger Gracchus. Erstmals in ›Beim Bau der Chinesischen Mauer.‹ Ungedruckte Erzählungen und Prosa aus dem Nachlaß. Herausgegeben von Max Brod und Hans Joachim Schoeps. Berlin: Gustav Kiepenheuer 1931. Aufgenommen in ›Beschreibung eines Kampfes.‹ Novellen, Skizzen, Aphorismen, Aus dem Nachlaß. Prag: Heinrich Mercy Sohn (= Gesammelte Schriften. Herausgegeben von Max Brod in Gemeinschaft mit Heinz Politzer. Band V) 1936

Der Schlag ans Hoftor. Erstmals in ›Beim Bau der Chinesischen Mauer.‹ Ungedruckte Erzählungen und Prosa aus dem Nachlaß. Herausgegeben von Max Brod und Hans Joachim Schoeps. Berlin: Gustav Kiepenheuer 1931. Aufgenommen in ›Beschreibung eines Kampfes.‹ Novellen, Skizzen, Aphorismen, Aus dem Nachlaß. Prag: Heinrich Mercy Sohn (= Gesammelte Schriften. Herausgegeben von Max Brod in Gemeinschaft mit Heinz Politzer. Band V) 1936

Eine Kreuzung. Erstmals in ›Beim Bau der Chinesischen Mauer.‹ Ungedruckte Erzählungen und Prosa aus dem Nachlaß. Herausgegeben von Max Brod und Hans Joachim Schoeps. Berlin: Gustav Kiepenheuer 1931. Aufgenommen in ›Beschreibung eines Kampfes.‹ Novellen, Skizzen, Aphorismen, Aus dem Nachlaß. Prag: Heinrich Mercy Sohn (= Gesammelte Schriften. Herausgegeben von Max Brod in Gemeinschaft mit Heinz Politzer. Band V) 1936

Die Brücke. Erstmals in ›Beim Bau der Chinesischen Mauer.‹ Ungedruckte Erzählungen und Prosa aus dem Nachlaß. Herausgegeben von Max Brod und Hans Joachim Schoeps. Berlin: Gustav Kiepenheuer 1931. Aufgenommen in ›Beschreibung eines Kampfes.‹ Novellen, Skizzen, Aphorismen, Aus dem Nachlaß. Prag: Heinrich Mercy Sohn (= Gesammelte Schriften. Herausgegeben von Max Brod in Gemeinschaft mit Heinz Politzer. Band V) 1936

Der Geier. Erstmals in ›Beschreibung eines Kampfes.‹ Novellen, Skizzen, Aphorismen, Aus dem Nachlaß. Prag: Heinrich Mercy Sohn (= Gesammelte Schriften. Herausgegeben von Max Brod in Gemeinschaft mit Heinz Politzer. Band V) 1936

Der Aufbruch. Erstmals in ›Beschreibung eines Kampfes.‹ Novellen, Skizzen, Aphorismen, Aus dem Nachlaß. Prag: Heinrich Mercy Sohn (= Gesammelte Schriften. Herausgegeben von Max Brod in Gemeinschaft mit Heinz Politzer. Band V) 1936

Gib's auf! Erstmals in ›Beschreibung eines Kampfes.‹ Novellen, Skizzen, Aphorismen, Aus dem Nachlaß. Prag: Heinrich Mercy Sohn (= Gesammelte Schriften. Herausgegeben von Max Brod in Gemeinschaft mit Heinz Politzer. Band V) 1936

Nachts. Erstmals in ›Beschreibung eines Kampfes.‹ Novellen, Skizzen, Aphorismen, Aus dem Nachlaß. Prag: Heinrich Mercy Sohn (= Gesammelte Schriften. Herausgegeben von Max Brod in Gemeinschaft mit Heinz Politzer. Band V) 1936

Der Steuermann. Erstmals in ›Beschreibung eines Kampfes.‹ Novellen, Skizzen, Aphorismen, Aus dem Nachlaß. Prag: Heinrich Mercy Sohn (= Gesammelte Schriften. Herausgegeben von Max Brod in Gemeinschaft mit Heinz Politzer. Band V) 1936

Der Kreisel. Erstmals in ›Beschreibung eines Kampfes.‹ Novellen, Skizzen, Aphorismen, Aus dem Nachlaß. Prag: Heinrich Mercy Sohn(= Gesammelte Schriften. Herausgegeben von Max Brod in Gemeinschaft mit Heinz Politzer. Band V) 1936

Kleine Fabel. Erstmals in ›Beim Bau der Chinesischen Mauer.‹ Ungedruckte Erzählungen und Prosa aus dem Nachlaß. Herausgegeben von Max Brod und Hans Joachim Schoeps. Berlin: Gustav Kiepenheuer 1931. Aufgenommen in ›Beschreibung eines Kampfes.‹ Novellen, Skizzen, Aphorismen, Aus dem Nachlaß. Prag: Heinrich Mercy Sohn (= Gesammelte Schriften. Herausgegeben von Max Brod in Gemeinschaft mit Heinz Politzer. Band V) 1936

Der Kübelreiter. Erstmals in ›Prager Presse‹, Jg. 1921, Nr. 270, Morgen-Ausgabe, Sonntag, 25.12.1921. Erste Buchveröffentlichung in ›Beim Bau der Chinesischen Mauer.‹ Ungedruckte Erzählungen und Prosa aus dem Nachlaß. Herausgegeben von Max Brod und Hans Joachim Schoeps. Berlin: Gustav Kiepenheuer 1931. Aufgenommen in ›Beschreibung eines Kampfes.‹ Novellen, Skizzen, Aphorismen, Aus dem Nachlaß. Prag: Heinrich Mercy Sohn (= Gesammelte Schriften. Herausgegeben von Max Brod in Gemeinschaft mit Heinz Politzer. Band V) 1936

Das Ehepaar. Erstmals in ›Beim Bau der Chinesischen Mauer.‹ Ungedruckte Erzählungen und Prosa aus dem Nachlaß. Herausgegeben von Max Brod und Hans Joachim Schoeps. Berlin: Gustav Kiepenheuer 1931. Aufgenommen in ›Beschreibung eines Kampfes.‹ Novellen, Skizzen, Aphorismen, Aus dem Nachlaß. Prag: Heinrich Mercy Sohn (= Gesammelte Schriften. Herausgegeben von Max Brod in Gemeinschaft mit Heinz Politzer. Band V) 1936

Der Nachbar. Erstmals in ›Beim Bau der Chinesischen Mauer.‹ Ungedruckte Erzählungen und Prosa aus dem Nachlaß. Herausgegeben von Max Brod und Hans Joachim Schoeps. Berlin: Gustav Kiepenheuer 1931. Aufgenommen in ›Beschreibung eines Kampfes.‹ Novellen, Skizzen, Aphorismen, Aus dem Nachlaß. Prag: Heinrich Mercy Sohn (= Gesammelte Schriften. Herausgegeben von Max Brod in Gemeinschaft mit Heinz Politzer. Band V) 1936

Die Prüfung. Erstmals in ›Beschreibung eines Kampfes.‹ Novellen, Skizzen, Aphorismen, Aus dem Nachlaß. Prag: Heinrich Mercy Sohn

(= Gesammelte Schriften. Herausgegeben von Max Brod in Gemeinschaft mit Heinz Politzer. Band V) 1936

Fürsprecher. Erstmals in ›Beschreibung eines Kampfes.‹ Novellen, Skizzen, Aphorismen, Aus dem Nachlaß. Prag: Heinrich Mercy Sohn (= Gesammelte Schriften. Herausgegeben von Max Brod in Gemeinschaft mit Heinz Politzer. Band V) 1936

Heimkehr. Erstmals in ›Beschreibung eines Kampfes.‹ Novellen, Skizzen, Aphorismen, Aus dem Nachlaß. Prag: Heinrich Mercy Sohn (= Gesammelte Schriften. Herausgegeben von Max Brod in Gemeinschaft mit Heinz Politzer. Band V) 1936

Gemeinschaft. Erstmals in ›Beschreibung eines Kampfes.‹ Novellen, Skizzen, Aphorismen, Aus dem Nachlaß. Prag: Heinrich Mercy Sohn (= Gesammelte Schriften. Herausgegeben von Max Brod in Gemeinschaft mit Heinz Politzer. Band V) 1936

Blumfeld, ein älterer Junggeselle. Erstmals in ›Beschreibung eines Kampfes.‹ Novellen, Skizzen, Aphorismen, Aus dem Nachlaß. Prag: Heinrich Mercy Sohn (= Gesammelte Schriften. Herausgegeben von Max Brod in Gemeinschaft mit Heinz Politzer. Band V) 1936

Der Bau. Erstmals in ›Beim Bau der Chinesischen Mauer.‹ Ungedruckte Erzählungen und Prosa aus dem Nachlaß. Herausgegeben von Max Brod und Hans Joachim Schoeps. Berlin: Gustav Kiepenheuer 1931. Aufgenommen in ›Beschreibung eines Kampfes.‹ Novellen, Skizzen, Aphorismen, Aus dem Nachlaß. Prag: Heinrich Mercy Sohn (= Gesammelte Schriften. Herausgegeben von Max Brod in Gemeinschaft mit Heinz Politzer. Band V) 1936

Der Riesenmaulwurf. Erstmals in ›Beim Bau der Chinesischen Mauer.‹ Ungedruckte Erzählungen und Prosa aus dem Nachlaß. Herausgegeben von Max Brod und Hans Joachim Schoeps. Berlin: Gustav Kiepenheuer 1931. Aufgenommen in ›Beschreibung eines Kampfes.‹ Novellen, Skizzen, Aphorismen, Aus dem Nachlaß. Prag: Heinrich Mercy Sohn (= Gesammelte Schriften. Herausgegeben von Max Brod in Gemeinschaft mit Heinz Politzer. Band V) 1936

Forschungen eines Hundes. Erstmals in ›Beim Bau der Chinesischen Mauer.‹ Ungedruckte Erzählungen und Prosa aus dem Nachlaß. Herausgegeben von Max Brod und Hans Joachim Schoeps. Berlin: Gustav Kiepenheuer 1931. Aufgenommen in ›Beschreibung eines Kampfes.‹ Novellen, Skizzen, Aphorismen, Aus dem Nachlaß. Prag: Heinrich Mercy Sohn (= Gesammelte Schriften. Herausgegeben von Max Brod in Gemeinschaft mit Heinz Politzer. Band V) 1936

›*Er*.‹ *Aufzeichnungen aus dem Jahre 1920*. Erstmals in ›Beim Bau der Chinesischen Mauer.‹ Ungedruckte Erzählungen und Prosa aus dem Nachlaß. Herausgegeben von Max Brod und Hans Joachim Schoeps. Berlin: Gustav Kiepenheuer 1931. Aufgenommen in ›Beschreibung eines

Kampfes.‹ Novellen, Skizzen, Aphorismen, Aus dem Nachlaß. Prag: Heinrich Mercy Sohn (= Gesammelte Schriften. Herausgegeben von Max Brod in Gemeinschaft mit Heinz Politzer. Band V) 1936

Die Eintragungen »Er ist bei keinem Anlaß genügend vorbereitet ...«, »Mit einem Gefängnis hätte er sich abgefunden ...«, »Er fühlt sich auf dieser Erde gefangen ...«, »Es handelt sich um folgendes ...«, »Er lebt nicht wegen seines persönlichen Lebens ...«, »Die Erbsünde, das alte Unrecht, das der Mensch begangen hat ...«, »Die Strömung, gegen die er schwimmt ...«, »Am Sicherheben hindert ihn eine gewisse Schwere ...« und »Er hat zwei Gegner ...« aufgenommen unter dem Sammeltitel ›Aus den Aphorismen‹ in der Abteilung ›I (Aus ‹Er.› Aufzeichnungen aus dem Jahre 1920)‹ in ›Vor dem Gesetz.‹ Berlin: Schocken (= Bücherei des Schocken Verlags 19) 1934

Der Gruftwächter. Erstmals in ›Beschreibung eines Kampfes.‹ Novellen, Skizzen, Aphorismen, Aus dem Nachlaß. Prag: Heinrich Mercy Sohn (= Gesammelte Schriften. Herausgegeben von Max Brod in Gemeinschaft mit Heinz Politzer. Band V) 1936

Anhang

Fragmente zum ›Bericht für eine Akademie‹

»*Wir alle kennen den Rotpeter* ...« Erstmals in ›Tagebücher und Briefe.‹ Prag: Heinrich Mercy Sohn (= Gesammelte Schriften. Herausgegeben von Max Brod in Gemeinschaft mit Heinz Politzer. Band VI) 1937

»*Wenn ich Ihnen, Rotpeter, hier so gegenübersitze* ...« Erstmals in ›Beschreibung eines Kampfes.‹ Novellen. Skizzen. Aphorismen. Aus dem Nachlaß. Frankfurt am Main: S. Fischer (= Gesammelte Werke. Herausgegeben von Max Brod) 1954

[*Brief-Anfang*]. Erstmals in ›Beschreibung eines Kampfes.‹ Novellen. Skizzen. Aphorismen. Aus dem Nachlaß. Frankfurt am Main: S. Fischer (= Gesammelte Werke. Herausgegeben von Max Brod) 1954

Fragment zum ›Bau der Chinesischen Mauer‹. Erstmals in ›Tagebücher und Briefe.‹ Prag: Heinrich Mercy Sohn (= Gesammelte Schriften. Herausgegeben von Max Brod in Gemeinschaft mit Heinz Politzer, Band VI) 1937

Die Truppenaushebung. Erstmals in ›Tagebücher und Briefe.‹ Prag: Heinrich Mercy Sohn (= Gesammelte Schriften. Herausgegeben von Max Brod in Gemeinschaft mit Heinz Politzer. Band VI) 1937

Fragment zum ›Jäger Gracchus‹. Erstmals in ›Tagebücher und Briefe.‹ Prag: Heinrich Mercy Sohn (= Gesammelte Schriften. Herausgegeben von Max Brod in Gemeinschaft mit Heinz Politzer. Band VI) 1937

Paralipomena. Erstmals in der Abteilung ›Meditationen‹ in ›Tagebücher und Briefe.‹ Prag: Heinrich Mercy Sohn (= Gesammelte Schriften. Herausgegeben von Max Brod in Gemeinschaft mit Heinz Politzer. Band VI) 1937. Aufgenommen in ›Beschreibung eines Kampfes.‹ Novellen, Skizzen, Aphorismen, Aus dem Nachlaß. New York: Schocken Books (= Gesammelte Schriften. Herausgegeben von Max Brod. Band V) 1946

Erste Ausgabe

Beschreibung eines Kampfes. Novellen, Skizzen, Aphorismen, Aus dem Nachlaß. Prag: Heinrich Mercy Sohn (= Gesammelte Werke. Herausgegeben von Max Brod in Gemeinschaft mit Heinz Politzer. Band V) 1936. [Diese Ausgabe ist inhaltlich nicht identisch mit den beiden späteren Ausgaben dieses Titels.]

Zweite Ausgabe

Beschreibung eines Kampfes. Novellen. Skizzen. Aphorismen. Aus dem Nachlaß. New York: Schocken Books (= Gesammelte Schriften. Herausgegeben von Max Brod. Band V) 1946. [Diese Ausgabe ist inhaltlich nicht identisch mit der späteren Ausgabe.]

Dritte Ausgabe

Beschreibung eines Kampfes. Novellen. Skizzen. Aphorismen. Aus dem Nachlaß. Frankfurt am Main: S. Fischer (= Gesammelte Werke. Herausgegeben von Max Brod) 1954. [Diese Ausgabe ist inhaltlich nicht identisch mit den beiden früheren Ausgaben.]

Franz Kafka

Fischer Taschenbuch Verlag

Kritische Ausgabe
der Werke von Franz Kafka
Schriften – Tagebücher – Briefe

Herausgegeben von Jürgen Born,
Gerhard Neumann, Malcolm Pasley und Jost
Schillemeit
unter Beratung von Nahum Glatzer,
Rainer Gruenter, Paul Raabe und Marthe Robert

Das Schloß
Herausgegeben von Malcolm Pasley
Textband: 498 Seiten. Leinen
Apparatband: 488 Seiten. Leinen
Text- und Apparatband werden nur geschlossen abgegeben
2 Bände. Leinen in Schuber

Der Verschollene
Herausgegeben von Jost Schillemeit
Textband: 421 Seiten. Leinen
Apparatband: 277 Seiten. Leinen
Text- und Apparatband werden nur geschlossen abgegeben
2 Bände. Leinen in Schuber

»Die historisch-kritische Gesamt-Ausgabe ist der wichtigste Beitrag zur Kafka-Forschung, der überhaupt denkbar ist. Der Nutzen der neuen Ausgabe liegt vor allem darin, daß sie erstens allen Zweifeln ein Ende setzt, und daß sie es zweitens erlaubt, die Entstehung des Romans bis in die feinsten Verzweigungen zu verfolgen.«
Ulrich Greiner

S. Fischer

fi 229/2 a

Franz Kafka
Gesammelte Werke in Einzelbänden
in der Fassung der Handschrift

Neben der Kritischen Ausgabe der Werke von Franz
Kafka erscheint jeder Band auch in einer **Leseausga-
be.** Ihre Besonderheit besteht darin, daß zum erstenmal Kafkas Werke in der von ihm hinterlassenen
Form wiedergegeben werden. Sie ist identisch mit
dem Textband der wissenschaftlichen Edition.

Das Schloß
*Roman. Herausgegeben und mit einem Nachwort versehen
von Malcolm Pasley. 503 Seiten. Leinen*

Diese Textform des »Schloß«-Romans mag zunächst
befremden. Die ungewöhnliche Darbietung entspricht jedoch der Ungewöhnlichkeit der Überlieferung. Kafka hat den Text nur so weit entwickelt,
daß er ihn in der Handschrift mühelos nachlesen und
gegebenenfalls daraus vorlesen konnte... Der gewissermaßen private und vorläufige Charakter des Textes
bleibt hier im Interesse der Authentizität gewahrt.

Der Verschollene
*Roman. Herausgegeben und mit einem Nachwort versehen
von Jost Schillemeit. 427 Seiten. Leinen*

Eine »Geschichte, die allerdings ins Endlose angelegt
ist«, nannte Franz Kafka diesen Roman in einem Brief
an seine Verlobte Felice Bauer vom 11. November
1912 und erwähnte hier auch den Titel: ›Der Ver-
schollene‹ – die einzige authentische Formulierung für
diesen Roman, der dann später unter dem Titel
›Amerika‹ berühmt wurde.

S. Fischer

fi 229/2b

NEUE RUNDSCHAU

– 101. Jahrgang –

Herausgegeben von Günther Busch und Uwe Wittstock

Das
neue Konzept:

In allen
Buchhandlungen
und als Abonnement
erhältlich.

NEUE RUNDSCHAU

101. Jahrgang 1990 Heft 1
Begründet von S. Fischer im Jahre 1890
Herausgegeben von Günther Busch
und Uwe Wittstock

Günter Kunert
Strafpredigt zur Apokalypse

Skepsis. Ein Gespräch mit Jean Starobinski

Brigitte Kronauer: *Die Zoobesucher*

Klaus Schlesinger
Seitenwechsel. Ein Ost-West-Tagebuch

Salman Rushdie: *Erinnerung an Bruce Chatwin*

Mario Vargas Llosa
Fehdebrief: Für Tirant lo Blanc

Gert Mattenklott
Valérys ästhetische Anthropologie

S. Fischer

Hundert Jahre
NEUE RUNDSCHAU

Die *Neue Rundschau*, 1890 von Samuel Fischer gegründet, hat sich zu einer beispiellosen Chronik des kulturellen Lebens in unserem Jahrhundert entwickelt. Sie hat die wesentlichen intellektuellen Strömungen der Zeit wie ein Brennglas gesammelt und konzentriert.

In das zweite Jahrhundert ihres Bestehens startet die *Neue Rundschau* nun mit neuem Gewand und neuem redaktionellen Konzept. Die Zeitschrift wird künftig herausgegeben von Günther Busch und Uwe Wittstock, denen Elisabeth Ruge als Assistentin zur Seite steht. Die *Neue Rundschau* erscheint wie bislang vierteljährlich, allerdings nicht mehr in Form eines Taschenbuches, sondern in größerem Format, zeitgemäßer Typographie und klassischer Ausstattung.

Als ihre Aufgabe betrachtet es die *Neue Rundschau*, Zusammenhänge in unserem kulturellen Leben sichtbar zu machen oder herzustellen. In den Zeiten der »Neuen Unübersichtlichkeit« (Jürgen Habermas) auch im intellektuellen Betrieb geht nicht nur für den Leser, sondern oft genug auch für die Autoren der Überblick über die zentralen Entwicklungen der Literatur und der Theorie verloren: Das literarische Leben, das früher als vitaler geistiger Zusammenhang wahrgenommen und begriffen wurde, scheint gegenwärtig immer mehr in partikulare Interessen zu zerfallen. In dieser Situation will die *Neue Rundschau* wieder Verbindungen zwischen Kunst und Wissenschaft präsentieren, möchte sie die vom atemlosen Kulturbetrieb allzu leicht übersehenen Kontakte oder Kontroversen zwischen Dichtern und Denkern unserer Zeit ins Bewußtsein heben.

S. Fischer

Erzähler–Bibliothek

Die »Erzähler–Bibliothek« versammelt große Erzähler in besonders lesefreundlichen Einzelausgaben und wendet sich damit vor allem an Leser, die auch im Taschenbuch auf eine optisch großzügige Präsentation von Literatur nicht verzichten möchten. Ihre Bände, die jeweils eine längere Erzählung, eine Novelle oder einen Kurzroman eines berühmten Autors der klassischen Moderne, der zeitgenössischen Literatur, gelegentlich auch früherer Epochen bringen, wollen Verführungen sein zum Lesen: durch spannende Inhalte, reizvolle Gestaltung, ein angenehmes und ästhetisches Schriftbild.

Stefan Zweig
Brennendes Geheimnis
Erzählung
Band 9311

Joseph Conrad
Die Rückkehr
Erzählung
Band 9309

Franz Kafka
Ein Bericht für eine
Akademie / Forschungen
eines Hundes
Erzählungen
Band 9303

George Langelaan
Die Fliege
Eine phantastische Erzählung
Band 9314

Thomas Mann
Die vertauschten Köpfe
Eine indische Legende
Band 9305

Vladimir Pozner
Die Verzauberten
Roman
Band 9301

Antoine de Saint-Exupéry
Nachtflug
Roman
Band 9316

Anna Seghers
Wiedereinführung der
Sklaverei in Guadeloupe
Band 9321

Ludwig Harig
Der kleine Brixius
Eine Novelle
Band 9313

Abraham B. Jehoschua
Frühsommer 1970
Erzählung
Band 9326

Fischer Taschenbuch Verlag

fi 668 / 1